Y0-BDC-283

tionne Sirice et ajoute : « qui est aujourd'hui notre collègue [1] ». Or Sirice ne succéda au pape Damase qu'en 384. De toute évidence, il s'agit d'une addition. Il est établi que le traité, qui ne comprenait que six livres à la connaissance de Jérôme, a fait l'objet d'une seconde édition plus tardive, augmentée du livre VII et de quelques additions dont nous venons d'avoir un exemple. La référence à Sirice ne nous apporte donc aucune précision sur la date de la première édition. P. Monceaux affirme que, dans celle-ci, la liste pontificale s'arrêtait à Damase (366-384). Ceci est vraisemblable mais n'est étayé par aucune preuve ; tous les manuscrits, en effet, donnent la liste complète jusqu'à Sirice. La première liste pouvait donc tout aussi bien s'arrêter à Libère, prédécesseur de Damase ; dans ce cas, la première édition pourrait être antérieure à octobre 366, date à laquelle Damase a succédé à Libère.

Dans le plus ancien manuscrit, le *Petropolitanus* (V[e]-VIe siècle), qui contient les deux premiers livres d'Optat, la liste des évêques donatistes de Rome s'arrête à Macrobe, que l'auteur présente comme vivant à l'époque où il écrit [2]. On peut donc affirmer avec certitude qu'Optat rédigea la première édition de son traité au moment où Macrobe était évêque donatiste de Rome. P. Monceaux en tire argument pour fixer la date de la première édition vers 366 [3]. C'est oublier qu'il fixe lui-même le séjour de Macrobe à Rome aux environs de 366 grâce au témoignage d'Optat [4]. En réalité, la référence à Macrobe n'apporte aucune précision sur la date de rédaction des six premiers livres.

---

1. OPTAT, II, 3, 1.
2. OPTAT, II, 4, 5.
3. P. MONCEAUX, *Comptes rendus des séances de l'Académie des inscriptions et belles lettres,* 1913, p. 450-453 ; MONCEAUX₃, *Hist. litt.,* t. 5, p. 250.
4. MONCEAUX₃, *Hist. litt.,* t. 5, p. 153. Sur Macrobe, cf. MANDOUZE₃, *Prosop.,* p. 662 : « Macrobius 1 ».

Il paraît prudent, par conséquent, de s'en tenir à la période fin 364-début 367. Encore convient-il de rappeler que le *terminus ante quem* n'est fixé au mois d'août 367 que sur le témoignage de Jérôme ; mais il est peu probable que celui-ci ait omis de mentionner Gratien aux côtés de Valentinien et de Valens [1].

3. Les circonstances de la composition

Les circonstances dans lesquelles Optat a composé les six premiers livres de son traité sont indiquées par l'auteur lui-même et concordent tout à fait avec la datation que nous avons retenue.

Depuis le début du siècle, il y avait en Afrique deux Églises rivales. Peu après la persécution de 303, des évêques de Numidie avaient provoqué un schisme à Carthage et s'étaient séparés de l'Église catholique. Cette église dissidente, l'église donatiste [2], s'était rapidement développée, et dans bien des villes, surtout en Numidie, on voyait s'affronter les évêques des deux églises rivales. Nous ne possédons pas, pour cette époque, un document aussi précieux que les Actes de la conférence de Carthage de 411, qui per-

---

1. Les différentes datations proposées jusqu'ici varient entre 363 et 376. Citons, parmi les plus probantes : B. ALTANER, *Précis de Patrologie*, Paris 1962, p. 526 : « vers 365 » ; BLOMGREN₂, *Echtheitsfrage* : « peu après 365 ».
2. Donat, évêque de l'église dissidente de Carthage de 313 jusqu'à sa mort, en 355, a donné son nom au schisme. Au moment où Optat écrit son traité, cette dénomination semble déjà bien établie. Mais il faut noter que l'évêque de Milève n'utilise qu'une fois le terme « donatiste ». Dans une longue diatribe contre Donat, il reproche précisément à l'évêque dissident d'avoir fondé le « parti de Donat » : « Ausus est populum cum deo diuidere ut qui illum secuti sunt iam non christiani uocarentur sed donatistae » (III, 3, 15). Pour sa part, Optat de Milève refuse cette dénomination et préfère utiliser le mot « schismatique » (*schismaticus*). Sur Donat, cf. MANDOUZE₃, *Prosop.*, p. 292-303.

mettent de connaître l'importance numérique des deux églises et leur implantation géographique, mais les travaux des historiens modernes mettent en valeur une situation qu'Optat lui-même décrit très clairement : au milieu du IVe siècle, la Numidie apparaît comme le fief des donatistes [1]. C'est en Numidie que le schisme a pris le plus d'extension, et Milève est donc la ville d'une province dans laquelle la supériorité des schismatiques semble incontestable [2].

L'avènement de Julien l'Apostat avait été suivi de troubles et de violences [3]. Les donatistes, exilés depuis le décret de Constant en 347, avaient été autorisés à rentrer en Afrique [4].

A la faveur de ce retour triomphant, l'Église donatiste se reconstitue et le schisme connaît alors une expansion sans précédent. Les années qui suivirent la mort de Julien correspondent à une période de tolérance plus ou moins tacite.

---

1. Optat, II, 1, 3 : « Ergo ut in particula Africae, in angulo paruae regionis, apud uos esse possit [sc. ecclesia], apud nos in alia parte Africae non erit ? » Toute l'argumentation d'Optat repose sur l'opposition entre, d'une part, les limites étroites d'une région dans laquelle il enferme le schisme, et, d'autre part, l'universalité de l'Église catholique. Augustin, lui aussi, insiste sur le caractère numide du schisme donatiste (cf. *Sermo*, 46, 15, 39).

2. Monceaux₃, (*Hist. litt.*, t. 4, p. 35 s.) a mis l'accent sur le rôle de la Numidie, véritable « forteresse du donatisme ». Frend₃ (*Donatist Church*) s'appuyant sur des données archéologiques, géographiques, économiques et linguistiques, insiste sur le caractère numide du schisme : le donatisme serait l'expression d'un irrédentisme berbère, la Numidie des hautes plaines s'opposant, par sa situation géographique, ses conditions socio-économiques, culturelles et linguistiques, aux régions côtières, très romanisées. Congar₄, (*BA* 28, p. 28-29) a bien montré « les limites de validité » d'une telle reconstruction. Cf. Kotula₃, *Point de vue*, p. 116-120. Nous reviendrons sur la question des aspects sociaux du schisme donatiste dans l'analyse des désordres sociaux dont Optat de Milève a été le témoin (III,4). ~ Sur la situation en Numidie consulaire, cf. S. Lancel, *SC* 194, p. 159-164.

3. Cf. Optat, II, 17-19 : Avg., *C. Petil.*, II, LXXXIII, 184.

4. Cf. Optat, II, 16. En 362, Julien rappela d'exil les donatistes et ordonna qu'on leur rendît leurs biens. Nous connaissons l'essentiel du rescrit impérial grâce à Augustin (*C. Petil.*, II, XCVII, 224).

Les donatistes, réinstallés par l'empereur apostat, ne seront
de nouveau inquiétés qu'à partir de 373 [1]. Au moment où
Optat de Milève entreprend de rédiger son traité contre les
donatistes, le souvenir des troubles qui ont accompagné le
retour des schismatiques est dans toutes les mémoires. Face
aux catholiques se dressent des hommes dont le désir de
vengeance, après de nombreuses années d'exil, n'a pas
encore été assouvi. Dès le début de son traité, Optat de
Milève évoque l'arrogance des schismatiques, qui refusent
toute confrontation directe avec les catholiques. La rancune,
le ressentiment peuvent, certes, expliquer leur refus de dia-
loguer [2]. Cependant, pour comprendre l'attitude des donatistes, il faut remonter aux origines du schisme : les premiers
schismatiques s'étaient séparés de l'Église catholique parce
qu'ils reprochaient à certains de ses membres d'avoir livré
les Écritures pendant la persécution de Dioclétien. Les
catholiques, devenus le « parti des traditeurs », étaient
depuis lors considérés comme des impurs avec lesquels
toute relation était interdite. Cette attitude sectaire fut
constante, tout au long de l'histoire du donatisme [3].

Cependant, si les donatistes refusaient tout débat contra-
dictoire avec les catholiques, leurs chefs n'en étaient pas

---

1. En 373, une constitution de Valentinien interdisant la pratique du
second baptême vise les donatistes (*Cod. Th.*, XVI, 6, 1). Une nouvelle
constitution, en 377, décide que les schismatiques qui rebaptisent auront
leurs biens confisqués (*Cod. Th.*, XVI, 6, 2). Cf. P. R. COLEMAN-NORTON,
*Roman State and Christian Church. A Collection of Legal Documents to
A.D. 535,* London 1966, 1, p. 335 et 344.

2. Cf. OPTAT, I, 4.

3. Sur la mentalité sectaire des donatistes, cf. CONGAR, *BA* 28, p. 45-
48. Augustin souligne, lui aussi, les difficultés rencontrées dans sa tentative
pour établir le dialogue avec les donatistes : « On fit ainsi, on alla les trouver, ils refusèrent ; en quels termes et avec quel mélange de ruse, d'invectives et d'amertume ? il serait trop long de le démontrer maintenant » (*C.
Cresc.*, III, XLV, 49, *BA* 31, p. 371). Il faudra attendre la conférence de
Carthage, en 411, pour que cette confrontation, si vivement souhaitée par
Optat, ait enfin lieu.

moins d'ardents polémistes [1]. Parmi eux, Parménien, le successeur de Donat, avait composé, à son arrivée à Carthage,
un traité contre les catholiques qui avait eu un grand reten-
tissement en Afrique [2]. Nous ne connaissons le contenu de
ce traité que par l'analyse d'Optat, mais nous savons que
Parménien avait réuni, dans ses écrits, des arguments à la
fois historiques et théologiques, s'appuyant largement sur
des citations scripturaires, pour démontrer que l'Église dissidente était la véritable Église du Christ. P. Monceaux a très
justement souligné, à ce propos, le contraste surprenant qui
existe entre le grand nombre de polémistes donatistes d'une
part et, d'autre part, l'absence de réponse catholique avant
celle d'Optat [3]. On peut s'interroger, en effet, sur les raisons
de ce silence. Optat nous offre peut-être un élément de
réponse lorsqu'il indique, dans son préambule, que
Parménien est le seul, à sa connaissance, qui ait mis par écrit
ses attaques contre les catholiques : « Il est vrai qu'ils font
tous retentir partout des paroles outrageantes, mais je ne
vois qu'un homme à qui je puisse m'adresser, par écrit du
moins ; c'est notre frère Parménien... Peu désireux de jeter
des paroles en l'air, comme les autres, il ne s'est pas contenté
d'exprimer toutes ses pensées, il les a aussi exposées dans un
ouvrage [4]. » Ce passage montre clairement que l'évêque de
Milève ne connaissait, à cette époque, aucun autre ouvrage

---

1. Sur la littérature donatiste de cette époque, cf. MONCEAUX₃, *Hist.
litt.*, t. 5, p. 3-240.
2. Cf. OPTAT, I, 4, 4 : « tractatus tuos quos in manibus et in ore multorum esse uoluisti. » Dans l'Afrique chrétienne du IVe siècle, le mot *tractatus* désignait les homélies épiscopales. Cf. AVG., *Epist.* 4 : « tractatus
populares quod Graeci homilias uocant. » Il est possible que Parménien ait
regroupé et largement diffusé plusieurs de ses homélies contre les catholiques.
3. Cf. MONCEAUX₃, *Hist. litt.*, t. 5, p. 242 : « Si, pendant ce demi-siècle,
les catholiques africains avaient eu un véritable polémiste, nous en saurions
quelque chose. »
4. OPTAT, I, 4, 2.

qui réclamât une réponse écrite. Par ailleurs, le talent de
Parménien, la qualité de son argumentation, ont sans doute
suscité une certaine exaspération chez les catholiques : irri-
tés par le silence observé jusqu'ici par leurs chefs, les catholiques ont manifesté le désir de voir l'un d'entre eux entre-
prendre une réfutation en règle [1].

C'est donc poussé par ses fidèles, stimulé par la nécessité
de prendre la défense de l'Église catholique, plus que jamais
menacée, qu'Optat de Milève a entrepris de rédiger son
ouvrage contre les donatistes. Le fait qu'il soit le seul, à
notre connaissance, à l'avoir fait avant Augustin, confère à
son traité une valeur toute particulière que les maladresses
de composition ou de style ne sauraient ternir.

4. Analyse du traité

Nous analyserons ici les six premiers livres de la première
édition. En effet, il est établi que le livre VII — que tous les
manuscrits reproduisent pour l'essentiel, sauf le *Cusanus* —,
a été rédigé plus tard et qu'il nécessite, à ce titre, une étude
particulière que nous lui consacrerons plus loin.

Le traité contre les donatistes [2] est une réponse aux cinq
livres de Parménien, dont Optat nous indique le contenu au
début de son ouvrage. Le *premier livre* de l'évêque dona-

---

1. Cf. OPTAT, I, 4, 3 : « Nam a multis saepe desideratum est ut ad eruendam ueritatem ab aliquibus defensoribus partium conflictus haberetur. »
2. L'ouvrage d'Optat ne porte pas de titre. Les manuscrits mentionnent
seulement : « Optati libri ». Seul le *codex Remensis 373* contient la mention : « Explicit liber Optati... ad Parmenianum scismaticor. auctorem. »
MONCEAUX₃ (*Hist. litt.*, t. 5, p. 248) soulignant l'absence de titre chez tous
les écrivains anciens qui ont cité le traité, propose de s'en tenir à cette dénomination : *Les livres d'Optat*. Pour notre part, nous pensons pouvoir parler, pour plus de clarté, du *Traité contre les donatistes* d'Optat de Milève,
comme on parle des *Traités anti-donatistes* de saint Augustin, sans prétendre pour autant attribuer ce titre à l'auteur.

tiste traitait du baptême ; le *deuxième* de l'unité de l'Église ; le *troisième* était une attaque contre les traditeurs ; le *quatrième* dénonçait les artisans de l'unité [1] et le *cinquième* contenait un commentaire des passages bibliques qui condamnent les pécheurs [2]. Le but qu'Optat s'était assigné était de réfuter point par point chacun de ces livres. Les règles de la polémique l'ont amené à discuter chaque argument avancé par son adversaire. Le contenu même du traité de Parménien l'a obligé à aborder plusieurs questions que l'on peut aisément classer en deux grandes catégories : celles qui sont d'ordre *doctrinal* — les problèmes théologiques et ecclésiologiques dont l'analyse s'appuie sur le commentaire des textes bibliques — et, d'autre part, les questions d'ordre *historique*, concernant toute l'histoire du schisme, depuis la persécution de Dioclétien, jusqu'aux derniers événements qui ont suivi l'avènement de Julien l'Apostat. Nous voyons déjà se dessiner les deux aspects de l'œuvre, historique et théologique, que les commentateurs n'ont pas manqué de souligner [3].

Le plan qu'Optat se propose de suivre correspond bien à cette répartition. Il envisage, en effet, d'étudier dans ses six livres [4] des questions d'ordre historique : les origines du schisme dans le livre I, l'intervention de l'armée contre les donatistes dans le livre III, les actes de violence et les sacri-

---

1. Les « artisans de l'unité » désignent les commissaires impériaux envoyés en Afrique par Constant en 347. Après la promulgation de l'édit d'union, on dénombra de nombreuses victimes parmi les donatistes. Cf. FREND₃, *Donatist Church,* p. 177 s. ; OPTAT, III, 3, 2.6.8.12.

2. OPTAT, I, 6.

3. Cf. notamment VASSALL-PHILLIPS₂, *Optatus,* p. 6 : « The work of St. Optatus is of consequence not only from the point of view of history, but also from that of doctrine. »

4. La division du traité en six livres remonte à Optat lui-même ; à plusieurs reprises il rappelle ce classement : « In primo libro... probauimus » (II, 9, 4) ; « In secundo libello... diximus » (III, 1, 1) ; « Tertio uero... probauimus » (V, 1, 1).

lèges commis par les schismatiques sous le règne de Julien dans le livre VI, mais aussi des questions d'ordre purement doctrinal : ecclésiologie dans le livre II, exégèse biblique dans le livre IV, théologie baptismale dans le livre V [1]. En ce qui concerne la partie historique, on peut noter, dans le plan annoncé, la volonté de respecter l'ordre chronologique. L'évêque de Milève retracera d'abord la naissance du schisme, peu après la persécution de 303 ; il en analysera les causes et les conséquences (livre I). Il n'évoquera qu'ensuite les événements douloureux qui ont suivi la promulgation de l'édit d'union en 347 (livre III). Quant aux faits récents, dont il a été le témoin sous le règne de Julien, il ne les analysera qu'en dernier lieu (livre VI).

De même, le plan annoncé témoigne du désir d'aborder les questions doctrinales selon un ordre très précis. Ce n'est qu'après avoir montré quelle est l'Église unique et véritable (livre II) et quels sont les pécheurs que condamne l'Écriture (livre IV) qu'Optat abordera la difficile question du baptême (livre V). En fait, cet ordre lui était imposé par un principe traditionnel, d'ailleurs commun aux donatistes et aux catholiques : « Un Dieu, une Église, un Baptême [2]. » Les donatistes interprétaient cette séquence *stricto sensu* : « Hors de l'Église, point de salut [3]. » Parménien, dans sa théologie des *dotes* de l'Église faisait du baptême un « don », dont il attribuait l'effet de régénération à l'Église unique et véritable, l'Église des saints. Les donatistes considéraient que seuls les péchés qui séparent de l'Église détruisaient la vertu sanctificatrice du ministre ; c'est pourquoi ils rebaptisaient les catholiques et non les membres de leur église baptisés par des ministres pécheurs. On comprend, dès lors, que,

---

1. Cf. OPTAT, I, 7.
2. *Éphés.* 4, 5 ; cf. TERT., *Bapt.*, XV, 1 ; CYPRIEN, *Ep.*, LXXIII, IV, 1-2.
3. « Extra ecclesiam nulla salus » : la formule est de CYPRIEN (cf. *Ep.*, IV, IV, 3 ; LV, XXIV, 1 s. ; LXXIII, XXI, 2 ; LXXIV, VII, 2 ; *Eccl. unit.*, 6).

dans son affrontement avec les donatistes, Optat de Milève ait été amené à définir les notions d'unicité de l'Église et de catholicité et à préciser la place qu'occupent les pécheurs dans cette Église, avant de jeter les bases d'une théologie catholique de la validité des sacrements.

Ainsi, le plan annoncé révèle des qualités de méthode et de rigueur aussi bien chez l'historien que chez le théologien et marque la volonté de construire une argumentation mieux structurée que celle de Parménien. Il semble bien que le principal défaut qu'Optat ait reproché à la composition de l'ouvrage de Parménien soit d'avoir abordé les problèmes théologiques avant d'avoir apporté la preuve que les catholiques étaient bien les traditeurs dont il avait fallu se séparer, les pécheurs qui s'étaient exclus de l'Église, les responsables de la répression. Optat, au contraire, souhaite établir les faits, étayer son argumentation par des documents officiels, analyser les événements historiques, avant de débattre des questions théologiques. Ainsi, c'est seulement après avoir établi la vérité sur les origines du schisme (livre I) qu'il pourra définir les notions d'unicité et de catholicité (livre II). C'est après avoir disculpé les catholiques des accusations de complicité avec la répression armée (livre III) qu'il pourra dénoncer les véritables pécheurs (livre IV). Alors seulement il pourra développer sa théologie du baptême (livre V), point culminant de son ouvrage. Le dernier livre, essentiellement narratif, tracera un dernier tableau de l'arrogance et de l'agressivité des donatistes dans les temps qui ont immédiatement précédé la rédaction du traité. L'alternance des thèmes traités — historiques et théologiques —, montre que, chez Optat, l'histoire, essentiellement événementielle, n'est que le support d'une analyse du schisme d'un point de vue théologique. P. Monceaux, dans son *Histoire littéraire de l'Afrique chrétienne*, s'intéressant d'abord à l'historien, au polémiste, à l'écrivain, affirme à propos d'Optat : « Peu porté aux spéculations, il n'a guère parlé de théologie [1]. » Nous pensons, au contraire, que le fil conducteur qui sous-tend le traité contre les donatistes et qui en explique la composition est, précisément, de nature théologique. Y. M.-J. Congar a bien montré que les apologistes catholiques du IVe siècle, Optat et Augustin, ne nous parlent du donatisme que « sous l'angle des positions théologiques [2] », et il serait vain, en effet, de chercher dans l'ouvrage d'Optat une interprétation historique du donatisme, même si de nombreux passages, dont le plus fameux concerne les circoncellions, ont permis aux historiens modernes de mettre en lumière les composantes sociales du schisme.

Après avoir constaté, dans le plan annoncé au début de l'ouvrage, un souci très net de rigueur logique, nous serons amenés à réfléchir sur les raisons pour lesquelles Optat s'est écarté, à certains endroits, de ce plan, par des digressions ou anticipations que l'étude détaillée de la composition des six livres du traité va mettre en valeur.

LIVRE I

I. Exorde, plan du traité, réfutations préliminaires (1-12)

1. Exorde (1-3)

Appel à la paix (1). La paix a été troublée par les schismatiques (2). Ceux-ci, malgré leurs actes, sont les frères des catholiques. Appel à la fraternité (3).

---

1. MONCEAUX, (*Hist. litt.*, t. 5, p. 246) ajoute : « et sans doute, il s'y connaissait tout juste assez pour remplir ses fonctions épiscopales ; s'il fournit parfois des renseignements aux historiens de la théologie sur l'état du dogme en son temps, c'est indirectement et par hasard. » Ce jugement, injuste, révèle une méconnaissance totale du rôle d'Optat de Milève dans l'élaboration de la théologie catholique des sacrements et de l'ecclésiologie qui y correspond, méconnaissance étonnante de la part d'un auteur dont l'ouvrage reste, par ailleurs, capital pour la connaissance du donatisme.

2. CONGAR, *BA* 28, p. 25.

2. Méthode et plan (4-7)

Les schismatiques ne veulent pas engager de controverse avec les catholiques. Optat s'adressera donc à Parménien (**4**). Tout ce que Parménien a dit dans son traité se retourne contre les siens (**5**). Plan de l'ouvrage de Parménien (**6**). Plan qu'Optat se propose de suivre dans ce traité en six livres (**7**).

3. Réfutations préliminaires (8-12)

Première réfutation préliminaire : les effets du baptême du Christ dans le Jourdain (**8**). Deuxième réfutation préliminaire : différence entre schisme et hérésie (**9-12**).

II. Les origines du schisme (13-28)

Persécution et *traditio* (**13**). Concile de Cirta (**14**). Les auteurs du schisme (**15**). Les causes du schisme : Lucilla contre Cécilien (**16**). Mort de Mensurius, évêque de Carthage (**17**). Élection de Cécilien (**18**). Concile de Carthage : élection de Majorinus (**19**). Félix d'Abthugni est accusé d'être un traditeur (**20**). Le schisme mérite un châtiment sévère (**21**). Requête des schismatiques à Constantin (**22**). Concile de Rome (**23-24**). Appel des dissidents (**25**). Enquête d'Eunomius et d'Olympius à Carthage (**26**). Félix d'Abthugni est proclamé innocent (**27**). Les véritables coupables (**28**).

LIVRE II

I. Problèmes ecclésiologiques (1-13)

1. Unité et universalité de l'Église (1)

a) étendue visible ;
b) citations de textes sacrés (Psaumes).

2. Les dons de l'Église (2-9)

Le premier des dons est la chaire de Pierre (2), à laquelle l'Église catholique demeure liée par la tradition des évêques (3), contrairement aux donatistes qui se sont séparés de la chaire de Rome (4) pour siéger dans la chaire de « pestilence » (5). Les dons étant indissociables, l'Église catholique les possède tous : l'ange, l'esprit, la source et le sceau (6-9).

3. Reproches adressés à Parménien et aux donatistes

a) Parménien accorde trop d'importance aux dons, au détriment de la foi. Ébauche d'une théologie du baptême (10) ;

b) Si l'Église est le jardin de Dieu, pourquoi vouloir en limiter l'étendue (11) ?

c) Les donatistes offrent le sacrifice de la Messe pour l'Église unique et universelle alors qu'ils se trouvent à l'extérieur de l'Église et qu'ils l'ont divisée (12-13).

II. Les actes de violence (14-26)

1. Les catholiques sont innocents des crimes dont on les accuse (14).

2. Les donatistes sont coupables d'actes de violence. Paix et unité sous Constantin (15). Troubles et violences sous Julien, l'empereur apostat (16-19). Les donatistes ne sont pas des saints : exemple du pharisien et du publicain (20). Ils séduisent le peuple, faisant des « morts vivants » (21-22). Ils enlèvent à Dieu ceux qui lui sont consacrés (exemple de Saül) et ils ordonnent la pénitence aux fidèles innocents (23-26).

LIVRE III

I. Rôle des donatistes dans l'intervention de l'armée (1-4)

1. Les donatistes sont responsables de l'intervention de l'armée (1)

Les artisans de l'unité ont commis de nombreuses violences, mais quels sont les véritables responsables ?

a) Les schismatiques, qui ont divisé l'Église ;

b) Donat de Carthage, qui a eu une attitude provocatrice ;

c) Donat de Bagaï, qui a armé la foule contre Macaire.

2. Les donatistes sont responsables des violences (2-4)

a) Les schismatiques ont rompu l'unité du baptême et ils ont construit d'autres temples. Témoignage de Tobie, d'Isaïe et des Psaumes (2) ;

b) Donat de Carthage a refusé les aumônes apportées par Paul et Macaire. C'est le « prince de Tyr » dont les prophètes dénoncent l'orgueil insensé (3) ;

c) Donat de Bagaï a réuni contre Macaire la foule des circoncellions, qui avaient déjà commis de nombreuses violences en Afrique. Il est directement responsable de l'intervention de l'armée (4).

II. Les artisans de l'unité ont accompli la volonté de Dieu (5-10)

Dieu exige parfois que l'homme accomplisse le mal en vue du bien : exemple de Pinhas (5). Les martyrs donatistes sont eux-mêmes responsables de leur mort, par leur conduite (6). Macaire a-t-il agi contre la volonté de Dieu ? Des exemples tirés de l'Ancien Testament (Moïse, Pinhas, Élie) montrent que tous ceux qui ont désobéi aux commandements de Dieu ont été châtiés (7). Les martyrs donatistes ne sont pas de vrais martyrs : ils ont seulement subi le châtiment de leurs fautes (8). L'Église est comme un vêtement déchiré que le raccommodeur (Macaire) a essayé de réparer (9). Les trois premières prophéties d'Ézéchiel se sont réalisées : la tempête sous Ursace, la pluie sous Grégoire et les pierres sous les artisans de l'unité ; reste la dernière menace (10).

III. Les donatistes, vils séducteurs (11-12)

Les donatistes reconvertissent les chrétiens (11). Ils ont proféré des diffamations contre Paul et Macaire, en prétendant qu'ils accompliraient un sacrifice païen lors de la cérémonie de l'unité (12).

LIVRE IV

I. Introduction

Quel est le pécheur dont Dieu parle lorsqu'il dit : « Que l'huile du pécheur ne couvre pas ma tête ! » ? Il faut chercher la réponse dans les textes bibliques (1).

II. Digression sur la fraternité

Le nom de frère est inévitable : nombreuses citations de l'Ancien et surtout du Nouveau Testament (2).

III. Commentaire du Psaume 49

Dieu adresse au pécheur trois reproches dans le Psaume 49 : il méprise la discipline, il médit de ses frères, il se fait le complice du voleur et de l'adultère. Ces accusations s'adressent aux donatistes (3).

1. **La discipline méprisée (4)**
2. **La haine de ses frères (5)**
3. **La complicité avec le voleur et avec l'adultère (6)**

IV. Dernières réfutations

1. « Que l'huile du pécheur ne couvre pas ma tête » : il faut attribuer cette phrase au Christ, qui désirait recevoir l'onction de son Père et non à David, comme l'a cru Parménien (7).

2. Le passage du prophète Salomon concernant les enfants des adultères s'adresse aux hérétiques (8).

3. Les paroles du prophète Jérémie concernant les « citernes lézardées » s'adressent aux juifs (9).

LIVRE V

I. Introduction, examen de deux figures du baptême : la circoncision et le déluge

Parménien a eu raison d'invoquer la circoncision et le déluge, figures du baptême unique, mais pourquoi les donatistes distinguent-ils un vrai et un faux baptême ? Le faux baptême est chez les hérétiques, non chez les catholiques (1).

II. Premières réfutations, définition du baptême (2-4)

1. La Trinité seule opère, même sans la présence des donatistes (2).

2. Peut-on réitérer le baptême déjà conféré au nom de la Trinité ? Il faut chercher la réponse dans l'Évangile. Unicité du baptême conféré au nom de la Trinité : un seul baptême, une seule fois (3).

3. Définition du baptême. Trois éléments interviennent : la Trinité, la foi du croyant, le ministre. Les ministres peuvent changer, les sacrements demeurent. Le baptême est un don de Dieu, non un don de l'homme (4).

III. Réitération du baptême, rôle du ministre et rôle de la foi (5-8)

1. La réitération. Baptême de Jean et baptême du Christ (5)

2. Le rôle du ministre (6-7)

Le baptême est un don de Dieu (6). Le ministre n'est que l'ouvrier de Dieu (7).

3. Le rôle de la foi (8)

IV. Dernières réfutations (9-10)

1. Naaman le syrien. Ce passage de l'Écriture ne saurait justifier la pratique du second baptême (9).

2. Les noces célestes. Interprétation de cette parabole : celui qui a reçu le second baptême, dépouillé de son vêtement nuptial, sera exclu du festin (10).

LIVRE VI

I. Les actes sacrilèges des donatistes (1-2)

Les donatistes ont brisé, rasé ou déplacé les autels de Dieu (1). Ils ont brisé les calices, vendu les objets du culte (2).

II. Les catholiques ne sont pas impurs (3)

Ils sont restés dans l'unité de l'Église. Ils invoquent le nom de Dieu, qui sanctifie toute chose.

III. Les vierges consacrées à Dieu (4)

La virginité a été seulement conseillée par Paul. Le bandeau qui ceint la tête des vierges ne peut être qu'un signe extérieur, non un sacrement. Les donatistes ont renouvelé à tort cette cérémonie.

IV. Purifications et séduction des fidèles (5-8)

Les donatistes se sont emparés de tous les objets du culte pour les purifier (5). Ils sont même allés jusqu'à laver les murs des églises, en les aspergeant d'eau salée (6). Ils ont revendiqué pour eux seuls les cimetières (7). Les donatistes sont comme ces oiseleurs qui se servent des oiseaux qu'ils ont déjà pris pour en attraper d'autres (8).

———

Nous le voyons, la composition du traité n'a pas exactement la rigueur du plan annoncé. Pourtant, dans ses grandes lignes, le développement suit la disposition prévue, si bien que l'auteur peut affirmer, à plusieurs reprises, qu'il aborde les problèmes dans l'ordre qu'il a promis de respecter et qu'il ne perd jamais de vue [1]. Au début de chaque livre, Optat récapitule les questions déjà traitées et annonce le contenu de l'exposé qui va suivre, en employant exactement

---

1. OPTAT, I, 13, 1 : « sed iam ut ad propositum singularum rerum ordinem redeamus... » ; II, 1, 1 : « illud demonstrare iam proximum est, quod nos promisimus secundo loco esse dicturos... » ; II, 26, 4 : « etiam stultitia fuerat reuelanda ; sed hanc in sexto libro demonstrabo. »

les mêmes termes que ceux qu'il a utilisés dans la présentation de son plan [1]. Ce souci de prouver qu'il a bien rempli
son contrat montre que l'auteur est conscient que les digressions pourraient déconcerter son lecteur ou lui laisser croire
qu'il ne maîtrise pas son sujet. En fait, les développements
qui s'écartent du thème envisagé sont faciles à localiser [2] et
constituent, plutôt que des digressions, des chapitres dans
lesquels l'auteur anticipe sur les questions qu'il a prévu de
traiter dans les livres suivants.

Il s'agit d'abord des chapitres 8-12 du livre I. Dans ce
livre, consacré aux origines du schisme, Optat fait précéder
son exposé historique de deux réfutations d'ordre théologique : considérations sur le baptême du Christ, réflexions
sur la différence qui existe entre le schisme et l'hérésie et
sur la théologie des sacrements qui en découle. Dans ce passage, qu'il aurait pu rattacher au livre V qui traite du baptême, Optat anticipe sur l'étude des aspects théologiques du
schisme, qu'il a envisagé d'aborder plus tard. Mais on comprend qu'avant de faire le récit des origines du donatisme,
Optat ait éprouvé la nécessité de préciser la nature exacte
des événements qu'il va relater. Il s'agit de la naissance d'un
schisme, et les schismatiques qui se sont séparés de l'Église
sont, pour les catholiques, des frères qui, contrairement aux
hérétiques, participent objectivement aux sacrements de
l'Église. La distinction entre schisme et hérésie justifie l'appel à la fraternité qu'Optat a lancé au début de son ouvrage
et qu'il renouvellera [3]. Cette réfutation préliminaire répond
à la nécessité de délimiter avec précision le sujet de la

1. Cf. OPTAT, II, 1, 1 ; IV, 1, 1 ; VI, 1, 1 ; et notamment la récapitula-
tion du début du livre V, qui correspond point par point à ce qui a été
annoncé en I, 6.

2. Il s'agit des chapitres suivants : I, 8-12 ; II, 10 ; II, 14-26.

3. OPTAT, I, 3, 2 : « est quidem nobis et illis spiritalis una natiuitas » ;
IV, 2, 4 : « Non enim potestis non esse fratres, quos isdem sacramentorum
uisceribus una mater ecclesia genuit. »

controverse et de déterminer, dès le début, l'objet exact du traité.

De même, dans le chapitre 10 du livre II, Optat donne un premier exposé, très concis, de la théologie sacramentaire qu'il développera dans le livre V. Mais ceci s'explique par la nature même du thème traité. Dans le livre II, en effet, l'auteur analyse des problèmes d'ordre ecclésiologique ; or, la théologie des *dotes* de Parménien faisait de l'Église le véritable sujet de l'action sacramentelle. Il est donc normal que, dans sa critique de l'ecclésiologie sacramentelle de Parménien, Optat ait été amené à donner, à cet endroit, une définition anticipée de sa théologie des sacrements.

On saisit moins bien pourquoi, dans les chapitres 14-26 du livre II, Optat énumère les actes de violence, meurtres, viols et sacrilèges perpétrés par les donatistes après l'avènement de Julien et pourquoi il évoque à cet endroit de son traité l'attitude des schismatiques à l'égard des ministres pécheurs et des fidèles repentis. Ces chapitres qui constituent plus de la moitié du livre II, devraient, en effet, être rattachés au livre VI, comme Optat l'indique lui-même [1]. Pourquoi a-t-il jugé bon d'anticiper, une fois de plus, sur l'exposé qu'il avait promis de faire plus tard ? On peut trouver une explication dans les exigences de la polémique : les catholiques, dont la légitimité était contestée par les donatistes, devaient se défendre contre de graves accusations ; les schismatiques leur reprochaient notamment d'être les complices du pouvoir et les responsables de la répression. On comprend que l'évêque de Milève ait eu hâte de montrer que l'Église catholique, à laquelle il appartenait, n'était pas l'Église des persécuteurs « qui se nourrit du sang des martyrs [2] ». Pour se défendre contre une telle accusation, existe-t-il un meilleur moyen que l'attaque ? Aussi, après avoir

1. OPTAT, II, 26, 4.
2. OPTAT, II, 14, 1.

démontré que l'Église catholique reçoit sa légitimité de son universalité et de sa communion avec la chaire de Pierre, Optat est-il tenté de montrer que les donatistes, quant à eux, ne sont pas les saints et les purs qu'ils prétendent être, comme le prouvent leurs actes de violence et leur impiété.

Il reste que, dans son empressement, Optat a commis ce qu'il faut bien appeler une maladresse de composition. En fait, chaque fois qu'Optat s'écarte du thème annoncé, le traité gagne en spontanéité ce qu'il perd en rigueur formelle, et chaque digression est révélatrice des préoccupations majeures de l'évêque de Milève : opposer à la théologie des *dotes* de l'Église de Parménien la théologie catholique des sacrements et l'ecclésiologie correspondante, mais aussi dénoncer l'attitude fanatique des donatistes à une époque où leur propagande était particulièrement active.

5. L'AUTHENTICITÉ DU LIVRE VII

L'*editio princeps* du traité d'Optat, établie d'après le *codex Cusanus,* ne présentait que six livres [1]. Ceci concorde avec le plan annoncé par Optat et avec le témoignage de Jérôme, déjà cité. La métaphore très évocatrice de l'oiseleur, par laquelle s'achève le livre VI, correspond bien à une péroraison, particulièrement soignée. Il ne fait aucun doute qu'Optat a d'abord rédigé un traité en six livres.

Pourtant, tous les manuscrits, sauf le *Cusanus,* contiennent un septième livre, reproduit dans toutes les éditions modernes [2]. Tous les critiques s'accordent à reconnaître l'authenticité de ce livre, même si certains passages, conservés dans un seul manuscrit aujourd'hui perdu, font encore

---

1. *Editio princeps* par J. Cochlaeus, Mayence 1549.
2. Cf. Ziwsa, *CSEL* 26, Préface, p. XIV s.

l'objet de longues discussions [1]. Le livre VII a donc été rédigé plus tard, dans des circonstances que nous essaierons de préciser.

Voici le contenu du livre VII tel qu'il nous est proposé dans l'édition de Ziwsa [2] :

LIVRE VII

I. *Appel à l'unité (1-3)*

1. Les traditeurs méritent le pardon (1)

a) L'unité est nécessaire car le schisme déplaît à Dieu (**1, 2.3**).

b) Les traditeurs ont agi sous la contrainte : ils méritent le pardon, comme le prouvent les exemples tirés de l'Ancien Testament (les tables de la Loi brisées par Moïse, l'arche d'alliance livrée aux ennemis, le livre de Jérémie livré par Baruch au roi Joachim). Par ailleurs, la Loi, inscrite dans le cœur des hommes, est restée intacte (**1, 4-19**).

c) Les fils ne sont pas responsables des fautes de leurs pères (**1, 24-28**).

d) Les traditeurs, qui ont agi sous la contrainte, sont moins coupables que ceux qui, par négligence, ont laissé se détériorer les livres saints : incendie, pluie... (**1, 29-41**).

e) Dernier exemple : le roi Antiochus a contraint les juifs à livrer les Écritures, et aucun d'entre eux n'a été condamné (**1, 42-45**).

---

1. Cf. Ziwsa, *CSEL* 26, Préface, p. VIII s. ; Monceaux[3], *Hist. litt.*, t. 5, p. 252 ; Vassall-Phillips[2], *Optatus*, p. 273 : « That it is the work of St Optatus is no longer questioned by any critic » ; Blomgren[2], *Echtheitsfrage* ; De Veer[2], *Authenticité*, p. 389-391.

2. *CSEL* 26, p. 158-182.

2. Parabole de l'ivraie (2)

L'Église est un mélange de bons et de mauvais, de justes et de pécheurs. Le jour du jugement, le Christ séparera le bon grain de l'ivraie.

3. L'unité doit être préservée avant tout (3)

Exemple tiré de l'Évangile : Pierre, malgré son reniement, a reçu les clefs du royaume.

II. Dernières réfutations (4-7)

1. Les « mouches mourantes » dont parle Salomon sont, en réalité, les donatistes (**4**).

2. Les donatistes sont comme Iannès et Mambrès, qui se sont révoltés contre Moïse (**5**).

3. Macaire a agi sous la provocation des donatistes ; il n'a accompli aucun acte religieux, il a agi en tant que laïc (**6-7**).

———————

L'analyse du livre VII fait apparaître que les trois premiers chapitres s'organisent autour du thème de l'unité et que les quatre chapitres suivants ne sont que des réfutations isolées, qui ne présentent aucun lien logique entre elles et qui n'ont que peu de rapport avec le début du livre. On peut facilement en conclure que ces derniers chapitres ont été rédigés comme des suppléments, qui devaient être insérés dans le traité en six livres [1].

Le chapitre 4, qui est un commentaire du verset : « Des mouches mourantes gâtent la suavité de l'huile » (*Eccl.* 10, 1), se rattache directement au livre IV, dans lequel Optat

———————

1. C'était déjà l'opinion de Dupin qui, dans son édition de 1702, considère que le livre VII est constitué, dans sa totalité, d'additions destinées à être insérées dans les six livres du traité (*PL* 11, 759 s.).

examine successivement plusieurs passages de l'Ancien Testament, afin d'en établir le sens exact. Ces passages ont tous pour thème le pécheur désigné par Dieu. Ces citations scripturaires sont celles dont Parménien avait coutume d'user, comme l'indique Augustin [1]. L'analyse de ces textes ne comportant aucun plan précis, le chapitre 4 du livre VII aurait pu facilement être ajouté aux derniers chapitres du livre IV.

Dans le chapitre 5, Optat interprète un autre passage de l'Ancien Testament : la révolte de Iannès et Mambrès contre Moïse. C'est l'occasion pour lui de montrer, une fois de plus, où se trouve la véritable Église et qui sont les schismatiques. Ce chapitre se rattache à la première partie du livre II, dans laquelle Optat a mis l'accent sur l'unicité et sur l'universalité de l'Église catholique. Mais il pourrait aussi bien venir compléter les remarques préliminaires du livre I sur l'Église véritable opposée au schisme [2].

Les deux derniers chapitres (6-7) du livre VII concernent Macaire et se rattachent directement au chapitre 12 du livre III, qui traite déjà de la participation de Macaire au sacrifice de la Messe. Il faut d'ailleurs noter que, dans tous les manuscrits, le chapitre 12 du livre III se trouve reproduit à la fin du chapitre 5 du livre VII, ce qui permet de penser qu'il constituait, lui aussi, une addition qui ne figurait pas dans la première édition et qui a été insérée ultérieurement à la fin du livre III. Les chapitres 6 et 7 du livre VII devaient tout naturellement succéder à ce chapitre [3].

---

1. Cf. Avg., *C. Parm*, II, x, 20.
2. Optat, I, 9-10.
3. Dans les manuscrits G et C, le chapitre 12 du livre III figure seulement à la fin du chapitre 5 du livre VII. Le même chapitre est reproduit à la fois dans le livre III et dans le livre VII dans les manuscrits R et B. Nous avons ici la preuve d'un remaniement déjà opéré dans certains manuscrits, sans qu'il soit possible de préciser si l'insertion de ce chapitre dans le livre III doit être attribué à Optat lui-même.

Les trois premiers chapitres du livre VII se distinguent des autres chapitres par l'unité du thème traité. Dans un long développement, Optat répond à l'objection formulée par les schismatiques : si les donatistes sont les fils des traditeurs, pourquoi les catholiques veulent-ils les ramener à leur communion ? Au début du chapitre 1, l'auteur expose les raisons qui l'ont poussé à reprendre la polémique : « Après avoir montré quels étaient les traditeurs et quelle était l'Église sainte, après avoir réfuté les accusations calomnieuses que vous portiez et après avoir révélé les péchés qui vous ont valu les reproches de Dieu, nous avons montré, successivement, la doctrine des sacrements, vos actes effrontés et vos erreurs. Notre réponse, notre propos aurait dû s'arrêter là ; mais puisque, après avoir coupé cette forêt de haine avec les haches de la vérité, je vois encore se multiplier vos provocations, ou celles des vôtres, et puisque vous dites, comme je l'apprends, qu'on n'aurait pas dû chercher à vous ramener à l'unité de notre communion, puisqu'il a été établi que vous êtes les fils des traditeurs, je dois répondre brièvement à cela [1]. »

Dès le début de son traité en six livres, Optat s'était efforcé d'établir la vérité sur les origines du schisme. Les documents qu'il avait réunis à la fin de son traité constituaient, pour lui, des preuves irréfutables : les schismatiques, qui s'étaient séparés de l'Église catholique peu après la persécution de Dioclétien, étaient eux-mêmes des traditeurs. Comme bien d'autres fidèles, ils avaient livré sous la contrainte les Écritures aux représentants du pouvoir impérial [2]. Dans leur désir de paraître innocents et purs, ces hommes s'étaient montrés intransigeants à l'égard de ceux qui avaient failli de façon notoire ; pour détourner les soup-

---

1. OPTAT, VII, 1, 1.
2. OPTAT, I, 13-14 ; I, 20.

çons, ils étaient allés jusqu'à accuser des innocents [1]. Les véritables traditeurs n'étaient pas les chefs de l'Église catholique, mais les évêques qui, en provoquant la rupture, avaient fondé l'église donatiste. Les pièces officielles que produit Optat proclament toutes l'innocence des évêques catholiques et la légitimité de leur Église [2].

La polémique qui s'engage à nouveau au début du livre VII n'a plus pour objet de démontrer l'innocence des uns et la culpabilité des autres. Il ne s'agit plus pour Optat de disculper et d'accuser mais au contraire de justifier son appel à l'unité [3].

On pourrait être étonné par la résignation que semble traduire l'objection formulée par les donatistes : si nous sommes les fils des traditeurs, pourquoi vouloir nous ramener à l'unité de l'Église ? Ne nous y trompons pas. Les schismatiques n'ont jamais voulu admettre la culpabilité de leurs premiers chefs et ils n'ont jamais reconnu la légitimité de l'Église catholique. En 411, lors de la conférence de Carthage, ils contestaient encore l'authenticité des documents produits par Optat [4]. L'objection à laquelle l'évêque de Milève va s'efforcer de répondre témoigne, en réalité, de la volonté des donatistes de déplacer le débat d'un point de vue purement historique — établissement des faits, examen des documents — à un point de vue ecclésiologique : quelle est la place du pécheur dans l'Église et particulièrement de celui qui a livré

---

1. Cf. OPTAT, I, 20, 1 : « Vt crimina in silentium mitterent sua... innocentes arguere studuerunt. »

2. Cf. OPTAT, I, 23-27.

3. De même, pour Augustin, dans sa polémique contre les donatistes, la question fondamentale n'est pas celle de savoir qui, des donatistes ou des catholiques, a livré les livres saints, mais où est l'Église. Cf. CONGAR4, *BA* 28, p. 156.

4. Cf. S. LANCEL, *SC* 194, p. 91-102 : « L'exploitation systématique du dossier du donatisme ». Près d'un siècle après, les événements qui s'étaient produits en Afrique peu après la persécution de 303 faisaient toujours l'objet de discussions.

les livres saints pendant la persécution ? Car c'est dans une condamnation sans réserve du pécheur qui, en livrant les Écritures, s'est séparé de l'Église des saints, que le donatisme trouve sa première justification. Il est normal que, dans la longue controverse qui les a opposés aux catholiques, les donatistes aient sans cesse mis l'accent sur cette notion fondamentale [1]. Ils n'ont certainement pas manqué de remarquer la contradiction qui existait, à leurs yeux, entre l'appel à la réconciliation et la dénonciation de leurs crimes : si les donatistes sont les fils des traditeurs, s'ils sont les pécheurs que dénonce l'Écriture, comme Optat prétend le prouver, pourquoi les catholiques cherchent-ils obstinément à les ramener dans l'unité de leur communion ? Nous touchons ici à l'un des aspects les plus significatifs de la polémique qui opposait Optat de Milève aux donatistes. Nous avons déjà évoqué la mentalité sectaire des schismatiques qui, dans leur intransigeance, adoptaient une attitude d'exclusion, de ségrégation, à l'égard des catholiques. Les appels d'Optat au dialogue, à la fraternité, étaient d'autant plus vains qu'ils s'adressaient à des hommes pour qui la recherche de la pureté était fondamentale : aucun rapprochement n'était possible entre l'Église des purs, l'Église des saints, et les pécheurs qui s'étaient exclus de cette Église. De toute évidence, la logique d'Optat, qui s'appuyait sur les notions de fraternité et de catholicité pour essayer de ramener les schismatiques à l'unité, n'était pas celle de ses adversaires [2]. La

<hr />

1. Cf. CONGAR₄, *BA* 28, p. 64 : « Les donatistes ne distinguent pas : l'Église serait sainte ou impure, toute sainte ou toute impure. Ils forçaient, vers 385, Tyconius à se séparer d'eux... parce qu'il affirmait que l'Église est faite de bons et de méchants, et qu'en elle ceux-ci ne contaminent pas ceux-là ; ce qui était contraire à la thèse essentielle de l'ecclésiologie donatiste. » Cf. PINCHERLE₂, *Ecclesiologia*, p. 34-55. Sur la controverse qui a opposé Parménien à Tyconius, cf. SIMONIS₄, *Ecclesia*, p. 39.

2. Cf. CONGAR₄, *BA* 28, p. 45 : « C'est dans leur esprit même, on dirait : dans la structure de leur esprit, que les donatistes n'étaient pas catholiques. Ils avaient l'esprit sectaire. »

tentative de l'évêque de Milève avait donc été, de ce point de vue, un échec, et le nouvel appel à l'unité qu'il lance dans le livre VII fut, nous le savons, aussi inutile que les précédents. De nombreuses années d'affrontement ont suivi son appel à la paix. Malgré les longs efforts d'Augustin, qui devaient aboutir à la conférence de Carthage de 411 et à la proclamation d'un nouvel édit d'union, le donatisme était encore vivant à la veille de l'invasion vandale[1].

D'autre part, la façon dont l'objection est formulée par les donatistes traduit une certaine exaspération. Les donatistes semblent admettre d'autant plus difficilement les appels à l'unité que ceux-ci se font plus pressants. A plusieurs reprises, depuis les origines du schisme, le pouvoir impérial est intervenu pour ramener les schismatiques à l'unité, et il est vraisemblable que le livre VII a été rédigé à une époque où les donatistes étaient de nouveau inquiétés, c'est-à-dire après 373[2]. L'étude des manuscrits montre que des additions d'ordre chronologique ont été introduites dans le texte des six premiers livres. Dans tous les manuscrits, la liste des évêques de Rome, donnée par Optat dans le livre II, s'arrête à Sirice : « A Damase a succédé Sirice, qui est aujourd'hui notre collègue[3]. » Or, Sirice, qui ne devint pape qu'en 384, ne pouvait figurer dans la première édition du traité en six livres. D'autre part, alors que dans le plus ancien manuscrit, le *codex Petropolitanus*, la liste des évêques donatistes de Rome se termine par la mention de

---

1. Sur la survivance du donatisme après saint Augustin, cf. MONCEAUX₃, *Hist. litt.*, t. 4, p. 97-108. 309-319. 425. 436 ; BRISSON₃, *Autonomisme et christianisme* ; A. H. M. JONES, « Where Ancient Heresies National or Social Movements in Disguise », *JThS, New series*, 10, 2 (1959), p. 280-298 ; TENGSTRÖM₃, *Donatisten und Katholiken* ; J.-L. MAIER, *Le dossier du donatisme*, t. 2 : *De Julien l'Apostat à saint Jean Damascène (361-750)*, Berlin 1989.

2. Cf. *Cod. Th.*, XVI, 6, 1.

3. Cf. OPTAT, II, 3, 1.

Macrobe, qu'Optat présente comme l'évêque de cette ville
au moment où il écrit, tous les autres manuscrits contiennent les noms de Lucien et de Claudianus : « Claudianus a
succédé à Lucien, Lucien à Macrobe. » Nous savons que
Claudianus était à la tête de l'Église donatiste de Rome en
378 [1]. P. Monceaux en conclut qu'une deuxième édition du
traité, augmentée du livre VII, a été donnée après 385 [2].
Cette datation est aujourd'hui communément admise [3]. En
réalité, nous avons vu dans l'analyse du livre VII qu'aucune
indication précise ne vient confirmer ni d'ailleurs infirmer
cette hypothèse. Il est certain que le texte d'Optat a été
remanié après 384, comme l'atteste la mention de Sirice,
mais rien ne prouve que l'évêque de Milève ait attendu près
de vingt ans pour rédiger ce septième livre.

Si l'authenticité du livre VII, dans son ensemble, n'est pas
contestée par les critiques, il en est autrement de certains
passages que F. Baudouin a insérés dans sa deuxième édition
du traité (1569) d'après un seul manuscrit, disparu depuis
longtemps, le *codex Tilianus*. Aucun autre manuscrit ne
contient ces passages et, en 1702, Dupin, qui n'avait pas pu
consulter le *Tilianus*, les avait rejetés en appendice [4]. Ziwsa
les a reproduits dans les chapitres 1, 2 et 3, d'après l'édition
de Baudouin [5]. Les deux premiers textes, insérés dans le chapitre 1, sont de longs développements dans lesquels l'auteur

---

1. Cf. *Epistula concilii romani (ann. 378) ad Gratianum et
Valentinianum imperatores*, dans MANSI, *Concil.*, 3, p. 624 s.

2. MONCEAUX₃, *Hist. litt.*, t. 5, p. 251.

3. Cf. E. DINKLER, *s.v.* « Optatus Afer » dans *PW*, Hbd 35 (1939), col.
765-771 ; SCHANZ-HOSIUS, *Geschichte der römischen Literatur*, IV, 1,
1970, p. 391 ; B. ALTANER, *Patrologie*, Freiburg-Basel-Wien 1978, p. 371-
372.

4. Cf. l'édition de Dupin, Anvers 1702 et *PL* 11, 1083, note e.

5. ZIWSA, *CSEL* 26, p. 159, 17—163, 26 ; p. 165, 2—167, 33 ; p. 168, 10-
13 ; p. 170, 12-14 ; p. 171, 3-5. Nous donnons ces passages en caractères
gras dans notre édition : VII, 1, 4-24 ; VII, 1, 29-44 ; VII, 2, 1 ; VII, 2, 8 ;
VII, 3, 2.

montre, par des exemples tirés de l'Ancien Testament, que ceux qui ont livré les Écritures auraient dû rester dans l'unité de l'Église catholique, malgré leur péché. Les trois autres passages, beaucoup plus courts, rappellent de façon très concises, que les traditeurs ne doivent pas être exclus de l'Église.

L'identité des thèmes traités dans chaque passage est frappante. Alors que, dans l'ensemble des trois chapitres, Optat appelle à la communion les donatistes de son temps, dans tous les passages insérés, l'auteur explique que les traditeurs eux-mêmes auraient dû être maintenus dans le sein de l'Église. L'esprit de conciliation extrême qui anime l'auteur de ces pages a paru suspect aux critiques qui en contestent l'authenticité. Ziwsa, qui a conservé ces passages dans son édition (1893), pense qu'ils ont été écrits par Optat. Cependant l'explication qu'il donne de leur disparition dans la plupart des manuscrits est peu convaincante ; il est en effet tout à fait invraisemblable que plusieurs passages, d'un contenu identique, et s'écartant des passages voisins, aient disparu d'une manière fortuite. L'omission involontaire d'un copiste paraît exclue [1]. Petschenig (1894) pense que les passages douteux présentent des différences de style et de vocabulaire avec le reste du traité, et qu'Optat n'en est pas l'auteur [2]. Vassall-Phillips (1917) remarque, au contraire, une similitude de style, mais il en conclut que l'interpolateur était familiarisé avec l'œuvre d'Optat [3]. P. Monceaux évoque, d'une façon assez vague, des « interpolations certaines », mais il considère aussi comme interpolés d'autres passages du livre VII qui, eux, sont reproduits dans tous les manus-

---

1. Cf. Ziwsa, *CSEL* 26, p. XXXI.
2. Cf. Petschenig[2], *Besprechung,* p. 458.
3. Cf. Vassall-Phillips[2], *Optatus,* p. 270 : « Indeed far from being dissimilar in style there is a very remarkable similarity. » A propos des passages douteux : « They are quite Optatian in style. »

crits ; il voit dans le livre VII l'ébauche d'un supplément qu'Optat n'aurait pas eu le temps d'achever et qu'un clerc maladroit aurait tenté de poursuivre [1]. Si A. Wilmart considère les passages contestés comme « sûrement authentiques [2] », E. Amann pense, quant à lui, qu'il s'agit d'interpolations [3]. L'étude la plus complète a été faite par Sven Blomgren (1959). Grâce à un examen très minutieux du contenu, du vocabulaire, du style, du rythme et des citations bibliques, Blomgren montre des ressemblances si importantes avec les autres livres qu'il lui paraît difficile de ne pas attribuer la paternité de ces textes à Optat. Il reste cependant très prudent et se demande si le problème pourra un jour être résolu [4]. A.C. de Veer, qui observe la même prudence, remarque très judicieusement en faveur de l'authenticité qu'au début de sa polémique anti-donatiste, alors qu'il était encore très dépendant d'Optat, Augustin a adopté la même argumentation que celle qui est développée dans les passages contestés [5].

Si l'on examine les deux premiers passages conservés dans le *codex Tilianus*, on est d'abord frappé par leur longueur. Dans l'édition de Ziwsa, le premier texte occupe cent vingt-huit lignes (p.159, l. 17-163, l. 26), et le deuxième quatre-vingt-douze lignes (p. 165, l. 2-167, l. 33), soit deux cent vingt lignes, ce qui représente près de quatre-vingts pour cent du chapitre 1, dans lequel ils figurent, et près de la moi-

---

1. MONCEAUX[3], *Hist. litt.*, t. 5, p. 253-254 : « Le septième livre est donc une compilation assez informe... Tout s'explique fort bien dans l'hypothèse d'une seconde édition qu'aurait partiellement préparée Optat, mais qu'il n'aurait pas eu le temps de terminer, et qui aurait été publiée après sa mort. »

2. WILMART[2], *Itoria*, p. 75, n. 6.

3. E. AMANN, art. « Optat », *DTC* 11 (1931), col. 1081 : « L'interpolateur a inséré dans ces déclarations une excuse en règle de la conduite des traditeurs qui détonne singulièrement. »

4. Cf. BLOMGREN[2], *Echtheitsfrage.*

5. DE VEER[2], *Authenticité*, p. 389-391.

tié des trois premiers chapitres du livre VII, qui traitent, nous l'avons vu, du thème de l'unité.

D'autre part, ces deux longs passages présentent une même argumentation, qui se distingue de celle qui est exposée dans le reste des chapitres concernés. Alors que dans les autres parties de son développement, Optat s'efforce de convaincre les donatistes qu'ils ne doivent pas être tenus pour responsables des fautes de leurs pères et qu'ils peuvent être admis dans la communion de l'Église, puisqu'ils ne sont que les fils des traditeurs, l'auteur des passages douteux affirme que les traditeurs eux-mêmes, qui ont agi sous la contrainte, auraient dû rester dans l'unité de l'Église. Les deux longs passages contestés ne peuvent donc être dissociés. Ils semblent même que, mis bout à bout, les deux textes présentent une certaine cohérence. En effet, le deuxième passage commence par un rappel des trois exemples bibliques commentés dans le premier texte et il pourrait tout à fait en être la suite logique, d'autant plus que, après des considérations plus générales sur les dommages subis par l'Écriture, l'auteur présente à nouveau un exemple tiré de l'Ancien Testament qui, comme les trois exemples cités dans le premier passage, prouve que ceux qui ont porté atteinte aux livres saints ne doivent pas être exclus de l'Église. Ziwsa avait remarqué la similitude des thèmes traités dans les deux passages, mais il avait conclu que le premier passage était un remaniement du second [1]. S. Blomgren a bien montré que cette hypothèse était peu vraisemblable [2]. En effet, dans le deuxième texte, l'auteur présente un certain nombre d'arguments, d'inégale valeur d'ailleurs, qui ne figurent pas dans le premier passage. Le problème est donc plutôt de savoir

---

1. Ziwsa, *CSEL* 26, Préface, p. XXXII : « Non temerarium esse arbitror illud additamentum amplificatione et emendatione ortum ex altero additamento. »

2. Blomgren[2], *Echtheitsfrage*, p. 33-45.

pourquoi ces deux textes, qui forment un ensemble cohérent, ont été dissociés et insérés dans un contexte différent dont ils viennent rompre l'unité et la suite logique.

Mais avant de répondre à cette question, il importe de savoir si, par un examen approfondi de ces passages, il est possible d'en attribuer la paternité à Optat.

Parmi les adversaires de l'authenticité, peu nombreux sont ceux qui s'appuient sur des différences de style. Petschenig souligne la quantité de mots employés une seule fois dans ces passages [1]. Mais la même constatation peut être faite pour les autres livres [2]. L'argumentation de Monceaux n'est pas plus convaincante. Le jugement qu'il porte sur ces « pages absolument médiocres, d'un style verbeux et embarrassé » n'est étayé par aucune analyse précise du texte [3]. Au contraire, S. Blomgren a fait une étude très minutieuse du vocabulaire, de la syntaxe, des procédés stylistiques employés dans ces passages. Il note chez Optat un emploi identique de l'asyndète, de l'ellipse, de l'anacoluthe, du chiasme, de l'anaphore et de la litote, mais aussi des constructions grammaticales. Les exemples de concordance seraient trop nombreux à énumérer, et l'analyse de Blomgren nous paraît, de ce point de vue, tout à fait convaincante [4]. Le travail de traduction, qui exige un examen très attentif du texte, confirme ses conclusions. Le traducteur, familiarisé avec la manière d'Optat, aborde ces passages sans surprise, et Vassall-Phillips, qui a donné une traduction anglaise du traité, a été frappé lui aussi par l'analogie du style, bien qu'il conteste l'authenticité de ces pages [5]. Blomgren a complété son analyse par une étude

---

1. PETSCHENIG[2], *Besprechung*, p. 458.

2. Cf. ZIWSA, *CSEL* 26, « Index uerborum et locutionum », p. 246-330.

3. MONCEAUX[3], *Hist. litt.*, t. 5, p. 253.

4. BLOMGREN[2], *Echtheitsfrage*, p. 18-33 (1e addition) et 33-45 (2e addition).

5. VASSALL-PHILLIPS[2], *Optatus*, p. 270.

comparée du rythme de la prose, en suivant la méthode utilisée par Hagendahl[1] dans sa recherche sur la prose métrique d'Arnobe. Dans des tableaux comparatifs très détaillés, il mesure la fréquence des différents types de clausules métriques et rythmiques. Il en conclut que les passages conservés dans le *Tilianus* ne diffèrent guère des autres textes d'Optat, même si la deuxième addition semble ne pas avoir été rédigée avec le même soin que la première[2].

Ainsi, l'analyse stylistique ne permet pas de rejeter la possibilité qu'Optat ait lui-même rédigé ces pages. Pourtant, même parmi les critiques qui reconnaissent l'analogie que nous venons de souligner, aucun ne se prononce sans réserve en faveur de l'authenticité. Il faut donc chercher ailleurs les raisons de cette défiance.

Les commentateurs ont souvent mis l'accent sur la faiblesse de l'argumentation utilisée dans ces passages. En effet, pour montrer que les traditeurs ne doivent pas être punis pour une faute qui a été commise sous la contrainte, l'auteur emploie des arguments et des exemples qui peuvent paraître insuffisants ou même ridicules[3]. Ainsi, lorsqu'il essaie de démontrer que ceux qui ont livré les Écritures pendant la persécution ne sont pas plus coupables que ceux qui ont laissé se détériorer les livres saints par négligence, on sourit à l'évocation des gouttes de pluie ou des petits rongeurs qui ont pu endommager les parchemins[4]. La naïveté de l'argumentation est, il faut le reconnaître, assez décon-

---

1. Cf. H. HAGENDAHL, *La prose métrique d'Arnobe* (*Göteborgs Högskolas Årsskrift*), Göteborg 1937.
2. Cf. BLOMGREN[2], *Echtheitsfrage,* chap. 4, p. 48-57 : « Der Prosarhythmus ».
3. Cf. ZIWSA, *CSEL* 26, p. XXXI ; VASSALL-PHILLIPS[2], *Optatus*, p. 307 : « It seems impossible to imagine that this trivial special pleading should be the work of St Optatus. » MONCEAUX[3], *Hist. litt.*, t. 5, p. 253 : « Optat n'a pu écrire ces sottises... Il avait de l'esprit ; et toute cette argumentation est d'un sot. »
4. Cf. OPTAT, VII, 1, 38-39 (2ᵉ addition).

certante. Pourtant, nous pouvons constater que très souvent, dans les autres livres, Optat illustre son propos par des
exemples simples, des images concrètes, des expressions
familières, dont le caractère excessif pourrait nuire à la qualité de l'argumentation si on ne devinait, à travers les for-
mules audacieuses, l'ironie et l'exaspération de leur auteur [1].
En réalité, le ton des passages douteux n'est pas très éloigné
de celui des autres livres, et, dans l'un et l'autre cas, la véhé-
mence de la polémique permet d'expliquer la faiblesse des
arguments.

Il en est de même pour le choix des exemples bibliques et
la façon dont ils sont commentés. Pour prouver que le fait
de livrer les Écritures n'est pas condamné par Dieu, l'auteur
cite des exemples tirés de l'Ancien Testament qui montrent
que ceux qui ont livré ou endommagé les livres saints n'ont
subi aucun châtiment. Cette manière de procéder rappelle

---

1. Ainsi, Optat dit que les dons de l'Église sont « comme les doigts de
la main » (II, 5, 9), et que les donatistes, qui les revendiquent pour eux
seuls, les ont « enfermés dans un coffre » (II, 10, 2) ; il se moque ainsi des
donatistes : « Commandez aux nuées, faites pleuvoir, si vous le pouvez ! »
(II, 22, 1). « Vous vous croyez innocents parce que vous ne vous êtes pas
servis du fer ? Que l'empoisonneur, lui aussi, se tienne pour innocent si
c'est seulement dans le fer que réside l'homicide ! Qu'il ne se considère pas
comme coupable celui qui a tué un homme en le privant de nourriture... »
(II, 25, 8). « Qu'importe ce que les artisans de l'unité ont été, pourvu qu'il
soit établi que ce qui a été fait est bien ! En effet, le vin est pressé et foulé
par des ouvriers pécheurs, pourtant c'est avec ce vin que le sacrifice est
offert à Dieu ; l'huile, elle aussi, est fabriquée par des hommes vils dont
certains tiennent des propos immondes, pourtant elle est utilisée... pour
l'onction sainte ! » (III, 4, 14). ~ Il faudrait citer, aussi, tout le passage dans
lequel Optat compare l'Église à un vêtement déchiré et Macaire au « raccommodeur » envoyé pour le réparer (III, 9), ou celui dans lequel l'évêque
de Milève ironise sur les purifications pratiquées par les donatistes (VI,1) ;
il dit à propos du voile des vierges : « La virginité ne saurait trouver un
appui dans ce morceau d'étoffe... Car s'il en était ainsi, ce n'est pas un voile
mais une multitude de voiles que l'on poserait sur la tête d'une vierge ! »
(VI, 4, 4), ou encore : « Si vous pensez que tout doit être purifié après nous,
lavez aussi l'eau, si vous le pouvez ! » (VI, 6, 4).

tout à fait celle d'Optat : elle correspond à un principe général énoncé dans le livre I, selon lequel Dieu a donné, pour chaque faute, un exemple du châtiment que celle-ci doit nécessairement entraîner. Pour juger de la gravité d'un acte, il suffit de vérifier dans l'Ancien Testament si son auteur a mérité de Dieu le châtiment ou le pardon [1]. Optat ajoute prudemment que l'exécution de la peine a pu être, par la suite, différée et réservée pour le jugement dernier, les exemples donnés servant précisément à avertir les coupables de ce qui les attend [2].

Ainsi, on ne trouve, dans la façon d'argumenter, aucun élément déterminant qui permette de rejeter l'authenticité de ces pages.

En fait, les doutes qui ont été formulés tiennent au contenu même de ces passages et à l'idée principale qui y est exprimée : les commentateurs admettent difficilement qu'Optat ait pu porter un jugement aussi indulgent sur la *traditio*. On comprend mal que l'évêque de Milève, qui a consacré la première partie de son traité à disculper les catholiques de cette faute pour la rejeter sur les donatistes, ait voulu la minimiser à ce point, même de nombreuses années après. Il est vrai que le lecteur peut être surpris par la nouveauté du propos et un peu gêné par l'ardeur avec laquelle l'auteur prend la défense des traditeurs. On a voulu voir une contradiction inacceptable entre l'indulgence qui se

---

1. La référence à Moïse : « se nihil amplius fecisse a Moyse legislatore » (VII, 1, 7) se trouve déjà en III, 7, dans un contexte différent, il est vrai : « Accusate primo Moysen ipsum legislatorem. » (III, 7, 1). On pourrait citer aussi la référence à Datân, Abirâm et Coré pour montrer que le schisme a été sévèrement puni (I, 21), ou les exemples de Pinhas et d'Élie (III, 5-7) qui prouvent que Dieu a ordonné le châtiment de ceux qui ont désobéi à ses commandements.

2. Cf. OPTAT, I, 21, 8 : « Deus in singulis rebus exemplorum posuit formam, ut si quod imputet imitantibus. Prima peccata ad exemplum praesens poena compressit, secunda iudicio reseruauit. »

manifeste dans ces pages et la sévérité dont Optat a fait preuve dans les autres livres. Cependant, un examen attentif du traité montre que les passages dans lesquels Optat évoque la *traditio* en termes sévères sont extrêmement peu nombreux[1]. Pour défendre l'Église catholique, que les donatistes considéraient comme le « parti des traditeurs », l'évêque de Milève avait choisi de retourner l'accusation et de montrer que ceux qui avaient provoqué le schisme à Carthage étaient eux-mêmes des traditeurs. De ce fait, il avait davantage le souci de prouver la culpabilité des donatistes que de trouver des circonstances atténuantes aux traditeurs. Pourtant, bien des indices laissent supposer que, s'il avait eu à le faire, les arguments ne lui auraient pas manqué. En effet, à plusieurs reprises il insiste sur la violence de la persécution qui a sévi en Afrique en 303[2] et il met l'accent sur le fait que bien des fidèles ont été contraints à livrer les livres saints : « En ce temps-là, à l'exception de quelques catholiques, tout le monde avait péché, et c'était comme un reflet de l'innocence que le crime fût partagé par beaucoup de gens[3]. » S'il est vrai qu'Optat n'excuse jamais formellement la *traditio* dans les six premiers livres, on peut constater qu'il en parle avec moins de sévérité qu'on n'a pu le dire. Il ne l'évoque jamais sans rappeler aussi la contrainte de la persécution, et, lorsqu'il impute aux fondateurs du donatisme la faute de *traditio*, il ne la dissocie jamais de celle du

---

1. Cf. OPTAT, I, 13, 1 : « In Africa duo mala et pessima admissa esse constat, unum in traditione, alterum in schismate » ; I, 13, 3 : « Instrumenta diuinae legis impie tradiderunt » ; I, 21, 1 : « haec duo crimina tam mala, tam grauia, traditionis et schismatis » ; II, 13, 2 : « Traditores uobiscum et ipsi damnamus, eos uidelicet quos, si meministi, in primo libro demonstrauimus » ; II, 20, 9 : « Traditionis et schismatis grauia peccata ».

2. Cf. I, 13, 2 ; I, 20, 3 ; III, 8, 4 : « Alii cogebantur templa Dei uiui subuertere, alii Christum negare, alii leges diuinas incendere, alii tura ponere. »

3. OPTAT, I, 20, 7.

schisme, qu'il considère comme un péché bien plus grave [1]. Alors qu'il n'a pas de mots assez durs pour condamner le schisme et qu'il accumule les citations bibliques qui prouvent que ce péché a mérité de Dieu les châtiments les plus sévères [2], on ne trouve dans son traité aucun développement équivalent dans lequel il démontrerait la gravité du crime de *traditio*. De même, après avoir démontré que les donatistes sont les fils des traditeurs, il n'en tire aucun argument pour les condamner, mais il multiplie les appels à l'unité et il déplore que cette unité ait été rompue. En fait, tout au long de son traité, Optat ne cesse de prêcher la tolérance à l'égard du pécheur, il insiste sur la faiblesse et sur l'imperfection de l'homme [3] et il approuve même très explicitement la modération avec laquelle on a traité les évêques qui avaient failli pendant la persécution [4]. L'idée selon laquelle les traditeurs, s'ils l'avaient souhaité, auraient pu rester dans la communion de l'Église n'est pas incompatible avec ce que nous connaissons par ailleurs de l'ecclésiologie d'Optat : à l'Église des purs, des martyrs et des saints, telle que la définissent les donatistes, l'évêque catholique oppose une Église dans laquelle, ici-bas, les mauvais sont mêlés aux bons. La parabole de l'ivraie, qu'il commente dans un passage non contesté du livre VII, illustre parfaitement cette conception. Pour Optat, la sainteté parfaite s'inscrit dans une perspective eschatologique, et quiconque prétend la posséder déjà fait seulement preuve d'orgueil. L'Église est un mélange de

---

1. Cf. I, 20, 3 : « Parum erat traditionis facinus..., etiam ingens flagitium schismatis traditioni iunxerunt. »

2. Cf. I, 21 ; III, 7 ; III, 10.

3. Cf. II, 20, 1 où Optat cite *I Jn* 1, 8 : *Si dixerimus quia peccatum non habemus, nos ipsos decipimus et ueritas in nobis non est.*

4. Cf. II, 25, 10 : « Multis notum est et probatum persecutionis tempore episcopos aliquos inertia a confessione nominis Dei delapsos turificasse, et tamen nullus eorum, qui euaserunt, aut manum lapsis imposuit aut ut genua figerent imperauit. »

justes et de pécheurs, et en attendant le jour du jugement
dernier, où le Christ accomplira la séparation définitive des
méchants et des bons, nul ne peut s'arroger le droit de juger
son prochain [1]. Augustin, qui a repris l'essentiel de l'ecclésiologie d'Optat, a développé lui aussi ce thème, si important dans sa théologie de la Cité de Dieu [2], et le fait qu'il ait
rédigé ses premiers développements sur les deux cités alors
qu'il était déjà engagé dans sa lutte théologique contre le
donatisme montre combien l'affrontement avec les donatistes a été déterminant dans l'élaboration d'une théologie
catholique de l'Église [3]. Le livre VII, dans son ensemble,
marque une étape nouvelle dans la réflexion d'Optat sur
l'Église, et, loin d'être en contradiction avec la conception
énoncée dans les premiers livres, les passages contestés viennent renforcer l'affirmation essentielle selon laquelle aucune
faute, aussi grave soit-elle, ne saurait justifier le schisme.
A.C. de Veer a bien montré qu'Augustin avait repris la
même argumentation dans le *Psalmus contra partem Donati*,
directement inspiré d'Optat, comme le prouve le choix
même du vocabulaire [4] : la condamnation du schisme, considéré comme une faute bien plus grave que la *traditio*, s'ac-
compagne d'un jugement beaucoup plus indulgent sur les
traditeurs, que « la peur pourrait excuser », avec la même
référence au reniement de saint Pierre [5]. Mais d'autres pages
des traités anti-donatistes semblent indiquer qu'Augustin a

---

1. Cf. I, 20, 3 ; I, 21, 8 ; II, 25, 2.10 ; V, 10, 1 ; VII, 2, 1-8.
2. Cf. Avg., *C. Parm.*, I, xiv, 21 ; *Epist. ad cath.*, XVIII, 48. Les références à la parabole de l'ivraie (*Matth.* 13, 24-30) sont nombreuses chez
Augustin.
3. Cf. Congar[4], *BA* 28, p. 117-118 ; Pincherle[2], *Ecclesiologia,* p. 34-
55 ; cf. aussi Simonis[4], *Ecclesia.*
4. De Veer[2], *Authenticité,* p. 389-391 ; cf. Avg., *Psalm. c. Don.*, v. 26-
33.
5. Le reniement de Pierre est évoqué par Optat en VII, 3 dans un passage reproduit dans tous les manuscrits.

eu connaissance des passages contestés et qu'il n'a pas été
gêné par leur contenu. Dans le *De baptismo* (II, VI, 9), il cite
l'exemple du roi Joachim dans des termes qui rappellent singulièrement le développement du premier passage douteux ;
la conclusion qu'il en tire est la même : « Quand même, au
lieu de donner les Livres à jeter aux flammes, ils les auraient
brûlés de leurs propres mains, leur faute aurait été, de toute
façon, moindre que s'ils avaient perpétré le schisme [1]. »
Dans le *Contra Gaudentium* (I, XXXVII, 48), Augustin rappelle, lui aussi, la violence de la persécution pour excuser la
faute des traditeurs : « Comme si ces premiers traditeurs
d'alors n'avaient pas livré les textes sacrés malgré eux sous
l'horreur et la terreur d'effroyables supplices [...] ! Vos
ancêtres auraient pu [...] pardonner à des traditeurs véritables qui n'ont livré que sous la pression d'une nécessité
bien inéluctable [2]. » Le jugement que porte Augustin sur la
traditio correspond à une attitude générale de tolérance à
l'égard des pécheurs. Les textes abondent, dans lesquels il
affirme qu'il faut tolérer les mauvais « corporellement »
(*corporaliter*), dans la communion des sacrements, même
s'ils ne communient pas à l'unité de l'esprit [3]. Augustin
récuse la distinction que les donatistes ont établie entre la

1. *BA* 29, p. 147 ; cf. AVG., *Bapt.*, III, II, 3 ; *C. Petil.*, III, III, 4 (*BA* 30,
p. 595) : « Il est plus plausible de croire coupables d'avoir inventé de toute
pièce l'accusation de *traditio,* des gens qui n'ont pas hésité à commettre le
crime bien plus infâme d'une division impie. Quand même tout serait vrai
dans leurs déclamations sur la *traditio* des Écritures, ils n'auraient jamais
dû abandonner, pour un fait connu d'eux et ignoré ailleurs, la communion
des chrétiens. »

2. *BA* 32, p. 623-625 ; cf. *C. Petil.*, II, XIX, 43 : « Excusatur infirmitas
carnis, quando cedit uiolentiae persecutionis » ; cf. E. LAMIRANDE, *BA* 32,
p. 705-706 : « Le crime de *traditio* et les points de vue donatiste et catholique », et A. C. DE VEER, *BA* 31, p. 839-842 : « La *traditio* considérée par
les donatistes comme un péché d'origine. »

3. Cf. AVG., *C. Parm.*, II, XI, 25 ; *C. Cresc.*, II, XXXIV, 43 et IV, XXVI,
33 ; *Un. bapt.*, XV, 25.

traditio et tous les autres péchés. Lorsqu'il affirme que les traditeurs sont des pécheurs comme les autres et que les bons peuvent rester avec les mauvais dans la communion des sacrements « sans subir aucune souillure », Augustin s'attaque au fondement même du schisme et lui ôte toute justification [1]. Nous le voyons, le contenu doctrinal des passages contestés du livre VII concorde avec les thèmes essentiels de la théologie augustinienne et, *a fortiori*, avec les principes fondamentaux de l'ecclésiologie d'Optat, dans laquelle elle trouve sa source.

Les deux passages conservés dans le *Tilianus* sont ponctués par des interrogations : « S'ils avaient dit cela, comment aurions-nous pu les exclure de l'Église ? Qui ne les aurait reçus dans sa communion ? » Les mots *ecclesia* et *communio* désignent l'Église, mêlée de mauvais, la communion des sacrements, dont Optat ne veut pas exclure les pécheurs. Aucune précision ne nous permet de savoir si ces pécheurs, accueillis dans la communion de l'Église, auraient été soumis à la discipline, qui disposait, envers les fauteurs de péchés graves, de l'institution pénitentielle. On connaît la règle appliquée par Cyprien aux apostats de la foi chrétienne ; s'ils sont laïcs, ils ne peuvent être ordonnés ; s'ils sont clercs, ils ne peuvent être admis à exercer les fonctions de leur ordre : « Qu'ils ne cessent pas, connaissant la gravité de leur faute, d'implorer de Dieu le pardon et qu'ils n'abandonnent pas l'Église catholique, la seule qu'a établie le Seigneur [2]. » Le canon 13 du concile d'Arles (314) ordonne d'écarter du clergé ceux qui ont livré les saintes Écritures à condition que des documents officiels établissent les faits ;

---

1. Cf. Aug., *Un. bapt.*, XIV, 24 (*BA* 31, p. 719) : « Il leur reste donc à avouer que les bons sont demeurés avec les mauvais dans la communion des sacrements chrétiens, sans subir aucune souillure (*sine ulla sua labe*). »
2. Cyprien, *Ep.*, LXV, v, 1.

le canon 10 du concile de Nicée défend d'élever à la cléricature un laïc apostat [1]. Optat n'évoque jamais clairement la discipline en usage au début du IVᵉ siècle ; il ignore le concile d'Arles, dont les canons semblent n'avoir eu guère d'écho en Afrique ; il reproche aux donatistes d'avoir appliqué à des évêques le rite pénitentiel de l'imposition des mains, geste criminel qui « tue » le sacerdoce, et d'avoir empêché, par la pénitence, certains fidèles d'être ordonnés ; il affirme que Dieu a interdit la déposition des prêtres même pécheurs [2]. Du point de vue de la discipline, les passages contestés, qui ne font aucune allusion aux sanctions qui auraient pu être prises contre les traditeurs, sont conformes au reste du traité.

L'indulgence qu'Optat manifeste à l'égard des pécheurs et l'humilité qu'il préconise — « Qui es-tu pour juger le serviteur de Dieu ? » — ont pu l'amener, vers la fin de sa vie, à excuser le péché de *traditio* lui-même. S'il ne l'a pas fait explicitement dans les six premiers livres, c'est parce que son souci principal était alors de disculper les catholiques de cette faute. Pour les donatistes, le seul moyen de justifier leur schisme était de démontrer que leurs pères avaient eu raison de se séparer de Cécilien et des autres évêques catholiques accusés de *traditio*. Après la persécution de 303, les affrontements avaient été si vifs à Carthage qu'on avait dû faire appel à l'empereur. Les actes des conciles, les procès-verbaux des enquêtes, qui proclamaient tous l'innocence de Cécilien et des siens, avaient reconnu la légitimité de l'Église catholique et condamné les schismatiques. En acceptant de

---

1. Cf. Turner₃, *EOMIA* I, 1, 2 (1904), p. 126 et I, 2, 2 (1939), p. 390-391 ; Avg., *Un. bapt.*, XII, 20.
2. Cf. Optat, II, 21 ; II, 23-25. Optat cite le *Ps.* 104, 15 : *Ne tetigeritis unctos meos*, et l'exemple de Saül épargné par David : *Non mittam manus in unctum domini* (*I Sam.* 24, 7). Cf. R. Crespin, *Ministère et sainteté* (*Études Augustiniennes*, 22), Paris 1965, p. 30-50.

s'engager sur le terrain de la polémique historique et de fournir les preuves de l'innocence de Cécilien, Optat courait le risque de ne pas distinguer assez nettement la cause de l'Église de la cause des personnes. Dans ce contexte, toute tentative pour minimiser ou excuser le crime de *traditio*, qui était le principal chef d'accusation, eût été très maladroite. Bien des années après avoir établi la vérité sur les origines du schisme, Optat a peut-être souhaité mettre l'accent sur cette distinction. Celle-ci une fois établie, il devenait possible de montrer que les traditeurs étaient des pécheurs comme les autres et que leur culpabilité n'aurait pu, en aucune façon, porter préjudice à l'Église catholique [1]. Les passages contestés ont sans doute été écrits à une époque où le parti donatiste était agité par des querelles internes, et où la réconciliation avec les catholiques paraissait possible. Vers 370, dans un ouvrage en trois livres, *De bello intestino*, le donatiste Tyconius affirme que « les bons doivent par amour de la paix supporter les mauvais dans l'unité, jusqu'à ce que le jugement dernier de Dieu les sépare [2] ». Cette idée, conforme aux thèses catholiques, a été réfutée par Parménien vers 378 dans sa lettre à Tyconius [3]. Il est tout à fait possible qu'Optat, trouvant un appui inespéré dans les écrits de Tyconius, ait tenté, une dernière fois, de ramener les schismatiques à l'Église en manifestant un esprit de conciliation qui a pu aller jusqu'à l'excuse du péché de *tra-*

---

1. Cf. E. LAMIRANDE, *BA* 31, p. 694 : « La cause de Caecilianus distinguée de la cause de l'Église » ; *Gesta*, III, 272 ; AVG., *Breu. coll.*, I, 10 (*BA* 31, p. 107-109) : « ... comment la cause de l'Église, qui selon la promesse se répand sur toute la terre, se distingue de la cause de Caecilianus, quelle qu'elle fût... »

2. Cf. AVG., *C. Parm.*, III, III, 17 (*BA* 28, p. 437) : « malos a bonis in unitate interim pro pace tolerandos et in fine ultimi diuini iudicii separandos. »

3. Cf. MONCEAUX₃, *Hist. litt.*, t. 5, p. 165-219 ; CONGAR₄, *BA* 28, p. 718-720 : « Parménien et Tyconius » ; FREND₃, *Donatist Church*, p. 203-204 ; SIMONIS₄, *Ecclesia*, p. 39.

ditio. Nous savons que les donatistes sont restés sourds à cet appel. Lors de la conférence de Carthage, en 411, ils sont restés tout aussi insensibles aux thèmes de la *permixtio bonorum et malorum* et de la nécessaire tolérance des pécheurs dans l'Église, développés par Augustin. Il a fallu revenir à l'examen historique des causes du schisme pour confondre, une nouvelle fois, les schismatiques [1].

En résumé, pour convaincre les donatistes que les fils des traditeurs doivent être ramenés dans l'unité de l'Église, Optat présente un premier argument : les fils ne sont pas responsables des fautes de leurs pères. Cet argument a été développé dans le chapitre 1, dans des pages que reproduisent tous les manuscrits et dont l'authenticité n'est pas contestée. Un deuxième argument est exposé dans les deux développements conservés dans le *Tilianus* : les traditeurs eux-mêmes, s'ils l'avaient voulu, auraient pu être accueillis dans le sein de l'Église. Nous avons vu que ces deux passages forment un ensemble cohérent. Il est permis de penser que ces pages ont été écrites plus tard et qu'elles étaient destinées à venir renforcer le premier argument, qui pouvait paraître un peu faible. Il est plus difficile d'expliquer pourquoi ces passages ont été insérés, séparément, dans l'exposé du premier argument, dont ils viennent rompre la suite logique. Si, comme nous le pensons, les passages du *Tilianus* ont été composés plus tard, nous pouvons supposer qu'un autre qu'Optat les a très maladroitement insérés dans le premier chapitre du livre VII. Il est en effet certain que l'évêque de Milève n'a pas eu le temps d'achever son œuvre, puisque les suppléments qu'il a rédigés pour les six premiers livres n'occupent pas, dans les manuscrits, la place qui leur était destinée.

Les courtes additions des chapitres 2 et 3, qui rappellent très brièvement que les traditeurs doivent être accueillis

---

1. Cf. S. LANCEL, *SC* 194 (t. 1), p. 89-103.

dans le sein bienveillant de l'Église, confirment que le livre VII a été remanié. Ces trois brefs passages résonnent comme un leitmotiv qui vient rappeler avec insistance l'argumentation développée dans les deux longs passages précédents. Très artificiellement rattachées à leur contexte, ces phrases répétitives sont destinées à mettre l'accent sur l'indulgence accordée aux traditeurs et on peut les considérer comme une tentative — bien maladroite, il est vrai — pour donner aux trois premiers chapitres du livre VII une cohérence thématique que la mauvaise répartition des deux premières additions empêche de voir clairement.

En réalité, les trois premiers chapitres du livre VII portent la marque des degrés successifs de son élaboration. Le pardon accordé aux traditeurs pourrait bien être l'ultime étape d'Optat dans sa lutte contre le schisme et dans sa recherche de la paix et de l'unité.

CHAPITRE II

ASPECTS HISTORIQUES

1. L'HISTORIEN DES ORIGINES DU SCHISME

La nature même du conflit qui opposait les catholiques aux schismatiques imposait le recours à l'histoire. Optat ne pouvait ignorer l'importance de la législation impériale relative à la querelle donatiste. De Constantin à Julien l'Apostat, l'histoire du schisme a été marquée par les interventions du pouvoir impérial, et l'alternance des périodes de répression et de tolérance s'explique par les fluctuations de la politique religieuse des différents empereurs.

Au lendemain de la persécution, les chrétiens n'avaient pas hésité à demander à l'empereur converti au christianisme de trancher les différends qui les divisaient ; les catholiques alléguaient d'autant plus volontiers les décisions conciliaires ratifiées par Constantin qu'elles leur étaient favorables et qu'elles niaient la légitimité du schisme. Les schismatiques contestaient inlassablement la validité des actes qui proclamaient l'innocence des catholiques et ils reprochaient à leurs adversaires, qui avaient accepté l'appui de l'État, de s'être rendus complices de la répression impériale [1]. Pour

1. Cf. OPTAT, I, 4-6 ; III, 4 ; IV, 1.

répondre à ces attaques, Optat a compris qu'il ne devait pas se contenter d'un simple exposé des faits, mais qu'il lui fallait fournir des preuves irréfutables. C'est pourquoi il indique, dans le livre I, qu'il a réuni, à la fin de son traité, toutes les pièces officielles qui attestent l'innocence des catholiques et la culpabilité des donatistes [1]. Ce « dossier du donatisme », auquel il fait plusieurs fois référence [2], a été conservé en partie dans un manuscrit du IXe siècle provenant de l'abbaye de Cormery, le *Parisinus lat. 1711* (*Colbertinus 1951*), qui contient la deuxième moitié du livre VI et des pages dont le contenu est indiqué en ces termes : « Expliciunt sancti Optati episcopi libri numero VII uel gesta purgationis Caeciliani episcopi et Felicis ordinatoris eiusdem necnon epistola Constantini imperatoris. » Ziwsa a reproduit ces textes dans son édition [3]. Il s'agit du procès-verbal de l'enquête qui a été menée en 320 par Zénophilus, consulaire de Numidie, et qui établit que l'évêque donatiste Silvanus a livré les livres saints pendant la persécution [4]. Les pages qui suivent contiennent le procès-verbal de l'enquête sur Félix d'Abthugni, l'évêque catholique qui avait ordonné Cécilien et que les donatistes jugeaient coupable de *traditio* [5]. Le fragment se termine par huit lettres, dont six de Constantin [6]. Il est évident que le manuscrit de Cormery présente des lacunes très importantes, puisque, dans le livre I, Optat fait référence à des documents qui ne figurent pas dans les pages conservées. Grâce à ce manuscrit, aux allusions et citations d'Optat et d'Augustin, et aux actes de la

---

1. Cf. OPTAT, I, 14, 2 : « Harum namque plenituninem rerum in nouissima parte istorum libellorum ad implendam fidem adiunximus. »

2. Cf. OPTAT, I, 14, 1.2 ; I, 20, 1 ; I, 22, 1 ; I, 26, 3 ; I, 27, 6. Cf. Appendice I, p. 306-307.

3. ZIWSA, *CSEL* 26, p. 185-216.

4. ZIWSA, *CSEL* 26, p. 185-197.

5. ZIWSA, *CSEL* 26, p. 197-204.

6. ZIWSA, *CSEL* 26, p. 204-216.

conférence de Carthage de 411, les historiens modernes ont pu reconstituer l'ensemble du « dossier du donatisme ». En 1883, D. Voelter a publié l'examen détaillé de ces documents et a contesté leur authenticité [1]. O. Seeck, à son tour, a suspecté certains de ces textes et mis en doute la bonne foi d'Optat [2]. L. Duchesne a établi l'authenticité de ce dossier, et son opinion est aujourd'hui généralement acceptée [3].

Cependant, il n'est pas facile de déterminer de quels documents Optat disposait exactement pour reconstituer l'histoire des origines du schisme. Les événements qu'il relate dans les chapitres 13-28 du livre I ne sont pas tous attestés par une référence précise au dossier, si bien qu'il n'est pas toujours possible de discerner les sources et de distinguer la documentation écrite de la tradition orale.

Le premier document auquel Optat se réfère expressément concerne la réunion qui s'est tenue à Cirta « le troisième jour des ides de mai », soit le 13 mai d'une année non précisée, et au cours de laquelle les évêques qui allaient provoquer la rupture à Carthage ont avoué qu'ils avaient livré les livres saints [4]. Optat affirme très clairement qu'il possède le compte rendu de ce concile, que l'on désigne sous le nom de « protocole de Cirta ». Cette pièce, essentielle pour établir la culpabilité des donatistes, n'a pas été conservée dans le manuscrit de Cormery, mais son authenticité est confirmée par Augustin qui « a pris soin d'en transcrire l'essen-

1. D. VOELTER, *Der Ursprung des Donatismus*, Fribourg 1883.

2. O. SEECK, « Quellen und Urkunden über die Anfänge des Donatismus », *Zeitschrift für Kirchengeschichte*, 10 (1889), p. 526 s. et 30 (1909), p. 181.

3. DUCHESNE[3], *Donatisme*, p. 589-650. Cf. MONCEAUX[3], *Hist. litt.*, t. 4, p. 212 s. ; t. 5, p. 270-271 ; VON SODEN[3], *Urkunden* ; FREND[3], *Donatist Church*, p. XII ; KRIEGBAUM[4], *Kirche* ; J.-L. MAIER, *Le dossier du donatisme* : t. 1, *Des origines à la mort de Constance II (303-361)*, Berlin 1987 ; S. LANCEL, « Le dossier du donatisme », *REL* 66 (1988), p. 37-42.

4. OPTAT, I, 13-14.

tiel » dans le *Contra Cresconium* [1]. On peut remarquer les concordances avec le texte d'Optat : les noms des évêques qui ont participé au concile, l'aveu de Purpurius, l'attitude de Secundus le Jeune, la conclusion — « *Sedete omnes... Deo gratias.* » Cependant, le texte d'Augustin fournit davantage de précisions, ce qui prouve que celui-ci ne le cite pas d'après le livre d'Optat mais d'après une autre source. Optat affirme que ce document figure parmi les *scripta Nundinarii* qu'il a joints à son traité. Or, nous pouvons deviner le contenu des ces « écrits » grâce au premier fragment du manuscrit de Cormery, qui contient le compte rendu du procès intenté par le diacre Nundinarius à l'évêque donatiste Silvanus de Cirta, devant le gouverneur de Numidie, Zenophilus [2]. Il est probable que le protocole de Cirta faisait partie des pièces à conviction citées par Nundinarius pour compromettre Silvanus, car nous savons par Augustin [3] que la réunion de Cirta avait pour objet l'élection et l'ordination de cet évêque. Il n'est pas sans intérêt de remarquer que, dans le livre I, Optat ne nous donne aucune précision sur « l'affaire Silvanus » ; nous avons ici la preuve que l'évêque de Milève n'a pas voulu faire une analyse exhaustive des pièces dont il disposait et qu'il juge parfois suffisant de renvoyer le lecteur au dossier qu'il a ajouté à la fin de son traité [4].

1. Avg., *C. Cresc.*, III, XXVII, 30 (*BA* 31, p. 325-327).
2. Cf. Ziwsa, *CSEL* 26, p. 185-197 (*Gesta apud Zenophilum*).
3. Avg., *C. Cresc.*, III, XXVII, 30 : « et sic poterimus hic ordinare episcopum ».
4. Les donatistes ont évidemment contesté l'authenticité du « protocole de Cirta » qui prouvait que les auteurs du schisme étaient aussi des traditeurs. Lors de la conférence de Carthage, en 411, ils essayèrent de démontrer que ce document était un faux parce qu'il portait une date consulaire, à l'encontre des usages ecclésiastiques, et parce que, disaient-ils, un concile n'aurait pu se réunir pendant la persécution. Ils auraient pu trouver un bien meilleur argument dans le fait que le document présenté était daté du 5 mars 303. A cette date, la persécution n'avait pas encore commencé en Afrique, et les évêques réunis à Cirta ne pouvaient avouer une faute qu'ils

La deuxième référence précise concerne les lettres que ces mêmes évêques numides ont envoyées de Carthage après avoir contesté la validité de l'ordination de Cécilien, ordonné Majorinus et provoqué le schisme : « Ils envoyèrent partout des lettres écrites sous la dictée de la haine, que nous donnons en appendice avec tous les autres documents [1]. » Nous n'avons pas conservé ces lettres, qui faisaient partie du dossier, mais nous en connaissons le contenu grâce au récit d'Optat : les évêques numides y accusaient de *traditio* l'évêque Félix d'Abthugni qui avait ordonné Cécilien [2]. Il s'agit très certainement de la lettre synodale, dont parle également Augustin, par laquelle les évêques schismatiques informaient toutes les communautés africaines de la déposition de Cécilien et de l'ordination de Majorinus [3]. Quant au concile lui-même, Optat en connaissait le déroulement exact grâce aux procès-verbaux qui rela-

---

n'avaient pas encore eu l'occasion de commettre. Augustin s'est sans doute rendu compte de cette incohérence puisqu'il a retouché cette date et qu'il propose, dans le *Breu. coll.* (III, XVII, 32), le 5 mars 305, date qui ne concorde pas davantage avec celle qui est indiquée par Optat (le 13 mai d'une année non précisée qui pourrait être 305, d'après le contexte). Cette imprécision au sujet de la date prouve que le texte original avait été très tôt altéré. Sur le protocole de Cirta, cf. AVG., *Breu. coll.*, III, XV, 27 ; *Ad donatistas post coll.*, XIV, 18—XV, 19 ; *Contra Gaudentium*, I, XXXVII, 47 ; MONCEAUX₃, *Hist. litt.*, t. 3, p. 97 s. ; t. 4, p. 229 ; t. 5, p. 11 ; DUCHESNE₃, *Donatisme*, p. 629 ; VON SODEN₃, *Urkunden*, p. 7-8 ; A. C. DE VEER, *BA* 31, p. 796-798 ; S. LANCEL, *SC* 194 (t. 1), p. 94-97 ; du même auteur, « Les débuts du donatisme : la date du Protocole de Cirta et l'élection de Silvanus », *Revue des Études Augustiniennes*, 25 (1979), p. 217-229 ; J. A. FISCHER, « Das kleine Konzil zu Cirta im Jahr 305 (?) », *Annuarium Historiae Conciliorum*, 18 (1986), p. 281-292.

1. OPTAT, I, 20, 1.
2. OPTAT, I, 20, 1 : « Unum traditionis conuicium in ordinatorem Caeciliani deriuandum esse putauerunt. »
3. Cf. AVG., *Epist. ad cath.*, XXV, 73 (*BA* 28, p. 701) : « Comme une lettre avait été adressée à presque toutes les villes d'Afrique [...], on ajouta foi à la lettre du Concile » ; MONCEAUX₃, *Hist. litt.*, t. 4, p. 326-332 ; DUCHESNE₃, *Donatisme*, p. 631.

taient les négociations préliminaires avec Cécilien, les réqui-
sitoires et les votes motivés des évêques. Ces actes du concile
de Carthage sont aussi connus par Augustin, qui y fait plusieurs fois allusion [1]. Lors de la conférence de Carthage, en
411, les donatistes ont demandé la lecture des actes de ce
concile réuni contre Cécilien. Le document présenté ne portait aucune indication de date, et il est probable que le texte
consulté par Optat n'était pas daté non plus, car sa chronologie reste très imprécise [2].

Optat possédait également le texte de la requête adressée
à l'empereur Constantin par les évêques dissidents pour lui
demander l'arbitrage de juges gaulois, puisqu'il en donne la
copie dans le livre I [3]. Cette pièce, d'une importance
majeure, permettait aux catholiques de prouver que les
donatistes qui se plaignaient de l'intervention du pouvoir
impérial, avaient été les premiers à la solliciter [4]. Augustin

---

1. AVG., *C. Cresc.*, IV, VII, 9 (*BA* 31, p. 489) : « Caecilianus, contre qui
se sont prononcés une seule fois ces soixante-dix évêques » ; *Ad donatistas
post coll.*, II, 3 ; XXII, 37.

2. Lors de la conférence de Carthage, en 411, catholiques et donatistes
ont longuement discuté la date de ce concile : devait-on le situer avant ou
après l'intervention de Constantin ? Cf. AVG., *Breu. coll.*, III, XIV, 26 (*BA*
32, p. 197 s.) ; III, XVI, 30 (*BA* 32, p. 207 s.) ; *Capit.*, III, 372-401 (*SC* 195,
p. 517 s.). Optat qui, dans son récit, respecte toujours l'ordre chronologique, place le concile de Carthage avant la requête adressée à l'empereur
par les évêques dissidents, c'est-à-dire avant 313. La date de 312 est communément admise. Cf. MONCEAUX₃, *Hist. litt.*, t. 4, p. 326 ; t. 5, p. 8 ;
DUCHESNE₃, *Donatisme*, p. 626 ; cf. cependant S. LANCEL, *SC* 194 (t. 1),
p. 92 : « soit vers 307, soit vers 312, comme on le pense habituellement »,
et *SC* 373, p. 1557 (t. 4) : « au plus tard au printemps 309 ».

3. OPTAT, I, 22.

4. Nous savons par Augustin que cette requête avait été remise au proconsul Anulinus et transmise à l'empereur le 15 avril 313. A cette supplique,
les donatistes avaient joint un réquisitoire contre Cécilien. Cf. AVG., *Epist.*,
88, 2 ; 93, 4, 13 ; *Breu. coll.*, III, VII, 8 ; III, XII, 24 ; *Epist. ad catholicos*,
XVIII, 46 ; *C. Cresc.*, III, LXI, 67 ; *Gesta*, III, 220 ; DUCHESNE₃, *Donatisme*,
p. 608-611 ; VON SODEN₃, *Urkunden*, p. 12-13 ; MONCEAUX₃, *Hist. litt.*, t.
4, p. 206 ; t. 5, p. 14 ; T. D. BARNES, « The Beginnings of Donatism », dans

fait souvent allusion à ce document qui fut également produit par les catholiques en 411, à Carthage.

Bien qu'il ne l'affirme pas explicitement, Optat avait sans doute aussi réuni dans son dossier les actes du concile de Rome, dont il cite des fragments dans son récit [1]. Il est plus difficile de déterminer d'après quelles sources Optat cite l'empereur Constantin. Il présente la première citation comme une réponse de l'empereur à la requête des dissidents [2] et la deuxième comme une réaction de Constantin après que Donat eut fait appel de la sentence du concile de Rome [3]. On peut cependant rapprocher ces deux citations de deux passages de la lettre de Constantin aux évêques catholiques, conservée dans le manuscrit de Cormery [4]. P. Monceaux a bien montré qu'Optat, qui ignore l'existence du concile d'Arles (314), a pu mal comprendre ce document et l'interpréter de façon erronée. Cette lettre est d'ailleurs la seule, parmi les lettres du manuscrit de Cormery, que l'évêque de Milève ait citée dans son récit, et on ne trouve trace de ces pièces ni dans les écrits d'Augustin ni dans les actes de la conférence de Carthage [5].

JThS 26, 1975, p. 20-22 ; K. M. GIRARDET, « Die Petition der Donatisten und Kaiser Konstantin (Frühjahr 313) », *Historische Voraussetzungen und Folgen, Chiron*, 19 (1989), p. 185-206.

1. OPTAT, I, 23-24. Les actes du concile de Rome (313) qui, sous la présidence du pape Miltiade, avait proclamé l'innocence de Cécilien, sont très souvent évoqués par Augustin (cf. *Breu. coll.*, III, XII, 24 ; *Epist.*, 43, 5, 15 ; *Ad donatistas post coll.*, XXXIII, 56). Ils ont également été lus lors de la conférence de Carthage en 411 (*Capit.*, III, 320, *SC* 195, p. 509) ; cf. VON SODEN₃, *Urkunden*, p. 14-16 ; MONCEAUX₃, *Hist. litt.*, t. 4, p. 338 s.

2. OPTAT, I, 23, 1 : « Petitis a me in saeculo iudicium, cum ego ipse Christi iudicium expectem. »

3. OPTAT, I, 25, 2 : « O rabida furoris audacia ! Sicut in causis gentilium fieri solet, appellandum episcopus credidit. »

4. ZIWSA, *CSEL* 26, p. 209 : « Meum iudicium postulant, qui ipse iudicium Christi expecto [...]. O rabida furoris audacia sicut in causis gentilium fieri solet. »

5. Cf. DUCHESNE₃, *Donatisme*, p. 607 et 619 ; MONCEAUX₃, *Hist. litt.*, t. 4, p. 215.

Les procès-verbaux de l'enquête menée à Carthage par les évêques Eunomius et Olympius figuraient également dans le dossier d'Optat, comme il l'indique expressément [1]. Cependant, l'évêque de Milève est le seul auteur qui ait parlé de cette enquête, pourtant essentielle puisqu'elle concluait, une fois de plus, à l'innocence de Cécilien. Optat affirme que, à la même époque, Cécilien était retenu à Brescia par l'empereur. Nous ne connaissons cet épisode que par ce passage du livre I, dont les donatistes ont demandé la lecture lors de la conférence de Carthage en 411 ; ils pensaient ainsi prouver que Cécilien, retenu en Italie, avait été condamné par Constantin [2]. Toutes les pièces relatives à ces événements ont sans doute été très tôt perdues, et le texte d'Optat, très imprécis, a donné lieu à de nombreux essais d'interprétation [3].

Le dernier document cité par Optat concerne l'enquête sur Félix d'Abthugni, l'évêque catholique qui avait ordonné Cécilien et que les schismatiques accusaient de *traditio* [4]. En

---

1. OPTAT, I, 26, 3 : « De his rebus habemus uolumen actorum, quod si quis uoluerit in nouissimis partibus legat. »

2. Cf. *Capit.*, III, 535-536 (*SC* 195, p. 547 s.) ; AVG., *Breu. coll.*, III, XX, 38 ; *Epist.*, 43, 7, 20.

3. D'après le récit d'Optat, qui suit l'ordre chronologique, l'enquête d'Eunomius et d'Olympius à Carthage et le séjour de Cécilien à Brescia se situeraient peu de temps après le concile de Rome (313). Mais Optat ignore l'existence du concile d'Arles (314). MONCEAUX, (*Hist. litt.*, t. 4, p. 209 s.) a bien montré que, quoi qu'il en soit, la mission d'Eunomius et d'Olympius devait se placer avant la sentence définitive prononcée à Milan par Constantin (10 novembre 316) car, une fois cet arrêt rendu, une telle enquête eût été sans objet. Bien qu'il propose une chronologie différente dans le détail, GRASMÜCK₃ (*Coercitio*, p. 80-84) situe, lui aussi, cette mission avant l'arrêt impérial notifié à Eumalius, vicaire d'Afrique, par lequel Cécilien était reconnu comme évêque légitime de Carthage. Optat ne mentionne pas dans son récit la sentence finale de Constantin (316), qu'il semble ignorer.

4. OPTAT, I, 27, 3 : « Habetur uolumen actorum, in quo continentur praesentium nomina. »

411, à Carthage, les catholiques ont fait procéder à la lecture des procès-verbaux de cette enquête et du rapport du proconsul Aelianus, qui démontraient l'innocence de Félix d'Abthugni [1]. Une partie de ces actes a été conservée dans le manuscrit de Cormery [2].

Nous pouvons constater que, pour reconstituer l'histoire des origines du schisme, Optat disposait d'une documentation importante bien qu'incomplète et souvent imparfaite. La plupart de ces documents ont été produits à Carthage, en 411, devant le commissaire impérial Marcellinus et ils ont assuré aux catholiques la victoire finale. L. Duchesne pense que toutes ces pièces ont été réunies dans un recueil entre 330 et 347, et qu'Optat s'est contenté de joindre ce dossier à son ouvrage, après l'avoir superficiellement étudié. Ce même recueil, utilisé par Augustin et par les catholiques à la conférence de Carthage de 411, existerait encore, en partie, dans le manuscrit de Cormery [3]. P. Monceaux estime, lui aussi, qu'Optat a utilisé un dossier déjà formé, avant lui, par un « auteur inconnu » et auquel il n'a rien ajouté [4]. Les inexactitudes ou les omissions, dans le récit d'Optat, seraient dues à une lecture trop rapide ou trop superficielle de ce recueil.

---

1. Cf. *Capit.*, III, 564 (*SC* 195, p. 553) ; Avg., *Breu. coll.*, XXIV, 42 ; *C. Cresc.*, III, LXX, 80.

2. Cf. Ziwsa, *CSEL* 26, p. 197-204 (*Acta purgationis Felicis*). Augustin pensait que la sentence par laquelle le proconsul Aelianus proclamait l'innocence de Félix d'Abthugni avait été rendue le 15 février 314 (*Ad donatistas post coll.*, XXXIII, 56). Duchesne₃ (*Donatisme*, p. 644-645) affirme qu'Augustin s'est trompé et que l'audience proconsulaire a certainement eu lieu le 15 février 315. Monceaux₃ (*Hist. litt.*, t. 4, p. 218 s.) fait remarquer que le manuscrit qui a conservé les *Acta purgationis Felicis* et auquel Duchesne se réfère pour corriger la date d'Augustin est très mutilé ; il préfère accepter la date traditionnellement admise (15 février 314). Cf. A. C. DE VEER, *BA* 31, p. 849-850 ; E. LAMIRANDE, *BA* 32, p. 698-699.

3. Duchesne₃, *Donatisme*, p. 649-699.

4. Monceaux₃, *Hist. litt.*, t. 5, p. 269.

Certes, il est probable que les catholiques avaient pris soin, dès les origines du schisme, de rassembler et de conserver toutes les pièces, procès-verbaux d'enquêtes, actes des conciles, lettres impériales qui proclamaient l'innocence de Cécilien et de Félix et qui prouvaient la légitimité de l'Église catholique. Cependant, rien ne permet d'affirmer que le recueil adjoint au traité existait sous cette forme avant Optat. L'évêque de Milève, qui fut le premier, à notre connaissance, à écrire l'histoire du schisme, a très bien pu compulser lui-même les archives, réunir sa propre documentation et ordonner dans un recueil tous les textes qui pourraient étayer son argumentation. Même s'il disposait d'un ensemble de documents déjà regroupés, Optat a pu compléter et classer lui-même cette documentation. Soucieux de prouver l'authenticité de toutes ces pièces et de disculper l'évêque de Milève, dont la bonne foi avait été mise en doute, L. Duchesne s'est attaché à prouver que l'évêque catholique n'était pas l'auteur de ce recueil et que ce dossier était antérieur à l'époque d'Optat. « L'antiquité de l'exemplaire [1] » produit par l'évêque de Milève serait ainsi une preuve de son authenticité. Nous pensons que l'analyse du récit d'Optat, toute polémique écartée, n'implique pas nécessairement une telle conclusion. Il paraît plus plausible, en effet, d'expliquer les maladresses ou les omissions par une documentation incomplète plutôt que par la lecture superficielle d'un dossier déjà formé. Ainsi, il semble bien que le récit d'Optat, plus cohérent qu'il n'a pu le paraître, suive scrupuleusement l'ordre selon lequel les pièces ont été réunies, comme en témoigne le manuscrit de Cormery : la première référence du livre I, qui renvoie le lecteur aux *scripta Nundinarii*, concorde avec le début du manuscrit, et le récit s'achève par l'évocation de l'enquête sur Félix

---

1. Duchesne, *Donatisme*, p. 625.

d'Abthugni, dont le procès-verbal constitue la dernière partie du dossier, dans ce même manuscrit.

Entre ces deux séries de documents figuraient les autres pièces mentionnées par Optat. Voici l'ordre selon lequel les documents étaient présentés d'après le récit du livre I :

1) *Gesta apud Zenophilum*, qui contenaient les *scripta Nundinarii* et, parmi ces textes, le protocole de Cirta ;

2) Actes du concile de Carthage ;

3) Lettre synodale du concile de Carthage ;

4) Requête des dissidents à Constantin ;

5) Actes du concile de Rome ;

6) Procès-verbal de l'enquête d'Eunomius et d'Olympius à Carthage ;

7) Procès-verbal de l'enquête sur Félix d'Abthugni.

A ces documents, il convient d'ajouter les lettres impériales. Mais ici les références sont très imprécises. Il est probable, comme le pense P. Monceaux, que l'évêque catholique n'a pas connu les lettres conservées dans la dernière partie du manuscrit de Cormery, excepté la lettre de Constantin aux évêques catholiques, qu'il a mal interprétée [1]. On peut évidemment supposer qu'Optat a inséré dans son dossier des pièces de moindre importance, qu'il ne mentionne pas nécessairement dans son récit, comme nous l'avons vu pour l'affaire Silvanus. Il paraît peu vraisemblable, cependant qu'il ait pu joindre à son dossier, sans y faire allusion dans le livre I, un document aussi important que la lettre de Constantin au vicaire d'Afrique Eumalius, par laquelle l'empereur reconnaissait Cécilien comme évêque légitime de Carthage (10 novembre 316). Nous savons qu'Augustin ne connaissait le concile d'Arles que par cette lettre de l'empereur à Eumalius [2]. Optat, qui ignore le

---

1. Monceaux₃, *Hist. litt.*, t. 5, p. 271.
2. Cf. Duchesne₃, *Donatisme*, p. 647.

concile d'Arles, n'a sans doute jamais eu connaissance de cette lettre.

Le dossier d'Optat, tel que nous l'avons reconstitué d'après le livre I, semble avoir été très tôt mutilé, et certains documents, comme le procès-verbal de l'enquête d'Eunomius et d'Olympius à Carthage, étaient déjà perdus à l'époque d'Augustin.

Pour tous les événements qui ont précédé le schisme à Carthage (querelle de Lucilla avec Cécilien, pamphlet du diacre Félix, attitude des *seniores*, rôle de Botrus et de Celestius), Optat ne cite aucune source [1]. Il est probable que pour toute cette période la tradition orale a permis de combler les lacunes de la documentation écrite.

On a souvent reproché à l'évêque de Milève l'imprécision de sa chronologie, mais les documents qu'il a consultés n'étaient pas tous datés, comme le prouvent les longues discussions qui ont accompagné la lecture de certaines de ces pièces lors de la conférence de Carthage en 411. Optat n'a pu éviter un certain flou dans son exposé, et les donatistes ont bien vu les failles du récit, puisqu'ils n'ont pas hésité à demander la lecture d'un passage obscur dont ils espéraient tirer parti. Il faut cependant reconnaître à l'évêque catholique le mérite d'avoir dégagé les grandes lignes de l'histoire du schisme à partir d'une documentation certainement incomplète. Malgré les difficultés de datation, Optat a essayé de donner un récit cohérent des événements qui se sont produits en Afrique au début du IVe siècle. Chaque fois qu'il le juge nécessaire pour la clarté de la narration, il indique l'enchaînement des faits [2]. Sa chronologie paraît moins incohérente si l'on tient compte des documents dont il disposait réellement.

1. OPTAT, I, 16-19.
2. Cf. OPTAT, I, 14, 1 : « post persecutionem » ; I, 15, 1 : « non post longum tempus » ; I, 26, 1 : « eodem tempore » ; I, 27, 1 : « postquam ordinatus in urbe purgatus est, et purgandus adhuc remanserat ordinator ; tunc... »

Chronologie des origines du schisme (303-316)

OPTAT (I, 13 — 28)

Avant la persécution, dévotion suspecte de Lucilla à Carthage (I,16)	Avant 303
« *Il y a plus de soixante ans,* la persécution a éclaté en Afrique » — traditeurs et martyrs (I,13-14).	303 (19 mai) Procès-verbal des perquisitions et saisies dans l'église de Cirta (*Acta Munati Felicis*). 304 (12 février). Procès-verbal des interrogatoires des martyrs d'Abitina (*Passio ss. Datiui, Saturnini et aliorum*).

	Chronologie I	Chronologie II
Pendant la persécution, pamphlet du diacre Félix contre l'empereur tyran (I,17).	milieu 311 (Maxence ?)	304 (Maximien ?)
Mort de Mensurius, évêque de Carthage (I,17).	fin 311	305 ? 308 ?
Édit de tolérance de Maxence (I, 18).	nov.-déc. 311	nov. 306
Après la persécution, protocole de Cirta (aveu des traditeurs), 3ᵉ jour des ides de mai d'une année non précisée (I, 14).	305 (5 mars) (période de tolérance)	printemps 307
Après la persécution, élection de Cécilien à Carthage (I,18).	312	307 ? 308 ?
Concile de Carthage, élection de Majorinus par les traditeurs (I,19).	312	307 ? 309 ?
Requête des dissidents à Constantin pour demander des juges gaulois (I, 22).		313 (15 avril)
Concile de Rome. 4ᵉ consulat de Constantin et 3ᵉ consulat de Licinius, 6ᵉ jour des nones d'Octobre (I,23-24).		313 (2 octobre) (dernière séance)

Appel de Donat à Constantin.	fin 313 ? fin 314 ?
A la même époque, séjour de Cécilien à Brescia (I,26).	fin 313 ? avant 10 nov. 316
Enquête d'Eunomius et Olympius à Carthage (I,26).	fin 313 ? avant 10 nov. 316
Retour de Donat et Cécilien à Carthage (I,26).	fin 313 ? début 314 ? avant 10 novembre 316
Enquête sur la vie de Félix d'Abthugni (I, 27).	314 (15 février) (*Acta purgationis Felicis Autumnitani*)
Concile d'Arles (ignoré d'Optat).	314 (1ᵉʳ août) 314 (1ᵉʳ août)
Arrêt impérial notifié à Eumalius, vicaire d'Afrique, par lequel Cécilien est reconnu évêque légitime de Carthage (ignoré d'Optat).	316 (10 novembre) re)

Pour la période 303-311, Optat ne considère qu'une grande période de persécution et distingue trois moments : avant, pendant, après la persécution.

La *chronologie I* (traditionnellement admise, cf. Duchesne, Monceaux, Grasmück) tient compte, entre 303 et 311 de l'alternance de périodes de tolérance et de persécution effective qu'Optat ne mentionne à aucun endroit.

La *chronologie II* a pour mérite de suivre de plus près la présentation des faits dans le récit d'Optat (cf. Barnes, Kriegbaum, Lancel, Maier). Elle propose cependant une période qui peut paraître bien longue entre le début du schisme (307) et l'appel des dissidents à Constantin [1] (313).

Pour la période 313-316, la chronologie d'Optat est nécessairement défectueuse puisqu'il ignore le concile

1. Cf. l'Introduction, p. 59, n. 3 ; p. 60, n. 4 ; p. 62, n. 2 ; p. 62, n. 4 ; p. 64, n. 3 ; p. 65, n. 2.

d'Arles. Il est d'autant plus difficile d'établir la chronologie des faits que certains événements ne sont connus que par son témoignage. C'est le cas du séjour de Cécilien à Brescia, de l'enquête d'Eunomius et d'Olympius à Carthage et du retour de Donat et de Cécilien en Afrique, qu'il situe entre l'appel de Donat (après le 2 octobre 313) et, semble-t-il, avant l'enquête sur la vie de Félix d'Abthugni (février 314), ce qui laisse peu de temps pour une enquête qui, dit-il, dura quarante jours (fin 313-début 314).

Si l'on tient compte du fait qu'il ignore le concile d'Arles, on peut penser que l'appel de Donat, le séjour de Cécilien à Brescia et l'enquête d'Eunomius et d'Olympius à Carthage ont eu lieu après ce concile (1er août 314) — puisqu'ils débouchent, semble-t-il, sur une sentence définitive — et, par conséquent, après l'enquête sur Félix d'Abthugni, soit en 315-316 (avant la sentence finale du 10 novembre 316). Cette datation n'est pas incompatible, d'ailleurs, avec le texte d'Optat qui, lorsqu'il évoque l'enquête sur Félix semble reprendre son récit juste après le concile de Rome [1]. Optat a pu dissocier la cause de Cécilien et la cause de Félix, comme l'atteste l'ordre des documents du dossier dont il disposait, ordre que nous avons précédemment défini.

L'histoire des origines du schisme n'occupe qu'une quinzaine de pages d'un traité qui en contient cent quatre-vingts dans l'édition de Ziwsa. Pourtant, Optat a réussi à insérer dans un texte relativement court un certain nombre d'anecdotes, de mots célèbres, et à concilier la vivacité du ton avec la concision du récit. Loin de se perdre dans les détails, il a su faire la synthèse de ses connaissance et mettre l'accent sur ce qui lui paraissait essentiel. L'évêque de Milève n'est pas un historien de métier : il ne veut ni expliquer le schisme ni

---

1. OPTAT, I, 27, 1 : « Après avoir disculpé *à Rome* l'évêque ordonné, il fallait maintenant disculper l'ordinant » (« Postquam ordinatus *in urbe* purgatus est et purgandus adhuc remanserat ordinator »).

en analyser les différents aspects ; il a fixé lui-même les limites de sa recherche : établir les faits à partir des documents officiels. Cette conception strictement événementielle de l'histoire s'explique par les exigences de la polémique et par l'importance de l'argumentation historique dans la controverse qui l'opposait à Parménien. Dans la recherche des causes, Optat n'avait d'autre ambition que de montrer à qui incombait la responsabilité du schisme et de prouver la légitimité de l'Église catholique.

2. LES RAPPORTS DE L'ÉGLISE ET DE L'ÉTAT

Bien différente est la façon dont l'évêque de Milève aborde, dans le livre III, l'analyse des événements qui se sont produits en Afrique au milieu du IVe siècle, sous les « artisans de l'unité », Paul et Macaire. Au printemps de 347, ces deux commissaires impériaux avaient été envoyés par Constant pour enquêter sur la situation religieuse. Leurs intentions, nous dit Optat, étaient pacifiques : ils avaient apporté des dons pour les pauvres et pour les églises d'Afrique. Les donatistes refusèrent de recevoir les représentants du pouvoir impérial, et certains leur opposèrent une résistance armée qui entraîna la répression [1]. Pour cette période, il n'était nécessaire ni d'établir les faits ni d'avancer des preuves : ces événements étaient encore dans toutes les mémoires, et les donatistes rappelaient volontiers la violence de la répression, qu'ils considéraient comme une véritable persécution dont ils vénéraient les martyrs. Toute l'argumentation d'Optat consiste à démontrer que les donatistes ont été, par leurs provocations, les seuls responsables de la violence qui s'est exercée contre eux, et que les catholiques n'ont jamais demandé l'intervention de l'armée.

1. OPTAT, III, 4 ; cf. CONGAR₄, *BA* 28, p. 715 : « Le commissaire impérial Macaire ».

Dans le chapitre 4 du livre III, Optat rappelle que l'armée n'est intervenue que dans les régions où les donatistes ont organisé la rébellion : alors que la province proconsulaire était épargnée, Bagaï en Numidie fut le théâtre de nombreux actes de violence. Ces pages, dans lesquelles l'évêque de Milève évoque les événements survenus à Bagaï en 347 ont été très largement commentées par les historiens modernes, car l'évêque catholique désigne comme responsables de ces violences des troupes d'hommes armés qu'ils nomment *circoncellions* et que nous ne connaissons que par ce texte et par les témoignages d'Augustin. Tous deux présentent ces hommes comme des brigands qui attaquent les domaines et terrifient les propriétaires fonciers [1]. Optat indique que les donatistes eux-mêmes, effrayés par les excès de ces bandes armées placées sous la conduite d'Axido et de Fasir, ont demandé au comte Taurinus de réprimer leur violence, peu avant 347. C'est à ces mêmes hommes que l'évêque donatiste Donat de Bagaï a demandé d'intervenir contre les commissaires impériaux en 347 [2]. De nombreux passages des traités anti-donatistes d'Augustin attestent que les circoncellions commettaient encore des actes de violence à la fin du IVe siècle [3].

Les témoignages d'Optat et d'Augustin ont donné lieu à des interprétations diverses. Les circoncellions étaient traditionnellement présentés comme des « aventuriers fana-

---

1. Cf. Avg., *Contra Gaudentium,* I, XXVIII, 32 : « genus hominum [...] maxime in agris territans, ab agris uacans et uictus sui causa cellas circumiens rusticanas, unde et circumcellionum nomen accepit » : c'est ainsi qu'Augustin donne l'étymologie du mot circoncellions, « circum cellas », ceux qui rôdent autour des fermes et des celliers.

2. Optat, III, 4.

3. Avg., *C. Parm.*, II, III, 6 ; II, IX, 19 ; III, III, 18 ; *Epist. ad cath.*, XIX, 50 ; XX, 54 ; *C. Petil.*, I, XXIV, 26 ; II, XIV, 33 ; II, XLVII, 110 ; II, LXXXIII, 184 ; II, LXXXVIII, 195 ; *C. Cresc.*, III, XLII, 46 ; IV, LXIII, 77 ; *Breu. coll.*, III, XI, 21 ; *Ad donatistas post coll.*, XVII, 22.

tiques », esclaves fugitifs ou colons ruinés, qui formaient une secte essentiellement religieuse [1]. Dès 1926, cependant, O. Vannier affirme que leur collaboration avec les donatistes a sans doute été passagère et fortuite, et que leur révolte est « un épisode de la décadence économique de l'Afrique » qui « devrait avoir sa place dans une histoire économique de cette province bien plus que dans son histoire religieuse [2] ». En 1934, C. Saumagne attire l'attention sur le fait que l'édit d'union de 412 mentionne les circoncellions aux côtés d'autres classes sociales, entre les *plebei* et les *serui* [3]. Il en conclut que la loi désigne sous le nom de *circoncellions* une classe cohérente, une caste d'hommes exerçant une profession définie : des ouvriers agricoles, travailleurs itinérants, qui se regroupaient en équipes sous l'autorité d'un *conductor* [4]. Depuis l'article de Saumagne, de nombreux historiens modernes ont tenté d'expliquer le mouvement des circoncellions à la lumière des conditions économiques et sociales de l'Afrique du IVe siècle [5]. E. Tenström, qui a donné un résumé des diverses hypothèses émises, pense que les circoncellions formaient une classe de travailleurs concentrés dans les grandes propriétés du sud de la Numidie, mais il met aussi l'accent sur le caractère religieux du mouvement : ces hommes fanatiques seraient allés vénérer les tombeaux des martyrs jusque dans

1. Cf. MONCEAUX₃, *Hist. litt.*, t. 5, p. 278.
2. O. VANNIER, « Les circoncellions et leurs rapports avec l'église donatiste d'après le texte d'Optat », *Revue africaine*, 77 (1926), p. 13-28.
3. Cf. *Cod. Theod.*, XVI, 5, 52.
4. C. SAUMAGNE, « Ouvriers agricoles ou rôdeurs de celliers ? Les circoncellions d'Afrique », *Annales d'histoire économique et sociale*, 6 (1934), p. 351-364.
5. Cf. P. GAGIC, « En Afrique romaine. Classes et luttes sociales, d'après les historiens soviétiques », *Annales*, 12 (1957), p. 650-661 ; B. BALDWIN, *Peasant Revolt in Africa in the Later Roman Empire* (*Nottingham Medieval Studies*, 6), 1962.

le nord de la Numidie, où Augustin les a rencontrés [1]. Y. M.-J. Congar a bien montré que la réalité était sans doute plus complexe : tantôt secte religieuse et contestataire, tantôt classe sociale bien définie, le mouvement doit être analysé différemment selon les époques et les circonstances [2].

Du témoignage d'Optat, nous devons retenir qu'il ne nous donne aucune précision sur les origines sociales des circoncellions sinon qu'ils étaient issus des milieux ruraux de Numidie. Qu'ils aient contesté, à un certain moment, l'ordre établi, cela est indéniable. Mais l'évêque voit surtout en eux des fanatiques dangereux que les évêques donatistes eux-mêmes ont eu bien du mal à contrôler. Les hommes dont parle Optat sont des exaltés dont les meneurs se font appeler « chefs des saints » et qui poussent le culte du martyre jusqu'à le rechercher dans le suicide. Par leur sectarisme et leur violence, ils représentent, aux yeux de l'évêque catholique, les éléments extrémistes du « parti de Donat [3] ». Tel que nous le présente Optat dans le livre III, le mouvement des circoncellions, qui troublent l'ordre social et la paix de l'Église, n'est que l'expression violente d'une attitude commune à tous les donatistes : le refus de composer avec le

---

1. TENGSTRÖM, Donatisten und Katholiken.

2. CONGAR, BA 28, p. 32-37 ; cf. les travaux de H. J. DIESNER, notamment « Die Circumcellionen von Hippo Regius », Theologische Literaturzeitung, 85 (1960), p. 497-508 ; R. LORENZ, « Circumcelliones-Cotopitae-Cutzupitani », Zeitschrift für Kirchengeschichte, 72 (1971), p. 54-59 ; A. SCHINDLER, « Kritische Bemerkungen zur Quellenbewertung in der Circumcellionenforschung », Studia Patristica, 15 (1980), p. 238-241 ; A. R. BIRLEY, « Some Notes on the Donatist Schism », Libyan Studies, 18 (1987), p. 29-41.

3. FREND (Donatist Church, p. 173) pense que les circoncellions étaient avant tout des fanatiques religieux à qui les donatistes faisaient appel en cas de nécessité. Ils vivaient près des chapelles : « around the shrines » (circum cellas). Frend donne au mot cella le sens de chapelle : des découvertes archéologiques en Algérie ont révélé l'existence de dépôts de vivres près des chapelles élevées en l'honneur des martyrs.

pouvoir impérial qu'illustre la réponse de Donat aux légats envoyés par Constant : « Qu'a de commun l'empereur avec l'Église [1] ? » A la question essentielle des rapports de l'Église et de l'État, catholiques et donatistes donnaient des réponses différentes : tandis que les premiers acceptaient la protection des empereurs chrétiens, les seconds étaient résolument hostiles à toute compromission avec le pouvoir politique, car l'Église du Christ devait rester l'Église persécutée, l'Église des martyrs [2].

Le schisme était né des divergences apparues, dès la persécution de Dioclétien, au sujet du culte des martyrs, comme en témoignent le manifeste des martyrs d'Abitina en 304, qui devint le mot d'ordre des schismatiques [3] et l'attitude de certains fidèles qui, comme Lucilla, poussaient le culte des reliques jusqu'à la superstition [4]. La piété africaine envers les martyrs est attestée par le grand nombre de chapelles élevées sur les lieux où ils étaient tombés et par les banquets funéraires organisés sur leurs tombes [5]. Ces coutumes, condamnées par Augustin et par les catholiques, étaient encore vivantes chez les donatistes à la fin du IVe siècle [6].

Optat, qui évoque avec ironie les pratiques superstitieuses de Lucilla et qui dénonce le fanatisme de ceux qui recherchaient le martyre dans une mort volontaire, souligne à plu-

---

1. Cf. OPTAT, III, 3, 3.
2. Cf. CONGAR₄, BA 28, p. 37-44 : « Le donatisme comme refus de la situation créée par la paix constantinienne » ; FREND₃, Donatist Church, p. 323 s. ; W. GESSEL, « Der nordafrikanische Donatismus », Antike Welt, 11, 1 (1980), p. 3-16 ; KOTULA₃, Point de vue, p. 116-120 ; F. PASCHOUD, « Il cristianesimo nell'impero romano », Annali della Facoltà di Lettere e Filosofia, Università di Macerata, Padova, 19 (1986), p. 25-44.
3. Cf. MONCEAUX₃, Hist. litt., t. 5, p. 464 s.
4. Cf. OPTAT, I, 16.
5. Cf. AVG., Conf., VI, II, 2.
6. Cf. SAXER₃, Morts, martyrs, reliques, p. 125 s.

sieurs reprises, dans son traité, l'hostilité des donatistes à
l'égard des représentants du pouvoir impérial, qui restaient
pour eux, comme à l'époque pré-constantinienne, les symboles de la persécution et du paganisme [1].

Les historiens modernes ont bien montré que, par leur
mystique du martyre et par leur hostilité envers l'autorité
séculière, les donatistes étaient très largement tributaires de
Tertullien et de Cyprien, qui avaient développé, avant eux,
les mêmes thèmes religieux [2]. A l'époque d'Optat, l'Église
catholique recevait depuis longtemps le soutien du pouvoir
impérial : les chrétiens s'étaient progressivement intégrés à
la vie de l'Empire, et déjà Tertullien et Cyprien avaient
dénoncé, en leur temps, la compromission des fidèles avec
le monde païen. Lorsque Constantin se rallia au christianisme, bien des chrétiens, même en Afrique, étaient prêts à
accepter la protection de l'empereur. En 313, les schismatiques eux-mêmes demandèrent l'arbitrage de Constantin, et
on peut s'interroger sur ce que serait devenue leur église si
Donat avait été reconnu comme évêque légitime de
Carthage par le concile de Rome. Il est probable, cependant,
que l'aspiration populaire à la sainteté et au martyre, qui
était à l'origine du donatisme, aurait trouvé d'autres occa-
sions de se manifester.

A l'époque où Optat rédigeait son traité, le partage entre
l'église des traditeurs, complice des persécuteurs, et l'église
des martyrs était définitivement accompli depuis longtemps.
Les donatistes considéraient, en effet, qu'ils avaient subi une
véritable persécution, avec la complicité des catholiques.

---

1. En 347, les donatistes, qui soupçonnaient le commissaire impérial
Macaire de vouloir célébrer un sacrifice païen à Carthage, à l'occasion de
la cérémonie de l'unité, interdirent à leurs fidèles d'y assister (OPTAT, III,
12 ; VII, 6).

2. Cf. FREND₃, *Donatist Church*, chap. 9 et 10 ; CONGAR₄, *BA* 28, p. 29
et 43 ; DANIÉLOU-MARROU₃, p. 186-187 (Tertullien) ; KRIEGBAUM₄, *Kirche*.

Pour défendre l'Église catholique, l'évêque de Milève expose un certain nombre d'arguments qu'Augustin utilisera plus tard, à peu près dans les mêmes termes.

Optat rappelle que les donatistes ont, les premiers, fait appel aux empereurs, à Constantin et même à Julien l'Apostat [1]. Il insiste sur le rôle que Constantin a joué dans l'établissement de l'unité, pour montrer que cet empereur très chrétien a toujours œuvré pour la paix et pour l'unité des chrétiens ; il donne de Constantin l'image d'un empereur plein d'humilité, qui « attend le jugement du Christ » et qui se montre déférent envers les évêques, dont il se contente de faire respecter les décisions [2]. Optat évoque également la charité et la miséricorde de l'empereur Constant [3]. Il prône très clairement la soumission à l'empereur : « En effet, l'État n'est pas dans l'Église, mais c'est l'Église qui est dans l'État, c'est-à-dire dans l'Empire romain, où se trouvent le saint sacerdoce, la chasteté et la virginité, qui n'existent pas dans les nations barbares et qui, s'ils s'y trouvaient, ne pourraient y être en sûreté [4]. » L'argumentation d'Optat est directement inspirée d'un passage de l'Épître aux Romains, dans lequel l'apôtre Paul préconise la soumission au pouvoir civil et affirme que ceux qui auront troublé l'ordre établi recevront le juste châtiment de leur faute, car « l'autorité porte le glaive ; elle est un instrument de Dieu pour faire justice et pour châtier qui fait le mal [5] ». Optat fait remarquer que saint Paul a ordonné l'obéissance à un pouvoir qui était alors entre les mains des païens et que la

---

1. Optat, I, 22 ; II, 16 ; cf. Avg., *C. Parm.*, I, x, 16 ; *C. Petil.*, II, xcii, 203 et 205.

2. Optat, I, 23. Sur l'attitude de Constantin, cf. P. P. Joannou, *La législation impériale et la christianisation de l'Empire romain (311-476)*, (*Orientalia christiana analecta*, 192), Rome, 1972, p. 34 s.

3. Optat, III, 3, 1. 25.

4. Optat, III, 3, 5.

5. Cf. *Rom.* 13, 1-7 ; Optat, III, 4, 10-14.

rébellion contre l'empereur est d'autant plus grave que cet empereur est chrétien [1]. On trouve déjà exprimée ici la conception augustinienne de la fonction des pouvoirs publics, l'idée que tout pouvoir vient de Dieu et qu'il plaît à Dieu de châtier, par l'intermédiaire des pouvoirs publics, ceux qui ont désobéi à ses commandements [2]. Cette conception, qui s'inspire de l'Ancien et du Nouveau Testament [3], est d'ailleurs conforme aux principes traditionnels du droit romain. En effet, le pouvoir civil a d'abord pour mission de faire respecter l'ordre établi : la répression des donatistes sous Constant n'a été que le juste châtiment de la révolte de Bagaï considérée comme une sédition, un crime contre l'État [4]. C'est ainsi qu'Optat justifie la répression impériale, dont les catholiques ne sauraient être tenus pour responsables. D'autre part, dans la mentalité antique, l'empereur était aussi chargé d'assurer la *pietas* de ses sujets envers les dieux, le sacrilège étant considéré comme un *crimen*, tout comme l'homicide ou l'adultère, et Optat n'hésite pas à approuver la répression du schisme en tant qu'erreur ou crime « sacrilège ». Il reconnaît à l'empereur le droit d'intervenir dans les affaires religieuses, afin d'accomplir la

---

1. Cf. *I Tim.* 2, 1-2 ; OPTAT, III, 3, 6.

2. Cf. AVG., *C. Cresc.*, III, LI, 56 ; G. COMBES, *La doctrine politique de saint Augustin,* Paris 1927 ; A. C. DE VEER, *BA* 31, p. 19 : « Comment les rois doivent servir Dieu ».

3. Cf. OPTAT, III, 5 et 7 : parmi les exemples de sévérité tirés de l'Ancien Testament, Optat cite Pinhas ; une catacombe découverte à Rome contient la première représentation de cette scène dans l'art chrétien, peut-être contemporaine d'Optat : A. FERRUA, *La pitture della nuova catacomba di via Latina,* 1960, p. 48-49. Cf. P. R. L. BROWN, « Religious Coercion in the Later Roman Empire : the Case of North Africa », *History,* 48 (1963), p. 283-305.

4. Cf. F. MARTROYE, « La répression du donatisme et la politique religieuse de Constantin et de ses successeurs en Afrique », *Mémoires de la Société nationale des Antiquaires de France,* 73 (1913), p. 23-40 ; cf. aussi BRISSON₃, *Autonomisme et christianisme.*

volonté de Dieu [1]. Le schisme, qui rompt l'unité de l'Église, est un crime si grave qu'il mérite le plus sévère châtiment ; Optat affirme très clairement que la répression du schisme était un mal nécessaire, en vue d'un bien : l'unité de l'Église. L'image du raccommodeur qui, en réparant le vêtement déchiré, accomplit une action nécessaire même si elle est douloureuse, heurte la sensibilité moderne [2], mais pour l'évêque de Milève il importait avant tout de sauver les âmes ; or, le schisme, qui « s'insinue comme un chancre dans le cœur des hommes [3] », cause la mort de l'âme [4].

Enfin, les donatistes ne peuvent revendiquer la gloire des martyrs, car, bien loin d'avoir été contraints à renier le Christ, ils ont été punis pour avoir rompu la paix de l'Église et pour avoir refusé de revenir dans l'unité [5].

Ainsi se trouve très clairement définie par Optat la doctrine de collaboration entre l'Église et l'État défendue plus tard par saint Ambroise et réaffirmée par Augustin : le prince est voulu par Dieu, auquel il est soumis, pour guider les peuples. L'État doit apporter son soutien à l'Église par des contributions matérielles et en lui assurant la paix ; l'Église aide l'État par ses prières, et tous deux collaborent

---

1. Cf. J. GAUDEMET, *La formation du droit séculier et du droit de l'Église aux IVe et Ve s.*, 2e éd., Paris 1979, p. 216 : « Aux IVe et Ve siècles, les auteurs chrétiens se sentent romains. Tous affirment les liens qui unissent l'Église et l'Empire (Lactance, Jérôme, Augustin) » ; GRASMÜCK₃, *Coercitio*, p. 202 ; S. L. GREENSLADE, *Schism in the Early Church*, London 1964, chap. 7 : « Coercion ».

2. OPTAT, III, 8.

3. OPTAT, IV, 5, 4.5.

4. OPTAT, II, 21, 4 ; II, 25, 7-12 ; cf. AVG., *C. Parm.*, I, VIII, 14 ; *C. Petil.*, II, XIV, 35.

5. Cyprien avait déjà refusé le titre de martyrs à ceux qui s'étaient séparés de l'unité (*Eccl. unit.*, 14, 12) ; Augustin reprendra le même argument : « Ne devient pas martyr quiconque est puni par l'Empereur pour une question de religion ». Cf. *C. Parm.*, I, IX, 15 ; *Epist. ad cath.*, XX, 55.

en vue d'une même fin [1]. Cette union étroite entre l'Église et l'État romain n'est évidemment concevable que si l'empereur chrétien appuie de son autorité la mise en pratique des décisions conciliaires. Qu'il cesse, comme Julien l'Apostat, de soutenir l'Église catholique, et de « serviteur de Dieu », il devient « ministre de l'Ennemi [2] ».

---

1. J. GAUDEMET, *La formation du droit séculier et du droit de l'Église aux IV*e *et V*e *s.,* 2e éd., Paris 1979, p. 196 s. ; J. M. HORNUS, *Évangile et Labarum. Étude sur l'attitude du christianisme primitif devant les problèmes de l'État, de la guerre et de la violence,* Genève 1960, p. 138 s.

2. Cf. OPTAT, II, 16, 1 : « Ex famulo Dei factus est minister inimici. »

CHAPITRE III

ASPECTS THÉOLOGIQUES

Le traité d'Optat de Milève s'ouvre par un appel à la paix, à l'unité et à la fraternité. L'évêque catholique ne cesse d'affirmer, tout au long de son ouvrage, que le schisme est le plus grave des péchés et que les donatistes n'auraient jamais dû rompre l'unité de l'Église. Il est même possible, nous l'avons vu, que, dans un esprit de conciliation extrême, il soit allé jusqu'à excuser le crime de *traditio*, afin d'ôter au schisme donatiste toute justification. L'évêque de Milève a-t-il sincèrement cru que la réconciliation était possible ? Il est permis de le penser, car, s'il dénonce le sectarisme, l'intransigeance et la violence des donatistes, il met aussi l'accent sur le fait qu'aucune divergence doctrinale n'existe entre les schismatiques et les catholiques. Optat établit une distinction très nette entre le schisme et l'hérésie : les hérétiques, qui pervertissent la foi trinitaire et christologique, ne sauraient posséder les sacrements de l'Église ; les schismatiques, au contraire, ont rompu la paix et se sont écartés de l'Église, mais ils ont emporté avec eux la foi et les sacrements [1]. Pour Optat, comme pour ses contemporains, le

1. Cf. OPTAT, I, 10-12.

donatisme est simplement un schisme [1]. Désireux de ramener les schismatiques à l'unité, l'évêque catholique insiste sur les liens étroits qui existent entre les deux communautés ; tous partagent la même foi et possèdent les mêmes sacrements : « Vous ne pouvez pas ne pas être nos frères, vous qu'une même mère, l'Église, a engendrés d'une même chair — les sacrements —, et que Dieu le Père a accueillis de la même façon, comme des fils adoptifs [2]. »

Optat reproche à Parménien d'avoir longuement évoqué des hérétiques « qui n'ont rien à voir » dans la querelle qui les oppose [3]. L'évêque donatiste, qui réprouvait dans une même condamnation catholiques et hérétiques, niait la validité du baptême conféré par les uns ou par les autres. L'évêque de Milève, au contraire, s'efforce de démontrer

---

1. Monceaux, (*Hist. litt.*, t. 4, p. 160) conclut lui aussi : « Pour l'historien moderne, aucun doute n'est possible : le donatisme est simplement un schisme. » Cependant, l'édit impérial promulgué le 12 février 405 par Honorius assimilait les schismatiques aux hérétiques : par sa pratique du second baptême, le donatisme avait transformé le schisme en hérésie (*Cod. Theod.*, XVI, 6, 4). Or, les donatistes ont réitéré le baptême dès le début du schisme, et Optat, qui leur en fait le reproche, n'en tire pas argument pour les considérer comme des hérétiques. Augustin explique que le donatisme, qui était d'abord un schisme, est devenu une hérésie à cause de l'obstination avec laquelle les donatistes ont persisté dans leur erreur ; ainsi, la persévérance dans le schisme transforme celui-ci en hérésie, et l'hérésie est un « schisme invétéré » (*C. Cresc.*, II, VII, 9 : « haeresis autem schisma inueteratum »). Pour Augustin, qui reconnaissait la validité du baptême des hérétiques, la distinction entre le schisme et l'hérésie pouvait paraître, de ce point de vue, d'une importance secondaire. Pour Optat, au contraire, qui niait la validité du baptême des hérétiques, il était essentiel d'établir cette distinction, afin de montrer que les donatistes, qui n'étaient que des schismatiques, possédaient la foi et les sacrements de l'Église. Cf. A. C. DE Veer, *BA* 31, p. 759-764 : « La définition de l'hérésie et du schisme par Cresconium et par Augustin » ; E. Lamirande, *BA* 32, p. 706-709 : « Hérésie et schisme, à propos du donatisme » ; Y. M.-J. Congar, art. « Schisme », *DTC* 14, 1 (1939), col. 1290 s.

2. Optat, IV, 2, 4.

3. Optat, I, 9, 2.

que catholiques et donatistes possèdent en commun l'unique baptême et que celui-ci ne doit pas être réitéré. C'est pourquoi il rappelle à plusieurs reprises l'orthodoxie de la foi que les donatistes partagent avec les catholiques, telle qu'elle a été définie par le concile de Nicée, auquel il fait expressément référence [1]. Optat ne fait allusion aux hérésies que pour affirmer qu'elles ont été depuis longtemps combattues et vaincues par les « défenseurs de l'Église catholique ». Il évoque plus particulièrement les hérésies à tendance gnostique qui s'étaient multipliées à partir de la seconde moitié du IIe siècle. La définition qu'il donne de chaque secte prouve qu'il les connaissait bien, même si, parmi les pères antignostiques qui les ont réfutées, il ne cite ni Irénée de Lyon ni Hippolyte de Rome [2]. Le témoignage d'Optat confirme ce que l'on sait par ailleurs : dans l'Afrique du IVe siècle, les hérésies modalistes ou gnostiques ont toutes à peu près disparu [3].

Nous pouvons constater, d'autre part, combien l'évêque de Milève reste étranger aux péripéties de la crise arienne qui agite encore le monde chrétien au moment où il rédige son traité. Optat, pour sa part, s'en tient à la condamnation d'Arius par le concile de Nicée (325) et ne mentionne aucune des multiples tendances théologiques qui se firent jour au cours de la période troublée qui s'étend de 325 à 381. L'attitude de l'évêque africain illustre parfaitement l'oppo-

---

1. OPTAT, IV, 5, 6.
2. OPTAT, I, 9 ; I, 10 ; IV, 5.
3. Optat évoque l'hérésie de Marcion, qui « distinguait deux dieux » (I, 9, 2 ; I, 10, 7 ; IV, 5, 5) ; il cite Praxéas qui professa en Occident la doctrine modaliste ou monarchienne selon laquelle le Père et le Fils ne sont qu'une seule et même personne (I, 9, 2 ; I, 10, 7 ; IV, 5, 5). Il évoque également Sabellius, considéré comme le docteur du monarchianisme sous sa forme extrême, au début du IIIe siècle (I, 9, 2), ainsi que Valentin, pour qui le Christ n'a porté la chair qu'en apparence (docétisme) (I, 9, 2 ; I, 10, 7 ; IV, 5, 5).

sition presque constante que l'on a pu constater « entre l'Occident latin, paisiblement établi sur la définition de Nicée et l'Orient grec, beaucoup plus incertain... [1] » De plus, la date de rédaction du traité (364-367) correspond pour l'Occident à une période de stabilisation, pendant laquelle l'empereur Valentinien, lui-même chrétien et nicéen, adopte sur le plan religieux une attitude pacifique et tolérante.

Ainsi Optat peut-il affirmer que, dans l'Afrique chrétienne de son temps, l'hérésie a été vaincue et que donatistes et catholiques, tous représentants de l'orthodoxie nicéenne, doivent vivre ensemble dans la paix et dans l'unité.

L'évêque de Milève a pris soin de définir, dès le début de son traité, les limites du débat théologique qui l'oppose à Parménien. Les problèmes trinitaires ne seront pas évoqués. A la question de la peccabilité du Christ, l'évêque catholique ne consacre qu'une courte réfutation préliminaire, pour mieux montrer, semble-t-il, que, hormis ce point de détail, la doctrine professée par Parménien est parfaitement orthodoxe [2]. L'évêque donatiste, en effet, avait affirmé que « la chair pécheresse du Christ, immergée dans les eaux du Jourdain, avait été purifiée de toutes les souillures [3] ». Il est bien difficile, d'après les seules indications d'Optat, de connaître la doctrine christologique de Parménien et de savoir comment celui-ci concevait l'union de la nature divine et de la nature humaine dans le Christ. Faut-il rapprocher sa doctrine de l'adoptianisme, qui prétend qu'au moment du baptême dans le Jourdain le Christ est descendu sur Jésus, ou de la doctrine arienne, qui affirme que le Verbe, faillible

---

1. Cf. DANIÉLOU-MARROU₃, p. 298.

2. Cf. OPTAT, I, 6, 1 : « Praeter carnem Christi a te male tractatam cetera bene dixisti. »

3. OPTAT, I, 8, 1.

et changeant, est une créature peccable [1] ? A Parménien, qui nie l'impeccabilité du Christ, Optat oppose une doctrine christologique tout à fait orthodoxe [2], mais il ne tire pas argument de cette divergence pour accuser l'évêque donatiste

---

1. Cf. B. DE MARGERIE, *La Trinité chrétienne dans l'histoire* (*Théologie historique*, 31), Paris 1975, p. 130. ~ On a parfois soupçonné les donatistes d'être tombés dans l'arianisme. Saint Jérôme affirme que l'ouvrage de Donat sur la Trinité était conforme à la doctrine arienne (*De uir. ill.*, 93), mais saint Augustin précise que les schismatiques n'ont pas suivi les erreurs de Donat (*De haeresibus*, 69). Cf. J. ZEILLER, « L'arianisme en Afrique avant l'invasion vandale », *Revue historique*, 173 (1934), p. 535-541 ; E. LAMIRANDE, *BA* 32, p. 708-709 ; E. BOULARAND, *L'hérésie d'Arius et la « foi » de Nicée*, Paris 1972.

2. Chez Optat, comme chez Tertullien, le terme *caro* désigne l'humanité du Christ (cf. R. BRAUN, *Deus christianorum. Recherches sur le vocabulaire doctrinal de Tertullien*, Paris 1977, p. 300-304). ~ Mais l'humanité prise par le Sauveur n'a pas la souillure du péché. La chair du Christ est bien une chair réelle, mais elle n'est qu'en apparence une chair de péché. Les Évangiles nous apprennent que Jésus a reçu le baptême de Jean (*Matth.* 3, 13-17 ; *Mc* 1, 9-11 ; *Lc* 2, 21-22). Mais ceux qui venaient se faire baptiser par Jean confessaient leurs péchés. Quelle signification faut-il donc donner au baptême de Jésus dans le Jourdain ? Optat montre bien qu'interpréter le baptême du Christ comme la purification de tout le genre humain, ce serait accorder au baptême de Jean une efficacité sacramentelle qu'il n'a pas et nier l'utilité du baptême chrétien, c'est-à-dire du baptême d'Esprit, conféré au nom de Jésus. Ce serait aussi enlever toute signification à la mort et à la résurrection du Christ (cf. *Col.* 2, 11-12 : « Ensevelis avec lui lors du baptême, vous êtes aussi ressuscités avec lui parce que vous avez cru en la force de Dieu qui l'a ressuscité des morts »). Ainsi Optat montre-t-il l'absurdité de cette interprétation, qui nie l'utilité de la foi (I, 8, 2 : « Nihil esset inter fideles et unumquemque gentilem »). En fait, le baptême administré par Jean doit être compris à la fois comme l'introduction du Christ dans son ministère et comme la préparation du baptême chrétien. Au moment du baptême dans le Jourdain, l'Esprit-Saint descendit sous la forme d'une colombe pour signifier que le Christ possédait désormais la plénitude des dons divins. En se plongeant dans l'eau, le Christ a sanctifié l'eau du Jourdain et, par elle, toutes les eaux (cf. OPTAT, I, 8, 4 : « Cuius caro ab ipso Jordane sanctior inuenitur ut magis aquam ipsa descensu suo mundauerit quam ipsa mundata sit » ; IV, 7, 4 : « Descendit in aquam non quia erat quod in Deo mundaretur sed superuenturum oleum aqua debuit antecedere ad mysteria initianda et ordinanda et implenda baptismatis »).

d'hérésie. Nous avons ici un exemple frappant de l'attitude indulgente que l'évêque de Milève adopte délibérément à l'égard de son adversaire. L'évêque de Milève ignorait-il l'importance des problèmes christologiques qui ont préoccupé les chrétiens de son temps, surtout à partir de 362, avec l'apparition d'une nouvelle tendance inspirée par Apollinaire de Laodicée, dont les erreurs furent condamnées par le pape Damase en 377 [1] ? Ce qui est certain, c'est qu'Optat refuse de s'engager dans une querelle christologique à une époque où la doctrine orthodoxe est encore mal définie et surtout, semble-t-il, mal connue de ses contemporains [2].

En fait, le but de l'évêque catholique est d'écarter du débat toute divergence doctrinale trop marquée et de dénoncer seulement des attitudes pratiques qui ne peuvent en aucun cas, du moins à ses yeux, faire encourir aux donatistes l'accusation d'hérésie. L'argumentation d'Optat de Milève pourrait se résumer ainsi : en se séparant de l'Église et en réitérant le baptême, les donatistes ont porté atteinte au principe fondamental de l'unicité de l'Église et du baptême — « Une Église, un baptême [3] » —, principe qu'ils admettent mais qu'ils interprètent de façon erronée.

1. Théologie des sacrements

a) Unicité du baptême

Optat reconnaît, non sans quelque ironie, que Parménien a eu raison de comparer le baptême au déluge et à la cir-

---

1. Cf. J. Liébaert, *L'Incarnation*, t. 1 : *Des origines au concile de Chalcédoine*, Paris 1966, p. 143 s.

2. Un passage des *Confessions* de saint Augustin nous montre qu'à la fin du IVe siècle, bien des fidèles étaient encore ignorants des problèmes christologiques. Cf. *Conf.*, VII, XIX, 25.

3. Cf. *Éphés.* 4, 5 ; Tert., *Bapt.*, xv, 1 ; Cyprien, *Ep.*, LXXIII, IV, 1-2.

concision, mais il ajoute : « Tu as plutôt parlé pour nous, qui défendons l'unité du baptême dans la Trinité, et non pour vous, qui réitérez le baptême, dont le déluge et la circoncision sont les figures [1]. » Ainsi donatistes et catholiques partageaient-ils la même tradition typologique ou « exemplariste », développée en Afrique par Tertullien, puis par Cyprien. On retrouve chez Optat les figures du baptême les plus fréquemment citées par les Pères de l'Église. Parmi celles-ci, le déluge représente l'eau baptismale par laquelle les péchés de l'homme sont anéantis [2]. De même, la circoncision est, dans l'Ancien Testament, ce que le baptême du Christ est dans le Nouveau : le baptême est « la circoncision spirituelle » instituée par le Christ [3]. Optat, comme Parménien, interprète le déluge et la circoncision comme des figures de l'unique baptême : « Un seul déluge, une seule

1. OPTAT, I, 5, 5.
2. Cf. *I Pierre* 3, 19-21 : « Noé construisait l'arche dans laquelle un petit nombre, en tout huit personnes, furent sauvées par l'eau. Ce qui y correspond, c'est le baptême qui vous sauve à présent. » TERT. (*Bapt.*, VIII, 4) comparait l'Église à l'arche qui sauva Noé et ses fils des flots du déluge. Cf. CYPRIEN, *Eccl. unit.*, 6 ; AVG., *Bapt.*, V, XXVIII, 39.
3. Cf. *Col.* 2, 11-12 : « C'est en lui que vous avez été circoncis d'une circoncision qui n'est pas de main d'homme, par l'entier dépouillement de votre corps charnel ; telle est la circoncision du Christ : ensevelis avec lui, lors du baptême, vous en êtes aussi ressuscités avec lui. » Cf. AVG., *C. Petil.*, II, XXXVII, 87 (*BA* 30, p. 343) : « Ainsi la circoncision [...] annonçait d'avance notre justification qui nous dépouillerait des convoitises de la chair grâce à la Résurrection du Seigneur » (« Sic ergo circumcisio [...] praenuntiabat iustificationem nostram in expoliatione carnalium concupiscentiarum per resurrectionem domini ») ; Cf. *C. Cresc.*, I, XXXI, 36. ~ Parmi les autres figures du baptême citées, on trouve aussi la traversée de la mer Rouge (cf. *I Cor.* 10, 1-2 ; TERT., *Bapt.*, IX, 1 ; CYPRIEN, *Ep.*, LXIX, XV, 1 s. ; OPTAT, I, 8, 4) et le baptême de Jésus, compris par la tradition patristique comme l'institution du baptême chrétien et comme le prototype de tout baptême (cf. TERT., *Bapt.*, X, 5 ; OPTAT, IV, 7). Sur la typologie baptismale, cf. J. DANIÉLOU, *Sacramentum Futuri. Étude sur les origines de la typologie biblique*, Paris 1950 ; *Bible et Liturgie*, Paris 1951 ; Y. M.-J. CONGAR, *La tradition et les traditions*, Paris 1960 ; H. RAHNER, *Symbole der Kirche. Die Ekklesiologie der Väter*, Salzburg 1964, p. 443, 523 et 557.

circoncision, donc un seul baptême », tel est l'argument développé par Parménien et repris par Optat [1]. Optat voit dans ces figures du baptême la preuve irréfutable que celui-ci ne doit pas être réitéré : de même que le déluge n'a eu lieu qu'un fois, de même que la circoncision n'était pratiquée qu'une fois, de même le baptême ne doit pas être renouvelé [2]. Pour étayer son argumentation, Optat cite un passage de l'Évangile de Jean : « Celui qui a été lavé une fois n'a pas besoin d'être lavé à nouveau car il est entièrement pur [3]. » Il fait également référence au texte de saint Paul : « Un seul Dieu, un seul Christ, une seule foi, un seul baptême [4]. » Il conclut ainsi : « Le baptême unique, par son unicité même, non seulement diffère des baptêmes profanes et sacrilèges des hérétiques, mais il ne doit pas être renouvelé, parce qu'il est unique, ni réitéré, parce qu'il existe une fois pour toutes [5]. » Optat a bien discerné la double acception du terme « unique » (*unus*) : le concept d'unicité recouvre à la fois l'idée de singularité — au sens qualitatif il n'existe qu'un baptême qui, conféré au nom de la Trinité, puisse être une source de régénération pour l'homme —, et la notion d'unité « numérique » (sens quantitatif), qui implique que le baptême ne doit être conféré qu'une fois (*semel*).

Pour justifier la pratique en vigueur dans l'Église africaine, qui rebaptisait tous ceux qui l'avaient déjà été dans des sectes hérétiques, Cyprien avait écrit dans sa lettre à Jubaïen : « Les hérétiques ne refuseront pas de se laisser baptiser chez nous du vrai et légitime baptême de l'Église, quand ils auront appris de nous que ceux-là mêmes furent baptisés par Paul qui avaient reçu le baptême de Jean,

---

1. Cf. OPTAT, I, 5, 3.5 ; V, 1, 2-10.
2. OPTAT, V, 1, 2-10.
3. OPTAT, V, 3 ; cf. *Jn* 13, 10 ; AVG., *Bapt.*, II, XIV, 19.
4. OPTAT, V, 3, 10 ; cf. *Éphés.* 4, 5.
5. OPTAT, V, 3, 13.

d'après ce que nous lisons dans les Actes des Apôtres [1]. »
Nous savons par Augustin que les donatistes reprenaient cet
argument [2]. Sans doute Parménien l'utilisait-il aussi dans son
traité pour justifier la pratique des donatistes qui rebaptisaient même les catholiques ; c'est pourquoi Optat s'efforce
de montrer que le baptême du Christ est essentiellement différent de celui de Jean [3]. Déjà Tertullien affirmait que le baptême administré par Jean pouvait conduire à la repentance
mais non produire le pardon des péchés ou la communica-
tion de l'Esprit-Saint : ce n'est qu'après la mort et la résurrection de Jésus-Christ que le baptême chrétien existe véritablement [4]. L'évêque de Milève établit, lui aussi, une
distinction très nette entre les temps qui ont précédé et ceux
qui ont suivi l'institution du baptême du Christ. Ainsi, ceux
qui avaient été baptisés du baptême de Jean reçurent l'ordre
de « recevoir le baptême du Sauveur, afin de connaître ce
qu'ils ignoraient, car ils n'avaient pas reçu ce baptême mais
un autre [5] ».

Après avoir clairement défini le principe de l'unicité du
baptême et montré, par un certain nombre de témoignages
scripturaires, qu'il ne doit pas être réitéré, Optat aborde la
question essentielle dans sa controverse avec Parménien :
pourquoi les donatistes n'admettent-ils pas la validité du

---

1. CYPRIEN, *Ep.*, LXXIII, XXIV, 3 (*CUF*, t. 2, p. 277).
2. Cf. AVG., *Un. bapt.*, VII, 9 ; *C. Petil.*, II, XXXVII, 86.
3. Cf. OPTAT, V, 5.
4. Cf. TERT., *Bapt.*, X et XI.
5. OPTAT, V, 5, 9. AUGUSTIN (*Bapt.*, V, IX, 11, *BA* 29, p. 343 s.) a repris
la même argumentation : « Jean donnait un baptême préparatoire dont la
réception rendait encore nécessaire le baptême du Seigneur ; il ne s'agit pas
d'une réitération, il s'agit de donner aussi à ceux qui avaient reçu le baptême de Jean le baptême du Christ auquel Jean frayait la voie » (« Iohannes
autem tali baptismo praetinguebat, quo accepto esset baptisma etiam domi-
nicum necessarium, non ut illud repetatur, sed ut eis qui Iohannis baptismum acceperant etiam Christi baptismus, cui uiam praeparabat ille, trade-
retur »).

baptême administré par les catholiques ? Car l'évêque de Milève a bien compris que nul ne songeait à contester le principe de l'unicité du baptême. Bien au contraire, Parménien, comme Cyprien, était particulièrement attaché au principe : « Un Dieu, une Église, un baptême » (cf. *Éphés.* 4, 5). Des textes cités par Optat, les donatistes tiraient le même enseignement que lui : le baptême ne doit pas être réitéré, mais ils avaient une conception beaucoup plus étroite et exclusive de la validité des sacrements : en dehors de l'Église, il n'y a ni baptême ni salut.

Ainsi, lorsque les donatistes rebaptisaient les catholiques, ils ne prétendaient pas réitérer le baptême mais administrer un sacrement qui ne pouvait exister que dans l'Église du Christ, dont ils étaient les seuls véritables représentants [1].

b) Le baptême et l'Église

Les commentateurs modernes ont bien montré combien la théologie sacramentaire des donatistes était tributaire de la théologie africaine développée, avant eux, par Tertullien et par Cyprien. Tertullien, le premier, avait insisté sur le lien étroit qui unit le baptême et l'Église : le baptême est un don fait par le Christ aux seuls membres de son Église, et les hérétiques, qui se sont séparés de l'Église, « ne peuvent le recevoir puisqu'ils ne l'ont pas [2] ». Dans la controverse baptismale qui l'oppose à Étienne, l'évêque de Rome, Cyprien affirme que les hérétiques et les schismatiques sont étran-

---

1. Cf. Avg., *C. Petil.*, I, i, 2 (*BA* 30, p. 135) : « Voyons donc plutôt comment l'auteur a essayé ce démontrer que nous n'avons pas le baptême, que par suite les donatistes ne recommencent pas ce qui était déjà, mais donnent ce qui n'était pas » (« Illud potius attendamus, quo pacto demonstrare uoluerit nos baptismum non habere et ideo se non repetere quod iam erat, sed dare quod non erat »).

2. Tert., *Bapt.*, xv, 2 (*SC* 35, p. 88) : « Ita nec possunt accipere quia non habent. »

gers à l'Église et qu'ils ne peuvent pas posséder le baptême.
Y. M.-J. Congar a souligné l'importance du vocabulaire
d'inclusion et d'exclusion chez Cyprien [1]. « Hors de
l'Église, point de salut » : la formule [2] a été reprise par les
donatistes, qui se réclamaient de l'autorité de Cyprien et qui
reprenaient les grandes lignes de sa théologie : l'Église
unique, épouse légitime du Christ, peut seule conférer validement le baptême. Comme Cyprien, Parménien citait deux
passages du Cantique des Cantiques, l'un pour affirmer
l'unicité de l'Église — « Unique est ma colombe, unique ma
parfaite [3] » —, l'autre pour démontrer qu'il ne peut y avoir
de sacrement hors de l'Église — « Elle est un jardin bien
clos, une source scellée [4]. » Après Cyprien, les donatistes
trouvaient dans ce dernier texte l'idée que l'Église est le jardin fermé où jaillit exclusivement la source du salut. Ainsi,
le baptême ne peut être validement administré qu'à l'intérieur de l'Église, et le ministre qui le confère doit se trouver dans l'unité du corps ecclésial, car l'Église est le véritable
sujet de l'action sacramentelle [5]. La sainteté que les donatistes exigeaient du ministre était celle de l'appartenance à
l'Église, sainteté « ecclésiale » plutôt que morale [6]. C'est
ainsi que l'on doit comprendre l'allégation des schismatiques rapportée par Optat : « Celui qui ne possède pas ce
qu'il donne, comment peut-il le donner ? » Les catholiques,
qui représentent aux yeux des donatistes le parti des traditeurs, se sont séparés de la véritable Église des saints : ils ne

1. CONGAR₄, *BA* 28, p. 53.
2. Cf. l'Introduction, n. 3, p. 20.
3. *Cant.* 6, 8 ; OPTAT, I, 10 ; II, 1.
4. *Cant.* 4, 12 ; OPTAT, I, 10, 3 ; I, 12, 2 ; cf. CYPRIEN, *Ep.*, LXIX, II, 1 ;
LXXIV, XI, 2 ; LXXV, XIV, 1 et XV, 1.
5. Cf. L. VILLETTE, *Foi et Sacrement*, t. 1 : *Du N.T. à saint Augustin*
(*Travaux de l'Inst. cath. de Paris*, 5), Paris 1959, p. 105 s.
6. Cf. SIMONIS₄, *Ecclesia*, p. 39 : « Die geforderte Heiligkeit ist somit
nicht primär eine ethische, sondern eine ekklesiologische. »

peuvent posséder les sacrements [1]. Sans doute y avait-il dans les propos de Parménien moins d'ambiguïté qu'il n'a pu paraître [2], car Optat a bien compris que l'évêque donatiste faisait dépendre la validité des sacrements de la seule union du ministre à l'Église, indépendamment de toute considération de sa situation morale. C'est pourquoi il prend soin de démontrer que les catholiques sont les membres de l'Église unique « que le Christ appelle sa colombe et son épouse [3] », avant d'affirmer : « La preuve est faite que nous sommes dans la sainte Église catholique, nous qui possédons le symbole de la Trinité, et que, par la chaire de Pierre, qui est à nous, par ce don même, nous possédons tous les autres dons. Nous possédons également le pouvoir sacerdotal, que tu as voulu réduire à néant chez nous, pour justifier votre erreur et votre haine, puisque vous rebaptisez après nous et que vous ne le faites pas après ceux de vos collègues qui sont convaincus de péché. Tu as dit, en effet, que si un prêtre se trouvait dans le péché, les dons à eux seuls pourraient opérer [4]. » Optat a donc accepté, dans un premier temps, d'envisager le problème de la validité des sacrements du point de vue donatiste, c'est-à-dire d'un point de vue essentiellement ecclésiologique, et de réfuter les affirmations de

1. Cf. OPTAT, V, 6. Quoi qu'en dise Optat — « D'où cette phrase est-elle tirée ? D'après quel texte peut-elle être citée ? C'est une phrase recueillie dans la rue ! » —, le principe « On ne donne que ce qu'on a » se trouve déjà chez TERT., *Bapt.*, XV, 2, et chez CYPRIEN, *Ep.*, LXX, II, 3 : « Quis autem potest dare quod ipse non habeat ? » Il semble avoir été inspiré d'un passage de saint Paul : « Qu'as-tu que tu n'aies reçu ? » (*I Cor.* 4, 7).

2. Cf. CONGAR₄, *BA* 28, p. 56 : « Il est vrai que ces affirmations étaient ambiguës et que les donatistes se sont peu ou mal expliqués. » ; p. 75 : « Les donatistes auraient sans doute répondu : "Il ne s'agit pas de l'individu qui baptise, mais du ministre *d'Église*." Cette réponse, d'ailleurs, ils ne l'ont pas faite, conservant à leurs énoncés en la matière une ambiguïté peut-être significative. »

3. OPTAT, II, 1, 1.

4. OPTAT, II, 9, 3.

Parménien en tenant compte de l'article essentiel de la théologie baptismale des donatistes, d'après lequel le baptême est la propriété exclusive de l'Église. L'évêque de Milève aurait pu se borner à démontrer, comme il l'a fait dans le livre II, que l'Église catholique est la seule véritable Église du Christ, l'unique épouse, la colombe dont parle le Cantique des Cantiques. Cette démonstration aurait pu suffire à prouver que l'Église à laquelle il appartient possède les sacrements et que les donatistes ne doivent pas rebaptiser les catholiques. Cependant, s'il s'en était tenu à ce seul argument et s'il avait accepté sans réserve cette conception « monolithique » qui fait de l'Église et du baptême deux réalités étroitement liées et indissociables, Optat aurait dû nier la validité du baptême conféré par les donatistes, puisqu'il s'est efforcé de prouver, dans le premier livre, que leurs chefs étaient les véritables traditeurs et les responsables du schisme. Or l'évêque de Milève a affirmé très clairement, dès le début de son traité, que les donatistes possèdent, eux aussi, les sacrements. C'est pourquoi il n'a pu se contenter, comme il le fait souvent par ailleurs, de retourner l'accusation et de démontrer que tout ce que Parménien a dit des schismatiques concerne les donatistes. En fait, Optat a développé une théologie sacramentaire très différente de la théologie donatiste des sacrements. Par les distinctions qu'il a faites, par les nuances qu'il a apportées aux affirmations de Parménien, l'évêque de Milève a élaboré une doctrine catholique des sacrements qui contient l'essentiel de la théologie augustinienne.

En reconnaissant la validité du baptême conféré par les schismatiques, Optat rejetait le principe donatiste selon lequel seul le ministre qui se trouve dans l'unité de l'Église peut administrer validement les sacrements. Il affirme, en effet, très clairement que le Christ n'a émis aucune réserve sur la personne du ministre : « Le Sauveur a indiqué au nom de qui les nations doivent être baptisées mais il n'a fait aucune réserve sur celui par qui elles doivent l'être.

Quiconque a baptisé au nom du Père et du Fils et du Saint-Esprit a accompli l'œuvre des Apôtres [1]. » Optat a établi un classement hiérarchique des différents éléments qui interviennent dans le baptême. Parmi les trois éléments qu'il énumère — l'invocation de la Trinité, la foi de celui qui reçoit le baptême, la personne du ministre —, il n'accorde au ministre qu'un rôle tout à fait secondaire [2]. Aux donatistes qui disaient, en parlant du ministre : « celui qui donne » le baptême (*qui dat* [3]), Optat répond que ce n'est pas l'homme qui « donne » le baptême, mais que c'est Dieu qui en est le dispensateur (*dator*). Le ministre n'est que l'instrument, l'ouvrier (*operarius*) de Dieu [4], et le baptême conféré au nom de la Trinité est valide quel que soit le ministre qui le confère. L'évêque catholique insiste sur le caractère objectif des sacrements, qui ne peuvent dépendre de la situation morale ou ecclésiale du ministre, car si « les ministres peuvent changer, les sacrements, eux, sont immuables [5] ». Le livre V contient de longs développements sur le même thème. Optat multiplie les exemples et les citations : « Pour montrer que ce sacrement du baptême appartient tout entier à Dieu, pour que l'ouvrier, en cela, ne revendique rien pour lui-même, Paul a dit : Certes j'ai planté — c'est-à-dire d'un païen j'ai fait un catéchumène — Apollos a arrosé — c'est-à-dire il a baptisé le catéchumène — mais c'est Dieu qui a fait croître ce qui a été planté et arrosé [6]. » Le commentaire que donne l'évêque de Milève du texte de saint Paul sur le

---

1. Optat, V, 7, 5.
2. Cf. Optat, V, 4, 1 : « Prima species est in Trinitate, secunda in credente, tertia in operante. »
3. Cf. Optat, V, 6, 1.
4. Cf. Optat, V, 4, 6 : « Deus lauat, non homo ».
5. Optat, V, 4, 5 ; cf. V, 4, 5 : « Les sacrements sont saints par eux-mêmes, non par les hommes qui les confèrent. »
6. Optat, V, 7, 8 ; cf. *I Cor.* 3, 6 ; *C. Petil.*, III, LIII, 65-66 : Augustin reprend l'interprétation d'Optat dans des termes à peu près identiques.

rôle des prédicateurs est riche d'enseignement sur la distinction qu'Optat a introduite entre l'acte sacramentel (sacrement et ministère) et l'action de Dieu (don de la grâce [1]). La distinction entre *ministerium* et *dominium*, formulée à plusieurs reprises par l'évêque catholique, annonce celle qu'Augustin établira, plus tard, entre *ministerium* et *potestas* [2]. Optat a pressenti que l'acte sacramentel accompli par le ministre qui confère le baptême (*ministerium*) ne peut trouver son efficacité que par l'action de Dieu qui, seul, possède le pouvoir (*dominium*) d'accorder le salut. Certes, les notions de validité et d'efficacité restent très imprécises dans l'exposé d'Optat, mais nous voyons comment, stimulée par la nécessité de la polémique, la pensée catholique se précise peu à peu.

c) Le baptême et la foi

Optat affirme que, parmi les éléments (*species*) qui interviennent dans le baptême, l'invocation de la Trinité et la foi du baptisé sont absolument nécessaires. Il reproche précisément à Parménien d'avoir passé sous silence ce qui, à ses yeux, est le plus important : « Alors qu'il s'agit de la régénération, alors qu'il s'agit de la rénovation de l'homme, tu n'as pas dit un mot de la foi des croyants ni de la profession de foi [3]. » La Trinité, « inébranlable, invincible et immuable [4] », « opère et accomplit toutes choses [5] », et sans elle le sacrement ne peut exister [6]. L'invocation de la Trinité

---

1. Cf. SIMONIS[4], *Ecclesia*, p. 43.
2. Cf. OPTAT, V, 7, 8 : « Nolite uobis maiestatis *dominium* uindicare » ; « inuerecunde totum *dominium* uindicatis » ; « est ergo in uniuersis seruientibus non *dominium* sed *ministerium* ».
3. OPTAT, II, 10, 3.
4. OPTAT, V, 7, 13.
5. OPTAT, V, 2, 1.
6. OPTAT, V, 4, 1.

est donc l'élément essentiel du sacrement. Dans la controverse qui l'opposait à Cyprien, Étienne, évêque de Rome,
avait déjà déclaré qu'il fallait considérer, dans le baptême,
non le ministre mais la foi professée. S'il reconnaissait la
validité du baptême des hérétiques, il ajoutait cependant que
le baptême ne devient profitable que lorsque la foi a été cor-
rigée. Le concile d'Arles (314), qu'Optat n'a sans doute pas
connu, avait pris la décision suivante : « Au sujet de
l'Afrique, qui suit sa propre loi et où l'on rebaptise, si
quelque hérétique vient à l'Église, qu'on l'interroge sur son
symbole. S'il appert qu'il a été baptisé dans le Père, le Fils
et l'Esprit-Saint, qu'on se contente de lui imposer les mains
pour qu'il reçoive l'Esprit-Saint [1]. » De même, le concile de
Nicée (325) avait reconnu la validité du baptême administré
par les novatiens mais il avait considéré comme nul le baptême des pauliniens à cause de leur erreur trinitaire [2]. En
rejetant le baptême des hérétiques et en admettant la validité du baptême conféré par les schismatiques, Optat reste

---

1. Concile d'Arles, canon 8 : texte latin et commentaire dans HEFELE-
LECLERCQ, *Histoire des conciles*, t. 1, 1re partie, Paris 1907, p. 285 s. qui renvoie au concile de Nicée, canon 19.

2. Cf. L. VILLETTE, *Foi et Sacrement*, t. 1 : *Du N. T. à saint Augustin*
(*Travaux de l'Inst. cath. de Paris*, 5), Paris, 1959, p. 142, qui insiste sur « la
correspondance nécessaire entre l'expression matérielle de la foi de l'Église
dans la formule sacramentelle et la signification profonde de cette foi : cette
donnée, implicite déjà dans les décisions du concile d'Arles, qui imposaient
une enquête sur le symbole de la foi utilisé, ne sera pleinement dégagée que
beaucoup plus tard dans la doctrine scolastique de l'intention requise du
ministre. » Il semble qu'Augustin ait mal interprété la décision de Nicée,
puisqu'il affirme que les disciples de Paul de Samosate baptisaient sans
employer la formule trinitaire (*De haeresibus*, XLIV, *PL* 42, 34) ; Athanase,
au contraire, déclare que les pauliniens conféraient le baptême selon un rite
correct (*Oratio II contra Arianos*, 42-43, *PG* 26, 236-240). C'est donc leur
erreur dans la foi qui rendait nul le sacrement. cf. G. BAVAUD, *BA* 29, n.
14, p. 598.

donc dans la voie tracée par le concile de Nicée [1]. Il insiste
à la fois sur le caractère objectif des sacrements, qui peuvent
exister en dehors de l'Église, et sur la nécessité de « l'union
de la Trinité et de la foi [2] ». Toute l'argumentation de
l'évêque catholique a pour but de justifier le principe de la
non-réitération du baptême ; c'est pourquoi il analyse essentiellement le problème de la validité des sacrements et il
n'évoque qu'indirectement les conditions requises pour que
le baptême procure effectivement le salut. A Parménien, qui
refuse de reconnaître la validité du baptême administré par
les catholiques, il déclare : « Quiconque a cru, c'est au nom
du Père et du Fils et du Saint-Esprit qu'il a cru, et toi, tu
l'appelles païen après sa profession de foi ! Si un chrétien, à
Dieu ne plaise ! a commis une faute, il peut être appelé
pécheur mais il ne peut redevenir païen [3] ! » Ainsi se trouve

---

1. Optat reprend l'argumentation développée par Cyprien dans sa lettre
à Jubaïen : les hérétiques ne peuvent posséder les sacrements parce qu'ils
ont falsifié le symbole de la foi (cf. OPTAT, I, 10 ; V, 1, 9). Cependant,
CYPRIEN (*Ep.*, LXXIII, IV, 2, *CUF*, t. 2, p. 265) affirmait : « Si c'est le même
Père, le même Fils, le même Esprit-Saint, *la même Église*, que reconnaissent [les hérétiques], ils peuvent avoir aussi un même baptême avec nous »
(« Si eundem Patrem, eundem Filium, eundem Spiritum Sanctum, eandem
ecclesiam confitentur nobiscum [...] potest illic et baptisma unum esse »).
Optat exige l'orthodoxie de la foi, mais il admet que le baptême puisse être
conféré validement hors de l'Église. C'est là une différence essentielle avec
la théologie sacramentaire de Cyprien. La plupart des Pères du IVe siècle
ont vu, eux aussi, une incompatibilité absolue entre l'hérésie trinitaire et la
possession du baptême ; la position d'Augustin, qui admet la validité du
baptême des hérétiques, diffère de celle qui a été communément adoptée
avant lui (sur les limites de cet aspect de la théologie augustinienne, cf.
G. BAVAUD, *BA* 29, p. 599 : « Saint Augustin nous semble trancher d'une
manière bien rapide le problème de la validité du baptême administré par
Marcion »). Cependant, on comprend mieux cette attitude si l'on tient
compte de la distinction essentielle que saint Augustin a établie entre la
validité et l'efficacité du baptême, entre le sacrement et la grâce : le baptême existe comme sacrement chez les hérétiques, mais il n'y produit pas
son effet de salut.
2. OPTAT, II, 10, 1.
3. OPTAT, III, 11, 7.

clairement défini l'objet de la polémique qui oppose catholiques et donatistes : il s'agit de démontrer la validité du baptême conféré par les schismatiques. En ce qui concerne l'efficacité du sacrement, la situation du schismatique n'est pas
très différente de celle du pécheur qui est resté dans l'Église.
Optat définit l'Église comme un *corpus mixtum,* un mélange
de bons et de méchants, de justes et de pécheurs [1]. Or les
donatistes sont précisément des méchants — « Sunt fratres
quamuis non boni [2] » — et des pécheurs — le schisme étant
le plus grave des péchés [3]. L'évêque de Milève insiste, à plusieurs reprises, sur la ressemblance qui unit le dissident et le
pécheur : tous deux participent, malgré leurs péchés, aux
sacrements de l'Église, ils appartiennent à la *communio
sacramentorum* [4], mais ils sont étrangers à l'Église sainte, car
« ceux qui franchissent les portes de cette Église, ce sont les
innocents, les justes, les miséricordieux, les continents et les
vierges [5] ». Or, cette Église, telle que la définit Optat —
vérité que perçoit *l'intellectus*, sacrement très véritable, unité
de l'esprit, lien de la paix [6] — n'est autre que la *societas sanctorum* d'Augustin [7]. Certes, la distinction entre le plan de la
participation aux sacrements (*communio sacramentorum*) et
celui de l'union à la vie de sainteté (*societas sanctorum*) n'apparaît pas aussi clairement dans l'exposé d'Optat, mais elle
est contenue, de façon implicite, dans la théologie sacramentaire de l'évêque catholique : bien que leur baptême soit

1. Cf. OPTAT, VII, 2.
2. OPTAT, I, 3, 2.
3. Cf. OPTAT, I, 21, 2.
4. L'expression est d'AUGUSTIN (*Epist. ad cath.*, XXV, 74, *BA* 28,
p. 703) : « Bien des pécheurs sont en communion de sacrements avec l'É-
glise, sans être pourtant dans l'Église » (cf. *Bapt.*, VII, LI, 99 ; *C. Cresc.*, II,
XXXI, 35), mais la notion qu'elle recouvre se trouve déjà chez Optat.
5. OPTAT, III, 2, 8 ; cf. II, 11, 1 : « Les justes, les continents, les miséricordieux et les vierges sont les semences spirituelles. »
6. Cf. OPTAT, I, 11, 1.
7. Cf. AVG., *De ciu. Dei*, XV, 1.

valide, les schismatiques n'auront pas de place au festin, le jour des noces célestes [1]. Pour l'évêque de Milève, tout acte de la vie chrétienne s'inscrit dans une perspective eschatologique : « La Loi a été écrite pour que le pécheur sache quelles souffrances l'attendent s'il n'a pas vécu selon la justice (*quid pati possit si minus iuste uixerit* [2]). Ainsi, seul le chrétien qui a cru en Dieu, qui a reçu l'unique baptême, « havre de l'innocence et naufrage des péchés (*innocentiae portus, peccatorum naufragium* [3]) », et qui est resté dans la paix et dans l'unité de l'Église peut espérer qu'il sera admis, le jour du jugement dernier, au festin de Dieu[4].

2. Théologie de l'Église

a) Unicité de l'Église

L'ecclésiologie des donatistes et celle des catholiques étaient fondées sur un même principe : il n'y a qu'une Église (*una ecclesia*). Ce principe avait été nettement défini dès l'âge apostolique ; les chrétiens avaient conscience d'appartenir à l'Église universelle, l'Épouse du Christ, un seul corps dont le Christ est la tête [5]. Optat utilise les images traditionnelles de la typologie patristique pour proclamer un principe auquel Parménien s'était référé pour démontrer que l'Église à laquelle il appartenait était la seule véritable Église du Christ. Parmi les citations scripturaires sur lesquelles il s'appuie, le texte du Cantique des Cantiques —

---

1. Cf. OPTAT, V, 10, 4-6.
2. OPTAT, VII, 1, 31.
3. OPTAT, V, 1, 11.
4. Cf. OPTAT, V, 10, 2 : « Quod rex ille caelestis et paterfamilias Deus in suo conuiuio agnoscat. »
5. Cf. *Éphés.* 4, 4-5 : « Il n'y a qu'un corps et qu'un esprit, un seul Seigneur, une seule foi, un seul baptême. »

« Unique est ma colombe, unique ma parfaite [1] » — occupe une place particulière. Optat approuve sans réserve l'exégèse que Parménien fait de ce passage, à la suite de Cyprien [2] : les Églises hérétiques ne sont que des « courtisanes » ; « le Christ repousse ces Églises qui ne lui sont pas alliées, lui qui est l'Époux d'une seule Église (*unius ecclesiae* [3]). »

Fidèle à la tradition patristique africaine, Optat, après Tertullien et Cyprien, développe à son tour l'image de la femme [4] : l'Église est la fiancée, l'Épouse unique du Christ, mais aussi la mère (*ecclesia mater*), dont les schismatiques se sont séparés comme des fils impies [5]. Par l'image de la maternité, Optat, comme Cyprien, exprime la fonction essentielle de l'Église, qui est la médiatrice du salut ; l'image de la mère, comme celle de l'Épouse, est liée, dans la typo-logie patristique africaine, à la théologie des sacrements : après Cyprien, qui a le premier développé l'image du sein maternel qui apporte le salut (*salutaris sinus matris* [6]), Optat évoque, lui aussi, la « naissance spirituelle » des chrétiens, dont l'Église est la mère [7]. Par toutes ces figures de l'Église — épouse, mère, mais aussi « maison de la vérité [8] » et

1. *Cant.* 6, 9.
2. Cf. CYPRIEN, *Ep.* LXIX, II, 1 (*CUF*, t. 2, p. 240) : « Que l'Église soit une, l'Esprit-Saint le déclare dans le Cantique des Cantiques, quand il dit au nom du Christ (*ex persona Christi*) : Une seule est ma colombe, ma par-faite ».
3. OPTAT, I, 10, 2.
4. Cf. K. DELAHAYE, *Ecclesia Mater chez les Pères dans les trois pre-miers siècles. Pour un renouvellement de la pastorale d'aujourd'hui*, Paris 1964.
5. Cf. OPTAT, I, 11, 1.2 ; IV, 2, 4 ; cf. TERT., *Praes.*, XLII, 10 : ceux qui se séparent de l'Église par l'hérésie sont « sans mère » (*sine matre*) ; CYPRIEN, *Eccl. unit.*, 6 : « On ne peut avoir Dieu pour Père quand on n'a pas l'Église pour mère » (« Habere non potest Deum patrem qui ecclesiam non habet matrem. »
6. CYPRIEN, *Ep.*, LIX, XIII, 2.
7. OPTAT, I, 11-12 ; II, 10, 2.
8. OPTAT, I, 12, 2 : « domus ueritatis ».

« racine » dont les schismatiques se sont coupés [1] —, Optat proclame l'unicité de l'Église, principe traditionnel que nul ne songeait à contester [2]. Donatistes et catholiques tiraient des mêmes textes le même enseignement : « Il existe donc une seule Église. C'est cette Église que le Christ appelle sa colombe unique et son épouse bien aimée [3]. » Or, depuis le début du siècle, deux Églises rivales s'opposaient en Afrique, mais une seule était l'Épouse du Christ ; dans de nombreuses cités, deux évêques s'affrontaient, mais un seul était le représentant de l'Église unique. A Parménien, qui revendique pour son Église le titre d'Église unique et véritable, Optat oppose une ecclésiologie de l'Église universelle dont l'authenticité est garantie par la communion avec la chaire de Rome.

b) Universalité de l'Église

Il existait une différence essentielle entre les deux Églises d'Afrique : l'une, l'église donatiste, confinée « dans un recoin de l'Afrique, au fin fond d'une région minuscule [4] », ne pouvait prétendre à la « catholicité » comme universalité. L'autre, l'Église catholique, était « en communion avec tout l'univers [5] ». Optat a, le premier, souligné les limites géogra-

---

1. OPTAT, I, 11, 1 ; I, 15, 3 ; II, 4, 1 : « radix ». Cf. CYPRIEN, *Eccl. unit.*, 5 : « Il n'y a qu'un tronc vigoureux, appuyé sur des racines tenaces » (« Robur unum tenaci radice fundamentum »). Le symbole de l'arche de Noé exprimait la même idée : l'unique arche de Noé est la figure de l'unique Église (cf. CYPRIEN, *Ep.* LXXIV, XI, 3).

2. Cf. BRISSON₃, *Autonomisme et christianisme*, p. 154 s. Mais nous avons vu comment, en faisant du Christ et non de l'Église le sujet de l'action sacramentelle, Optat appliquait autrement que Parménien le principe de l'unicité : bien que les donatistes n'appartiennent pas à l'Église, ils possèdent les sacrements (I, 12).

3. OPTAT, II, 1, 2.

4. OPTAT, II, 1, 3 : « in particula Africae, in angulo paruae regionis ».

5. OPTAT, VII, 5, 1 : « in una communione cum toto orbe terrarum ».

phiques du schisme africain, auxquelles il oppose l'extension de l'Église catholique « répandue dans tout l'univers [1] ». Les donatistes revendiquaient pourtant le titre de « catholiques », mais ils donnaient à ce terme un sens différent : ils considéraient dans l'Église catholique non l'universalité de la communion, mais « la plénitude des sacrements [2] ». La conception donatiste de la catholicité est liée à la notion de pureté ; l'Église sainte, l'Église des martyrs, ne saurait se définir d'après le nombre de ses fidèles, mais d'après la sainteté de ses membres [3]. Or, cette Église « sans tache ni ride [4] » se trouve précisément en Afrique, parce que là seulement les vrais chrétiens ont su se séparer du « parti des traditeurs » : « La séparation du froment et de l'ivraie s'est accomplie... et de champ du Seigneur il ne reste que l'Afrique [5]. » Les évêques et les fidèles du reste de l'univers, qui sont restés en communion avec les traditeurs d'Afrique, se sont exclus avec eux de la véritable Église [6]. Pour prouver que leur Église était l'unique épouse du Christ, les donatistes affir-

---

1. OPTAT, II, 12, 2 : « in toto terrarum orbe diffusa » ; cf. ENO$_2$, *Work*, p. 680 ; PINCHERLE$_2$, *Ecclesiologia*, p. 34 s.

2. Cf. AVG., *Breu. coll.*, III, III, 3 (*BA* 32, p. 135) : « Les donatistes répliquèrent que le nom de catholique avait été choisi non en considération de l'uniuersalité des peuples, mais en considération de la plénitude des sacrements. »

3. Cf. CONGAR$_4$, *BA* 28, p. 78 : « On rejoint ici l'affrontement entre catholicisme et orthodoxie, du moins sous la forme que certains théologiens contemporains donnent à la pensée orthodoxe. Le catholicisme a une ecclésiologie de l'Église universelle ; l'orthodoxie construit la sienne dans le cadre de l'Église locale, à partir de la réalité sacramentelle. » Cf. E. LAMIRANDE, *BA* 32, p. 702, n. 11 : « La conception donatiste de la catholicité ».

4. Cf. *Éphés.* 5, 27.

5. Cf. AVG., *C. Parm.*, II, II, 5.

6. Cf. MONCEAUX$_3$, *Hist. litt.*, t. 5, p. 126 : « Il en résulte que la véritable Église catholique, universelle autrefois, universelle encore en principe, et destinée à redevenir universelle, n'existe plus maintenant qu'en Afrique. » Cf. FREND$_3$, *Donatist Church*, p. 166-167.

maient que l'Afrique avait été désignée comme le lieu où le Christ mènerait paître son troupeau. C'est ainsi qu'ils interprétaient un passage du Cantique des Cantiques : « Dis-moi donc, toi que mon cœur aime, où mèneras-tu paître le troupeau ? — Au midi... » Et pour eux, le midi représentait l'Afrique [1]. A cette exégèse, Optat oppose une ecclésiologie de l'Église universelle qui s'appuie d'abord sur des citations scripturaires exclusivement tirées des Psaumes. La catholicité ou universalité de l'Église est attestée par les promesses du Père au Fils : « Je te donnerai les nations pour héritage et pour domaine les extrémités de la terre [2] » ; « Il dominera de la mer à la mer et des fleuves jusqu'aux extrémités du monde [3]. » L'univers a été accordé au Christ comme don du Père, et la terre entière doit chanter des louanges au Seigneur : « Loué soit le nom du Seigneur du levant jusqu'au couchant [4]. » « Chantez au Seigneur toute la terre ; racontez sa gloire parmi les nations, ses merveilles à tous les peuples [5]. » Tous ces textes tendent à démontrer que « l'Église catholique est celle qui est répandue dans tout l'univers [6] ». Jamais, avant Optat, le principe d'universalité n'avait été aussi clairement défini en Afrique. Augustin, qui a complété le dossier scripturaire constitué par Optat, reprend et développe la même argumentation : « Où est l'Église ? Chez eux ou chez nous ? De toute façon, il n'y en

1. Cf. *Cant.* 1, 7 ; Avg., *Epist. ad cath.*, XVI, 40 ; CONGAR₄, *BA* 28, p. 747, n. 43 : « Cant. 1, 6-7 dans la discussion entre Augustin et les donatistes » ; cf. OPTAT, II, 1, 3 ; 11, 2.

2. *Ps.* 2, 8 ; OPTAT, II, 1, 7.

3. *Ps.* 71, 8 ; OPTAT, II, 1, 7.

4. *Ps.* 112, 3 ; OPTAT, II, 1, 9.

5. *Ps.* 95, 1-3 ; OPTAT, II, 1, 10.

6. Cf. OPTAT, II, 2, 1 : « Probauimus eam esse ecclesiam catholicam quae sit in tote terrarum orbe diffusa » ; II, 9, 4 : « Hanc esse catholicam quae sit in toto orbe terrarum diffusa » ; II, 12, 2 : « Pro una ecclesia, quae sit in toto terrarum orbe diffusa » ; IV, 3, 3 : « Cum una ecclesia quae est in toto orbe terrarum ».

a qu'une ; nos aïeux l'ont appelée *catholique* afin de montrer par son nom même qu'elle s'étend partout. Le grec καθ' ὅλον signifie en effet : qui est selon le tout [1]. »

Pour prouver la catholicité de l'Église, Augustin a rassemblé une trentaine de textes, les « témoignages divins des Écritures » (*diuina testimonia*) qui ont été présentés à la conférence de Carthage en 411 : « La vérité de Dieu — nous l'avons démontré aussi à la conférence — a rendu témoignage à son Église par nombre de textes des saintes Écritures, par les écrits prophétiques et évangéliques ; ils désignaient et l'endroit d'où l'Église du Christ prendrait son départ et les limites qu'elle devait atteindre, les extrémités de la terre [2]. » Nous constatons que l'essentiel de l'exégèse de Augustin était déjà contenu dans le traité d'Optat [3]. De

---

1. AVG., *Epist. ad cath.*, II, 2 (*BA* 28, p. 505) ; cf. *C. Petil.*, II, XXXVIII, 91 ; OPTAT, II, 1, 4 : « Ubi ergo erit proprietas catholici nominis, cum inde dicta sit catholica quod sit rationabilis et ubique diffusa ? » ~ Optat semble donner au mot catholique une seconde acception qui implique que l'Église est *rationabilis*, « conforme à la raison ». Vassall-Phillips pense que l'évêque de Milève se référait à deux étymologies différentes. L'Église catholique (καθ' ὅλον = selon le tout) est universelle, mais elle est aussi « conforme à la raison » (κατὰ λόγον = selon la raison) parce qu'elle est la « maison de la vérité » : « The Church is catholic or *rationabilis* (= according to the reason) in contradistinction to heretics who have strayed from the Church... We know that, in consequence of this last meaning of the word, Procurators fiscal in Roman law were often called *rationales* or καθολικοί » (VASSALL-PHILLIPS₂, *Optatus*, p. 59, n. 3). Cf. B. QUINOT, *BA* 30, p. 785, n. 6 : « Les donatistes sont-ils catholiques ? »

2. AVG., *Ad donatistas post coll.*, II, 2 (*BA* 32, p. 253) ; texte de l'intervention d'Augustin et références bibliques dans *Gesta*, I, 55 (*SC* 195, p. 643-673).

3. Cf. P. BATIFFOL, *Le catholicisme de saint Augustin*, Paris 1920, p. 96-100 ; M. PONTET, *L'exégèse de saint Augustin prédicateur*, Paris 1944, p. 419 s. : « A la suite d'Optat de Milève, saint Augustin réduit presque les marques divines de l'Église à celles de la catholicité et d'une catholicité conçue avant tout comme une extension à travers l'espace » ; p. 210 : « Il est vraisemblable que saint Optat, dont il possédait sans doute les sermons aujourd'hui perdus, le guida dans l'interprétation spirituelle de l'Écriture. »

plus, comme Augustin le fera après lui, l'évêque de Milève, dépassant le simple débat exégétique, insiste sur la communion fraternelle qui unit les catholiques d'Afrique aux chrétiens de toutes les provinces du monde [1]. L'idée de catholicité universelle est inséparable des notions d'Unité (*unitas*) et de Paix (*pax*), si importantes, nous le verrons, dans l'ecclésiologie d'Optat [2].

Le mot *communio* exprime, chez Optat, la nature profonde de l'Église [3]. Or cette communion se manifeste d'abord par la concorde et la paix qui règnent entre tous ses membres, et particulièrement entre les évêques, représentant les églises locales. L'unité de l'épiscopat avait été déjà énoncée avec force par Cyprien : « L'Église ne forme qu'un tout dont l'union des évêques est le lien [4]. » La fraternité épiscopale s'exprime par l'échange de lettres de communion ; cet usage, attesté dès l'âge apostolique, montre que l'évêque d'une église locale a conscience de faire partie d'une collégialité, formée par les évêques « établis jusqu'aux extrémités de la terre [5] ». Les nombreux témoignages de correspondance fraternelle entre les églises traduisent le besoin qu'éprouve tout évêque de se sentir en communion avec les

---

1. Cf. OPTAT, II, 13, 2 : « Cum sit nobis cum uniuerso terrarum orbe communio et uniuersis prouinciis nobiscum » ; II, 14, 3 : « Argue nos Thessalonicensibus, Corinthiis, Galatis, septem ecclesiis, quae sunt in Asia, communicasse » ; IV, 3, 3 : « Concordasti cum fratre tuo et cum una ecclesia, quae est in toto orbe terrarum, communicasti septem ecclesiis et memoriis apostolorum » ; cf. I, 28, 2 ; II, 5, 8 ; II, 13, 1.2 ; VII, 5, 1.

2. Cf. OPTAT, IV, 3, 3 : « Amplexus es *unitatem* » ; I, 11, 1 : « Catholicam facit [...] *unitas* animorum ; schisma uero sparso coagulato *pacis* dissipatis sensibus generatur. »

3. Cf. J. HAMER, *L'Église est une communion* (*Unam Sanctam*, 40), Paris 1962.

4. Cf. CYPRIEN, *Ep.*, LXVI, 8, 3 ; cf. G.W. CLARKE, *ACW* 46, n. 31, p. 332 : le mot *glutinum* au sens métaphorique de « lien, union étroite » vient de TERT. (par ex., *Pud.* 5, 9, *SC* 394, p. 166 et comm., *SC* 395, p. 329). Ce mot ne se trouve que chez les écrivains chrétiens.

5. IGNACE D'ANTIOCHE, *Eph.*, III, 2 (*SC* 10, 4e éd., p. 61).

évêques des autres communautés chrétiennes [1]. Mais les « lettres de communion » dont parle Optat de Milève (*formatae*) ne sont pas l'expression d'une universalité chrétienne que l'on pourrait réduire à une simple fraternité humaine ; elles sont, avant tout, une preuve de légitimité, le signe de l'appartenance à l'Église universelle, à la *Catholica*, à l'unique épouse du Christ, dont les schismatiques se sont séparés [2].

De même, Optat accorde une place essentielle aux décisions prises par un concile qui représente vraiment l'Église universelle. L'idée, développée plus tard par Augustin, selon laquelle la *Catholica* ne peut se tromper [3] est implicitement contenue dans l'argumentation de l'évêque de Milève : les donatistes auraient dû se soumettre au jugement du concile de Rome, qui proclamait la légitimité de Cécilien [4], de même que les chrétiens qui veulent garder l'orthodoxie de la foi doivent accepter les décisions doctrinales du concile de Nicée [5]. Dans l'un et l'autre cas, la valeur de la décision conciliaire s'appuie sur l'autorité de l'Église universelle. L'idée de la catholicité comme principe et critère de vérité n'avait jamais été aussi nettement développée en Afrique. Optat aurait pu, avant Augustin, s'adresser à Parménien en ces termes : « En toute sécurité, l'univers juge qu'ils ne sont pas bons, ceux qui se séparent de l'univers en quelque contrée de l'univers que ce soit [6]. »

1. Cf. COLSON₄, *Collégialité*, chap. 2 : « La collégialité épiscopale. Échanges de correspondance ».

2. Cf. OPTAT, II, 3, 2 : « Cum quo nobis totus orbis commercio formatarum in una communionis societate concordat » ; cf. ZMIRE₄, *Recherches*, p. 24-29.

3. Cf. AVG., *Bapt.*, II, IV, 5 ; VII, XXVII, 53.

4. Cf. OPTAT, I, 24.

5. Cf. OPTAT, IV, 5, 6.

6. Cf. AVG., *C. Parm.*, III, IV, 24 (*BA* 28, p. 457) : « Securus iudicat orbis terrarum bonos non esse qui se diuidunt ab orbe terrarum in quacumque parte terrarum. »

c) La chaire de Pierre

Parmi les communautés chrétiennes dispersées à travers le monde avec lesquelles les catholiques d'Afrique sont en communion, Optat cite, au premier rang, les églises fondées par les apôtres. L'évêque de Milève attache une importance particulière à la succession apostolique qui est, pour l'Église, une garantie d'authenticité : la véritable Église du Christ remonte aux Apôtres par la suite ininterrompue de ses évêques. Les donatistes ne niaient pas l'importance de la succession apostolique, mais ils considéraient que les évêques coupables de *traditio* s'étaient exclus de l'Église et qu'ils ne pouvaient transmettre légitimement le pouvoir épiscopal. Seuls les évêques appartenant à l'Église des saints avaient assuré la continuité de l'Église en Afrique ; les évêques qui, à travers le monde, étaient restés en communion avec les traditeurs, avaient perdu leur légitimité [1]. Optat a réfuté cette argumentation dans le livre I en démontrant l'innocence de Cécilien, mais il donne précisément comme preuve de légitimité la sentence rendue, en 313, par le concile de Rome [2] ; cela révèle l'opposition fondamentale qui existait entre deux conceptions de l'Église : alors que les donatistes faisaient dépendre son authenticité de la sainteté de ses évêques, gardiens de la pureté de la foi, Optat établit la légitimité de l'Église sur la communion avec les églises

---

1. Cf. Avg., *C. Petil.*, III, LVII, 69 (*BA* 30, p. 737) : « D'autant plus que vous faites reposer toute votre cause dans l'épithète de traditeurs que vous donnez à ceux qui succèdent par voie de communion aux traditeurs, selon vos fictions ou vos calculs. » Cf. A. C. DE VEER, *BA* 31, p. 841 : « D'après les donatistes, les églises d'outre-mer n'ont pas ignoré la situation de l'église de Caecilianus ; non seulement elles ne l'ont pas condamnée, mais elles ont maintenu la communion avec des païens. Par conséquent, elles se sont mises dans une même situation de péché. »

2. Cf. OPTAT, I, 24 ; I, 25, 1 : « Sufficit ergo et Donatum tot sententiis esse percussum et Caecilianum tanto iudicio esse purgandum. »

fondées par les Apôtres et particulièrement avec l'église de Rome [1]. L'importance accordée aux églises apostoliques est attestée dès le IIᵉ siècle, en Afrique, par Tertullien : les églises fondées par les apôtres sont les « églises mères, sources de la foi » (*matrices et originales fidei*), et toute doctrine contraire à l'enseignement de ces églises doit être rejetée comme fausse [2]. Optat, conformément à cette tradition, évoque la communion avec les églises d'Asie et témoigne d'un attachement particulier pour l'Orient, à cause des événements qui s'y sont déroulés : « Nous avons suivi la volonté de Dieu en aimant la paix, en étant en communion avec tout l'univers, unis à l'Orient, où tant de miracles si grands ont été réalisés par le Fils de Dieu lui-même, où tant d'apôtres l'ont accompagné, où se trouve l'Église septuple (*septiformis ecclesia* [3]). »

Quant à l'église de Rome, elle occupe une place tout à fait exceptionnelle dans l'ecclésiologie d'Optat. Déjà, à la fin du Iᵉ siècle, l'Épître adressée aux Corinthiens par Clément de Rome laissait transparaître un accent d'autorité que les commentateurs modernes ont expliqué par une sorte de primauté dans l'*agapè* (charité) qui devait unir les églises : c'est à Rome que, suivant une tradition très ancienne, Pierre et Paul ont versé leur sang pour le Christ ; or, ces deux apôtres sont « les colonnes les plus élevées [4] » de l'Église, le soutien de l'édifice. De même, Ignace d'Antioche affirme que l'église de Rome « préside à la charité », c'est-à-dire à l'unité

---

1. L'argumentation d'Optat sera reprise par saint Augustin ; cf. A. C. DE VEER, *BA* 31, p. 793, n. 27 : « Pour Augustin, la succession apostolique, comprise dans le sens de l'universalité, est la garantie de la vérité de l'Église dans sa doctrine et sa pratique. »

2. Cf. TERT., *Praes.*, XXI, 3–7 ; cf. ENO₂, *Work*, p. 670.

3. OPTAT, VI, 3, 4 ; cf. II, 14, 3 ; IV, 3, 3.

4. Cf. CLÉMENT DE ROME, *Épître aux Corinthiens*, 5, 2 (*SC* 167, p. 109) : « οἱ μέγιστοι στῦλοι » ; cf. A. JAUBERT, *SC* 167, p. 89.

de l'Église dont la charité est le lien [1]. Pour Optat, la communion avec les tombeaux des deux apôtres à Rome est, avant tout, une preuve matérielle et tangible d'authenticité [2]. De plus, l'église de Rome possède la chaire de Pierre (*cathedra Petri*) toujours présente dans cette ville par la succession de ses évêques : « C'est dans cette ville de Rome et pour Pierre que la chaire épiscopale a été d'abord établie, qu'il y a siégé, lui Pierre, le chef de tous les Apôtres, d'où son nom de *Cephas*, pour que, en cette seule chaire, l'unité fût préservée par tous [3]. » « Il y a donc une chaire unique, qui est le premier des dons, où siégea d'abord Pierre, à qui succéda Lin... [4] » Optat donne ensuite la liste des successeurs de Pierre, jusqu'à Sirice, avec lequel les catholiques d'Afrique sont en communion ; l'échange de lettres officielles avec l'évêque de Rome est un signe de communion avec la *Catholica* tout entière, une preuve d'authenticité [5]. Par l'argument de la *cathedra Petri*, Optat réfute les allégations de Parménien, qui prétendait que seule l'église à laquelle il appartenait possédait les dons (*dotes*) que le Christ lui avait

---

1. Cf. COLSON[4], *Collégialité*, p. 46 : « Cette primauté de l'Église de Rome, d'après la lettre de saint Ignace comme d'après celle de saint Clément, se fonde sur les apôtres Pierre et Paul. »

2. Cf. OPTAT, II, 4, 2 : « duorum memoriae apostolorum » ; II, 14, 3 : « memoriis apostolorum communicasse » ; IV, 3, 3 : « memoriis apotolorum ».

3. Cf. OPTAT, II, 2, 2 ; cf. Y. M.-J. CONGAR, « Cephas–Céphalè–Caput », *Revue du Moyen Age latin*, 8 (1952), p. 5 : « Le rapprochement entre *Caput* (κεφαλή) et *Cephas* a été suggéré pour la première fois par Optat de Milève. Optat dit non pas que la traduction de *Cephas* soit *Caput*, mais simplement que Pierre a été appelé *Cephas* parce qu'il était, ou devait être, la tête de tous les Apôtres. Il s'agit moins d'un commentaire exégétique que d'un rapprochement d'idée. » Cf. P. BATIFFOL, *L'Église naissante et le catholicisme*, Paris 1909, p. 102 ; C. PIETRI, *Roma christiana*, Paris 1976, p. 272-295.

4. OPTAT, II, 3, 1.

5. Cf. OPTAT, II, 3, 2 : « Cum quo nobis totus orbis commercio formatarum in una communionis societate concordat. »

accordés et que nulle autre église ne pouvait revendiquer. Parmi les *dotes* qu'il énumérait, Parménien plaçait, au premier rang, la *cathedra*, c'est-à-dire le pouvoir des clefs [1]. Les autres dons sont, en fait, subordonnés au premier car qui possède celui-ci les possède tous : *angelus*, l'ange qui « agite l'eau » du baptême, dont le pouvoir est lié à celui de l'évêque [2] ; *spiritus* ; *fons*, c'est-à-dire l'eau du baptême ; *sigillum*, c'est-à-dire le Symbole ; *umbilicus*, c'est-à-dire l'autel [3]. La théologie des *dotes* de l'Église, développée par Parménien, ne nous est connue que par le traité d'Optat [4].

Il semble cependant que l'évêque donatiste se soit largement inspiré du *De unitate ecclesiae* de Cyprien ; celui-ci y affirme, en effet, que les dons faits par le Christ, en particulier le baptême, le sacerdoce et l'autel, appartiennent à l'Église légitime et à nulle autre [5]. Dans la controverse engagée au sujet du premier de ces dons, la *cathedra*, Optat s'inspire directement du chapitre 4 du *De unitate*, dans lequel Cyprien rappelle la remise des clefs à Pierre comme preuve de l'institution divine de l'Église hiérarchique — ou épiscopale [6]. Dom Chapman a montré, le premier, que le débat ecclésiologique avec Parménien s'établit autour des premiers chapitres du livre *De unitate* sans que celui-ci soit nommé [7]. Le témoignage d'Optat permet d'établir l'authenticité de la

1. Cf. OPTAT, II, 6, 1.

2. Cf. OPTAT, II, 6 ; *Jn* 5, 4 ; TERT., *Bapt.*, V, 5–6 ; E. AMANN, « L'ange du baptême dans Tertullien », *RevSR* 1 (1921), p. 208-221.

3. Cf. OPTAT, II, 7-8.

4. Cf. E. BONOME, *La Chiesa Sposa e le Doti in Ottato Milevitano*, Rome 1943.

5. Cf. P. BATIFFOL, *L'Église naissante et le catholicisme*, t. 1, Paris 1909, p. 434.

6. Cf. *Matth.* 16, 18-19 : « Tu es Pierre, et sur cette pierre je bâtirai mon Église. Je te donnerai les clefs du royaume des cieux. »

7. Cf. J. CHAPMAN, « Les interpolations dans le traité de saint Cyprien sur l'unité de l'Église », *RBén.* 19 (1902), p. 363 ; cf. OPTAT, II, 4, 1 (« Ramus est uestri erroris, non de radice ueritatis ») et CYPRIEN, *Eccl. unit.*, 5.

version A du chapitre 4 du *De unitate*, dans laquelle Cyprien emploie l'expression *cathedra Petri*, terme qui disparaît de la version B de ce passage controversé [1]. Le texte de Cyprien a suscité de nombreuses interprétations et donné matière à de longues discussions sur la doctrine de la primauté de Rome dans l'ecclésiologie africaine [2].

Les commentateurs ont souligné deux aspects dans la pensée de Cyprien. D'une part, l'évêque de Carthage insiste sur l'importance de l'évêque comme membre constitutif de l'Église : l'Église repose sur l'évêque qui, dans chaque église locale, dirige le peuple à la place du Christ. Tous les évêques possèdent la même charge épiscopale, qui est une, et l'unité de l'Église est assurée par la *concordia sacerdotum*. Pierre est la source de l'épiscopat, le fondement de l'unité ; avec lui, l'Église a eu son commencement (*primatus*), mais tous les autres apôtres ont reçu, après lui, la *cathedra Petri*, et tous les évêques qui leur ont succédé possèdent cette même *cathedra* [3]. Pierre est le principe et le symbole de l'unité de l'Église et de l'épiscopat, et l'évêque de Rome représente, à son tour, le principe de l'unité [4], mais les évêques reçoivent

---

1. Cf. O. PERLER, « Le *De unitate* (chap. 4-5) de saint Cyprien interprété par saint Augustin », dans *Augustinus Magister*, 2, Paris 1954, p. 835-858. O. Perler montre que la source immédiate du *Psalm. c. Don.* d'Augustin est Optat qui s'inspire de la version A du *De unitate*, chap. 4 : « Rien ne permet de supposer que Parménien a connu un autre texte du chap. 4 du *De unitate* que celui utilisé par Optat. » Cf. P. BATIFFOL, *L'Église naissante et le catholicisme*, t. 1, Paris 1909, « Excursus E », p. 440-447 : « Les deux éditions du *De unitate ecclesiae* » ; M. BÉVENOT, *De ecclesiae catholicae unitate*, Oxford 1971, p. 11 : « Les interpolations dans le *De unitate*, chap. 4 ».

2. Dans une étude très détaillée, W. Marschall a rendu compte des différentes interprétations énoncées depuis le début du XXᵉ siècle ; cf. MARSCHALL₄, *Karthago und Rom* : I. « Päpste und Papsttum », p. 29-41.

3. Cf. M. BÉVENOT, « Episcopat et primauté chez saint Cyprien », *Ephemerides Theologicae Lovanienses*, 42 (1966), p. 176-795 ; BRISSON₃, *Autonomisme et christianisme*, p. 69 ; ENO₂, *Work*, p. 672.

4. Cf. G. BAVAUD, *BA* 29, p. 605, n. 16 : « Pierre, symbole de l'unité ».

directement du Christ tous les pouvoirs inhérents à leur charge, et l'évêque de Rome, successeur de Pierre, ne saurait servir d'intermédiaire à la transmission de ces pouvoirs [1]. D'autre part, les commentateurs ont souligné le souci manifesté par Cyprien d'être en accord de pensée et de conduite avec l'église de Rome. La correspondance de Cyprien révèle que l'évêque de Carthage avait conscience de la primauté de l'église de Rome, car elle est « le siège de Pierre, l'église principale d'où l'unité épiscopale est sortie [2] ». L'église de Rome possède la chaire de Pierre, instituée par le Christ et conférée à Pierre le jour où a été prononcé le « Tu es Petrus », elle est la première en date, l'aînée de toutes les autres. La communion avec l'église de Rome (*matrix* et *radix*) est indispensable pour la légitimité de chaque église locale, et communier avec Rome, c'est communier avec tous [3]. J. Daniélou a montré l'ambiguïté qui existe dans la pensée de Cyprien : « Il se trouve au confluent de deux courants dont il ne voit pas encore la conciliation. Il est attaché à l'unité de l'Église universelle et en particulier au primat romain. Mais il est par ailleurs pénétré des droits de l'épiscopat local. Cette ambiguïté explique que Cyprien ait pu être revendiqué à la fois par les donatistes et par les catholiques [4]. »

Optat et Augustin nous apprennent que les donatistes s'étaient efforcés d'établir un siège épiscopal à Rome et de

---

1. Cf. ZMIRE[4], *Recherches*, p. 3-72 (rôle de l'évêque de Rome au sein du collège épiscopal) ; A. DEMOUSTIER, « Épiscopat et union à Rome selon saint Cyprien », *RecSR* 52 (1964), p. 337-369.

2. Cf. CYPRIEN, *Ep.*, LIX, 14 : « Petri cathedram atque ecclesiam principalem unde unitas sacerdotatis exorta est. » ; cf. BAYARD, *Correspondance de saint Cyprien*, CUF, t. 2, p. 183, n. 1.

3. Cf. P. BATIFFOL, *Cathedra Petri*, Paris 1938, p. 138 ; COLSON[4], *Collégialité*, chap. 8 : « Cyprien et le centre de l'unité collégiale ».

4. Cf. DANIÉLOU-MARROU[3], p. 236-237 ; A. MANDOUZE, « Encore le donatisme. Problème de méthode posé par la thèse de J.-P. Brisson », *Antiquité classique*, 29 (1960), p. 90-97.

dresser une liste des évêques donatistes de cette ville [1]. L'évêque de Milève démontre que le premier évêque schismatique, envoyé d'Afrique au début du IVᵉ siècle pour diriger la petite communauté donatiste de Rome, n'est pas le successeur de Pierre, puisqu'il y a eu rupture de la succession apostolique. Il lui oppose la liste des évêques catholiques qui se sont succédé de façon ininterrompue à Rome, de Pierre à Sirice [2]. L'argument d'Optat, repris par Augustin [3], restait inefficace parce que les donatistes considéraient que les évêques catholiques de Rome, eux-mêmes traditeurs ou complices des traditeurs, avaient perdu le pouvoir de transmettre la succession apostolique [4]. En fait, les donatistes semblent avoir été peu sensibles à l'argument de la *cathedra Petri* comme preuve de légitimité, car ils n'accordaient pas à l'église romaine une primauté réelle. Dans la remise des clefs à Pierre, ils ne considéraient que l'ordre sacramentel : le pouvoir épiscopal (*cathedra*) est donné à chaque évêque de l'*ecclesia* locale dont la légitimité est garantie par la pureté de ses membres. Pour Parménien, la *cathedra* est unique, comme le baptême est unique : elle est un don (*dos*) fait par le Christ à son Église, un *ornamentum* de l'Église unique et véritable [5]. Cette théologie des *dotes* de l'Église illustre de façon symbolique et descriptive la théologie donatiste des sacrements, inspirée de Cyprien, qui fait de l'Église le vrai sujet de l'action sacramentelle. Or, Optat reproche précisément à Parménien d'avoir fait de l'Église —

---

1. Cf. OPTAT, II, 4, 1-5 ; AVG., *C. Cresc.*, III, XXXIV, 38 ; *Un. bapt.*, XIV, 23.

2. Cf. V. MONACHINO, « Il primato nello scisma Donatista », *Archivum Historiae Pontificiae*, 2 (1964), p. 25-30 : « La sede Romana nella condotta dei Donatisti » ; A. C. DE VEER, *BA* 31, p. 847, n. 54 : « Un siège épiscopal donatiste à Rome. »

3. Cf. AVG., *Epist.*, LIII, I, 1–II, 4.

4. Cf. A. C. DE VEER, *BA* 31, p. 793, n. 27 : « La succession apostolique ».

5. Cf. OPTAT, II, 10, 3.

et des évêques — le sujet du pouvoir des clefs : « Pourquoi as-tu voulu parler seulement des dons de l'Église et pourquoi as-tu gardé le silence sur ses membres saints et sa substance qui se trouvent incontestablement dans les sacrements et dans les personnes de la Trinité... ? Alors qu'il s'agit de la régénération de l'homme, alors qu'il s'agit de la rénovation de l'homme, tu n'as pas dit un mot de la foi des croyants ni de la profession de foi... Tu as présenté les dons comme si la régénération venait d'eux et non de la substance qui réside plus dans les sacrements que dans les ornements [1]. » Y. M.-J. Congar a montré l'opposition fondamentale qui existait entre ces deux conceptions : « Pour Parménien, parler des *dotes* était une façon de parler de l'Église et d'attribuer à celle-ci, non à la rencontre de l'action des personnes divines et de l'action des hommes, l'effet de régénération et de salut que tous reconnaissaient au baptême. Pour Optat, le sacrement était une réalité indépendante de l'Église et définissable sans elle, antérieurement à elle : une réalité qui était, pour l'Église, constitutive [2]. »

L'ecclésiologie des donatistes, purement sacramentelle, accordait peu de place à la communion des évêques et à la communion avec la chaire de Pierre, principe de l'unité. C'est en cela que les donatistes se séparaient de Cyprien : celui-ci, soucieux de préserver l'unité morale des chrétiens, voulait garder la communion avec l'église de Rome. Optat ne manque pas de le souligner, et toute son argumentation, nous l'avons vu, prend sa source dans les premiers chapitres du *De unitate* de Cyprien.

Tous les commentateurs s'accordent à reconnaître qu'Optat est allé beaucoup plus loin que Cyprien dans la reconnaissance de la primauté de l'église de Rome [3].

---

1. OPTAT, II, 10, 3.
2. Cf. CONGAR₄, *BA* 28, p. 68.
3. Cf. ENO₂, *Work*, p. 680.

Augustin lui-même, d'abord dépendant d'Optat dans sa
polémique anti-donatiste, abandonnera ensuite l'argument
de la *cathedra Petri*, pour développer plus largement le
thème de la *cathedra Christi* et élaborer sa théologie de la
Catholica ou communion universelle.

La pensée d'Optat apparaît à beaucoup comme étonnamment « moderne », car il décerne au siège romain une préséance particulière dans l'Église, qu'il n'attribue à aucun
autre siège épiscopal [1]. L'évêque de Milève affirme, en effet,
que Pierre est le chef (*caput*) des Apôtres et qu'il a été seul
investi du pouvoir des clefs par le Christ [2]. Le texte d'Optat
— « Il reçut, seul, les clefs du royaume des cieux, qu'il devait
communiquer à tous les autres » [3] —, pris isolément, peut
être interprété comme la reconnaissance du rôle de Pierre et
de ses successeurs dans la transmission du pouvoir épiscopal, et il est vrai que l'évêque catholique ne mentionne nulle
part l'extension aux ministres de l'Église du pouvoir des
clefs conféré à Pierre [4]. Il convient cependant d'ajouter
qu'on ne trouve dans son traité aucune allusion à une intervention de l'évêque de Rome dans l'élection ou dans la
consécration des évêques, et que celui-ci n'apparaît jamais
comme la source des pouvoirs des évêques.

Pour Optat, la chaire de Pierre à Rome est, avant tout, le
symbole et la garantie de la communion des évêques et de
l'unité de l'Église. L'évêque de Rome demeure pour lui,
comme pour Cyprien, le principe et le symbole de l'unité.
Mais l'évêque de Milève semble avoir vu la faiblesse de la
pensée de Cyprien, qui ne reconnaissait pas à l'évêque de
Rome une autorité suffisante pour garantir la cohésion
morale du collège épiscopal [5]. C'est pourquoi il a développé

---

1. Cf. MARSCHALL[4], *Karthago und Rom*, p. 72-82.
2. OPTAT, II, 4, 6 ; VII, 3, 3.11.
3. OPTAT, VII, 3, 3 : « Claues communicandas ceteris solus accepit. »
4. Cf. *Matth*. 18, 18 ; *Jn* 20, 23.
5. Cf. ZMIRE[4], *Recherches*, chap. 2.

une théologie de l'Église universelle avec, pour critère, la communion avec la chaire de Rome. Il faut rappeler cependant que, replacée dans le cadre de la polémique anti-donatiste, la communion avec le successeur de Pierre à Rome apparaît avant tout comme une garantie d'authenticité, les tombeaux des apôtres constituant, sur ce point, une preuve matérielle et tangible [1].

d) *Pax* et *unitas*

Cyprien n'avait pas méconnu l'importance de l'unité morale de tous les chrétiens et de l'unité sociale de toutes les églises locales. C'est ainsi que, même dans sa controverse sur le baptême des hérétiques avec le pape Étienne, il était resté profondément attaché à la paix et à l'unité de l'Église et hostile à l'idée de schisme. Les donatistes, qui ne retenaient de son ecclésiologie que le principe de l'unicité — l'Église est le lieu exclusif où s'opère le salut —, n'avaient pas hésité à provoquer un schisme pour préserver la sainteté de l'Église unique [2]. C'est pourquoi Optat, et plus tard Augustin, ont été amenés à insister davantage sur l'unité morale de l'Église, sur la *pax ecclesiae*, que sur le principe de l'unicité que nul ne songeait à contester.

Les premières paroles d'Optat sont des paroles de paix et de fraternité. En s'adressant aux donatistes, Optat ne cesse

---

1. Cf. OPTAT, II, 4, 1 ; IV, 3, 3.
2. Cf. BRISSON, *Autonomisme et christianisme*, p. 56 : « Se séparer de l'Église, c'est à la fois nier son unicité et rompre son unité organique. » ; cf. A. MANDOUZE, « Encore le donatisme », *Antiquité classique*, 29 (1960), p. 85-90. A. Mandouze reproche à J.-P. Brisson de faire porter à Cyprien la responsabilité du choix entre unicité de l'Église et unité organique, au bénéfice de la première. Cf. R. BRAUN, *Deus christianorum. Recherches sur le vocabulaire doctrinal de Tertullien*, Paris 1977, p. 150, n. 2 : « J.-P. Brisson prétend que le mot *unitas* désigne, chez Tertullien, l'*unicité*, la *simplicité numérique*. Tout ce qui précède a montré suffisamment que Tertullien a tenu à distinguer *unio, singularitas* d'un côté et *unitas* de l'autre. »

de répéter qu'il écrit dans un esprit de conciliation. Il lance,
tout au long de son traité, un appel à l'apaisement des pas-
sions, à la paix, à l'unité et à la fraternité [1]. Dans l'Afrique
chrétienne du IVᵉ siècle, le mot *pax* a pris un sens particulier : il désigne l'unité ; la paix du Christ, c'est l'unité religieuse, *pax* est équivalent d'*unitas*. Or le schisme a ruiné
l'unité : « Vos ancêtres ont rompu la paix ; vous, vous ruinez l'unité [2] », et Optat s'efforce de démontrer que le
schisme est le plus grave des péchés. En mettant l'accent sur
la foi en Jésus-Christ qui leur est commune, l'évêque catholique veut amener les schismatiques à s'unir avec tous les
chrétiens autour du Christ et à rester fidèles à l'esprit de
l'Évangile. Cette volonté de conciliation se retrouve chez
Augustin : « Nous nous adressons à notre Père d'une même
voix, pourquoi ne partageons-nous pas la même paix [3] ? »
On pourrait ainsi appliquer à l'évêque de Milève ce qu'Y.
M.-J. Congar affirme au sujet d'Augustin : « Le mot *pax*
désigne la réalité profonde de ce que cherche Augustin en
s'adressant aux donatistes. » Pour Y. M.-J. Congar, « la réalité très riche que ce mot recouvre se distribue sur trois plans
qui ont entre eux une relation interne profonde ».

1) Il existe une disposition psychologique et morale qui
mène à la paix, une *unitatis caritas* ; c'est ainsi que Cyprien
est un *homo pacificus* — la charité fraternelle permet la réa-
lisation de la paix ou de l'unité dont le Christ est le principe.

2) *Pax* désigne la communion ou l'unité de l'Église.

3) La *societas sanctorum* se réalise en son unité quand les
fidèles forment ensemble un seul corps, quand ils gardent
l'unité de l'esprit par le lien de la paix. Cette paix ou unité

---

1. Cf. OPTAT, I, 1, 2 ; I, 2, 1 ; I, 11, 1 ; II, 5, 2 ; II, 15, 3 ; IV, 2, 1.3 ; IV,
4, 1.2 ; VII, 3, 1.2.

2. OPTAT, I, 21, 2.

3. AVG., *Sermon* 357, prononcé avant l'ouverture de la conférence de
Carthage en 411.

est la condition des opérations saintes dont le sujet est l'*ec-clesia in sanctis*, et en particulier de la rémission des péchés [1].

On trouve déjà chez Optat les deux premières acceptions du mot *pax* définies par Y. M.-J. Congar. A l'attitude des évêques dissidents, Optat oppose celle qu'auraient dû avoir des hommes véritablement animés par l'*unitatis caritas*, par l'amour de l'unité : « On aurait dû chasser le coupable de sa chaire ou bien rester en communion avec l'innocent [2] », mais en tout cas sauvegarder l'unité. L'évêque de Milève oppose ainsi aux schismatiques les « évêques pacifiques » (*pacifici episcopi*) de l'ancien temps : « Cyprien, Lucianus et les autres [3] ». Il reproche précisément aux donatistes de ne pas posséder cette disposition à la concorde, à la fraternité, à la charité et à l'union des cœurs : les schismatiques ne recherchent pas l'entente fraternelle avec les catholiques, mais ils les haïssent, les injurient, les calomnient et refusent même de les saluer [4].

Le mot *pax* désigne également chez Optat l'unité qui se manifeste à l'intérieur de l'Église unique par la concorde et la paix qui doivent régner entre ses membres. Un grand nombre d'inscriptions funéraires montrent que les mots *pax* et *unitas* étaient fréquemment compris, au IVe siècle, comme synonymes du mot *Église* [5]. On trouve chez Optat toute une ecclésiologie de la *pax* : la paix est un don de Dieu, elle a été laissée par le Christ à tous ceux qui croient en lui [6]. Elle est voulue par Dieu, elle est le signe de l'appartenance à l'Église du Christ [7]. Sans elle, l'Église ne peut exister : « En effet, une

1. CONGAR, *BA* 28, p. 711, n. 1 : « *Pax* chez saint Augustin ».
2. OPTAT, I, 19, 3.
3. OPTAT, I, 19, 3.
4. Cf. OPTAT, IV, 4-5.
5. Cf. N. DUVAL, « Notes d'épigraphie chrétienne. III : Episcopus unitatis », *Karthago,* 9 (1958), p. 137-149 et Planche I, p. 152-153 ; FREND, *Donatist Church,* p. 238.
6. Cf. OPTAT, I, 1, 2.
7. Cf. OPTAT, II, 5, 6.7.8.

même paix unissait alors les peuples d'Afrique et d'Orient, et tous les peuples d'outre-mer, et l'unité elle-même maintenait la cohésion du corps de l'Église, une fois tous ses membres réunis [1]. » La *pax* ou *unitas* est donc d'abord conçue par Optat comme unité morale ou sociale de l'Église. On a pu noter dans la conception de l'unité chez Optat une tendance sociologique, juridique et romaine qu'on ne retrouve pas chez Augustin [2]. Il semble cependant qu'Optat ait dépassé, avant Augustin, cette considération sociologique de la *pax*. Pour l'évêque de Milève, les chrétiens qui ont préservé la paix et sont restés dans l'unité sont « la lumière du monde », « le sel de la terre », les « pacifiques » et les « bienheureux » dont parle l'Évangile [3]. Il dit encore à propos de l'Église : « Ceux qui franchissent les portes de cette Église, ce sont les innocents, les justes, les miséricordieux, les continents et les vierges [4]. » Optat semble ici attribuer à la *Catholica* tout entière ce qui définira, chez Augustin, la *societas sanctorum*. En réalité, l'évêque de Milève, qui présente par ailleurs l'Église comme un mélange de bons et de méchants, un champ où se mêle le bon grain et l'ivraie [5], avait certainement distingué, à l'intérieur de l'Église, cette « société des saints », qui se réalise lorsque les fidèles gardent l'unité de l'esprit par le lien de la paix [6]. S'il est vrai qu'Optat n'a jamais clairement défini, comme le fera Augustin, l'unité de l'Église comme étant à la fois *communio sacramentorum* (participation aux sacrements) et *societas sanctorum* (association à la vie de sainteté),

---

1. Optat, II, 15, 3.
2. Cf. L. Vischer, *Basilius der Grosse. Untersuchungen zu einem Kirchenvater des 4. Jahrhundert,* Basel 1953, p. 82-83.
3. Cf. Optat, VII, 5, 4.5.
4. Optat, III, 2, 8 ; cf. II, 11, 1.
5. Cf. Optat, VII, 2, 8.
6. Cf. Optat, I, 11, 1.

nous savons que sa théologie des sacrements impliquait une telle distinction.

Dans le cadre de la polémique anti-donatiste, Optat a été amené à insister sur la réalité « présente » de l'Église (*ecclesia talis nunc est*). Son souci principal a été de montrer que l'Église terrestre n'était pas une Église sainte, une Église « sans tache ni ride », comme l'exigeaient les donatistes et comme le serait l'Église eschatologique et éternelle, mais une Église de pécheurs et de justes. Aucun des membres de cette Église ne saurait s'arroger la sainteté parfaite, mais tous doivent attendre, avec humilité, le jugement de Dieu [1].

---

1. Cf. OPTAT, VII, 2, 7 ; SIMONIS, *Ecclesia*, p. 43-49.

CHAPITRE IV

LE TEXTE DU *TRAITÉ CONTRE LES DONATISTES*

1. LA TRADITION MANUSCRITE

La tradition manuscrite du traité contre les donatistes d'Optat de Milève est peu abondante mais d'une qualité remarquable : les trois manuscrits RBG qui ont conservé l'intégralité de l'œuvre, c'est-à-dire les sept livres, ont été transcrits avec un très grand soin, si bien que la lecture en est particulièrement aisée.

A ces trois manuscrits viennent s'ajouter le *Petropolitanus* (P) qui contient les deux premiers livres et dont l'écriture est également très soignée, ainsi que le *Parisinus 1711* (C) qui n'a conservé que la fin du livre VI et le livre VII, mais qui est, lui aussi, d'une excellente qualité. Quant au *Cusanus* (V), qui présente le traité d'Optat en six livres, s'il est vrai qu'il fut écrit avec moins de soin, il n'en demeure pas moins d'une lecture facile, et il est inexact de dire « qu'il fourmille d'erreurs », comme le prétend Ziwsa, qui d'ailleurs n'avait pas pu le consulter [1].

---

1. ZIWSA, *CSEL* 26, p. XLII.

Nous mettrons à part les fragments conservés dans l'*Aurelianensis* (A), dont la lecture est rendue difficile par la mauvaise qualité du parchemin, usé en de nombreux endroits, mais qui ne concernent que quelques pages du livre VII.

Avec une tradition manuscrite aussi favorable, on peut s'étonner que le *Traité contre les donatistes* d'Optat de Milève n'ait fait l'objet d'aucune édition critique moderne, depuis celle que Ziwsa a donnée en 1893 dans le Corpus de Vienne [1].

L'explication de cette situation pourrait se trouver dans la qualité de cette édition ; elle semble avoir donné satisfaction à tous ceux qui, pendant plus d'un siècle, se sont intéressés aux passages du traité les plus utiles à l'histoire du donatisme. De plus, il faut reconnaître à Ziwsa le mérite d'avoir édité l'intégralité de l'œuvre — y compris les passages contestés du livre VII rejetés par Dupin dans ses différentes éditions [2] —, et de lui avoir adjoint en appendice les *Gesta apud Zenophilum* et autres documents officiels de première importance pour la connaissance des origines du schisme. On pourrait donc penser qu'une nouvelle édition critique du texte d'Optat ne se justifiait pas.

Or la réalité est tout autre. En fait, les chercheurs modernes qui ont tenté d'examiner de plus près l'état de la question ont trouvé la tâche si malaisée qu'ils ont jusqu'ici renoncé à la mener à bien.

Les obstacles rencontrés sont tous liés au fait que le traité d'Optat de Milève a connu plusieurs étapes dans sa rédaction. Une première édition en six livres a été augmentée d'un septième livre, lui-même certainement remanié. L'ouvrage, tel qu'il nous est parvenu, porte les marques de ces diffé-

---

1. *CSEL* 26, Vienne 1893.
2. Paris 1700 ; Amsterdam 1701 ; Anvers 1702 (édition reproduite par J.-B. Migne, *PL* 11, 883 s.).

rents remaniements et demeure, dans sa structure, inachevé. On aurait pu espérer trouver dans la tradition manuscrite des témoins sûrs des deux éditions, l'une en six livres, l'autre en sept livres. Le *Cusanus*, qui ne contient que les six premiers livres et que Cochlaeus a utilisé pour son *editio princeps* [1] aurait bien pu être le témoin de la première édition. Mais, comme nous le verrons, rien n'est moins sûr. Par ailleurs, même s'il est possible de distinguer avec certitude deux familles de manuscrits, est-il permis de dire, comme on a pu le faire un peu hâtivement d'après les conclusions de Ziwsa, que l'une représente la première édition du traité et l'autre la seconde ?

Ainsi la tradition manuscrite du traité d'Optat n'est-elle pas aussi favorable que nous aurions pu le croire : « Elle n'est pas excellente, disait déjà A. Wilmart, Ziwsa en a indiqué d'une manière irréprochable les différents aspects. Il est seulement fâcheux que le texte imprimé pour l'Académie de Vienne ne distingue pas les deux recensions. Il faudra bien quelque jour qu'on ait le courage d'accomplir cette tâche, si délicate qu'elle se présente [2]. »

Or la difficulté est plus grande encore que ne le pensait A. Wilmart. Si Ziwsa n'a pas distingué les deux recensions dans son édition, c'est certainement parce que la tradition manuscrite ne permet pas de le faire. Sans doute est-ce un défaut de son édition critique de n'avoir pas fait clairement apparaître cela et d'avoir même suggéré le contraire [3]. Les observations de Petschenig puis de Blomgren [4] montrent bien que l'édition de Ziwsa laisse sans réponse un grand nombre de questions. Et même si Blomgren annonçait, avec beaucoup de pessimisme, que « le problème ne pourrait

---

1. Mayence 1549.
2. WILMART[2], *Itoria*, p. 78.
3. Cf. ZIWSA, *CSEL* 26, p. XLII.
4. PETSCHENIG[2], *Besprechung*, p. 457-463 ; BLOMGREN[2], *Echtheitsfrage*.

peut-être jamais être définitivement résolu », il eût été d'une part regrettable que l'œuvre d'Optat restât, pour cette seule raison, dans l'oubli, d'autre part impossible de présenter une traduction française du traité sans tenter d'en établir le texte à la lumière d'une nouvelle analyse de la question.

Aussi nous sommes-nous efforcée, sans prétendre résoudre tous les problèmes qui se posent, d'établir le texte de la présente édition en nous appuyant sur une nouvelle lecture des manuscrits A RB P CG, déjà utilisés par Ziwsa, à laquelle nous avons pu ajouter la collation du *Cusanus* (V) et, pour les passages du livre VII dont l'authenticité a été contestée, le témoignage de l'édition de Gabriel de l'Aubépine (1631).

Les manuscrits

P Le *Petropolitanus lat. 25, Q.V.I.2* (autrefois *Saint-Germain 718*), du Ve ou VIe siècle, conservé à la Bibliothèque de Saint-Pétersbourg, est un manuscrit sur parchemin dont l'écriture onciale est particulièrement soignée. Malheureusement, seuls les livres I et II du traité d'Optat de Milève figurent aux folios 244-277 [1].

A L'*Aurelianensis 169*, du VIIe siècle, qui se trouve à la Bibliothèque municipale d'Orléans, ne présente que quelques fragments du livre VII aux folios 4-6 [v]. Il commence par l'argument de ce livre et se termine par la fin du chapitre 2. Le mauvais état du parchemin rend parfois la lecture malaisée, mais ce manuscrit reste précieux par son ancienneté [2].

---

1. Cf. ZIWSA, *CSEL* 26, p. XIV-XVII ; A. STAERK, *Les manuscrits latins du Ve au XIIIe siècle conservés à la Bibliothèque impériale de Saint-Pétersbourg*, 1910, p. 3-5.
2. Cf. ZIWSA, *CSEL* 26, p. XVII-XVIII.

C Le *Parisinus lat. 1711* (autrefois *Colbertinus 1951*) fait partie des collections de la Bibliothèque nationale. Ce manuscrit sur parchemin, que Ziwsa datait du XIᵉ siècle [1] mais qui remonte à la fin du VIIIᵉ ou au début du IXᵉ siècle d'après Lindsay [2], contient aux folios 1-16 ᵛ le livre VI — incomplet au début — et le livre VII, mais aussi, à partir du folio 17, les *Gesta apud Zenophilum* et autres documents relatifs aux origines du schisme, dont il est le témoin unique. Il provient de l'abbaye Saint-Paul de Cormery, comme l'indique la note du folio 37 ᵛ : *Hic est liber Sancti Pauli Cormaricensis Sancti Optati.* Il constitue un bon exemple de la semi-onciale utilisée au IXᵉ siècle dans le scriptorium de Tours [3].

R Le *Remensis 373,* du début du IXᵉ siècle, conservé à la Bibliothèque municipale de Reims, est un témoin précieux puisqu'il contient les sept livres du traité d'Optat. Ce manuscrit sur parchemin de 65 feuillets se trouvait dans l'abbaye de Saint-Thierry, près de Reims, selon une note du folio 1 : *Liber ecclesiae Sancti Theodorici* [4]. Il présente un excellent exemple de minuscule caroline telle qu'elle prit naissance, au début du IXᵉ siècle, à partir de l'écriture dite du type *Maurdramnus* employée dans le scriptorium de Corbie [5].

B Le *Parisinus lat. 1712* (autrefois *Baluzanius 290*), du XIVᵉ siècle, se trouve à la Bibliothèque Nationale. Ce manuscrit sur parchemin, constitué de 67 feuillets dont le dernier

---

1. ZIWSA, *CSEL* 26, p. XVIII-XXI.
2. LINDSAY, *Palaeographia latina*, 5, p. 59.
3. Cf. E. K. RAND, « Studies in the Script of Tours, I : A Survey of the Manuscripts of Tours », dans *The Mediaeval Academy of America Publications,* t. 3, Cambridge 1929.
4. Cf. ZIWSA, *CSEL* 26, p. XXIII-XXIV.
5. Cf. P. LAUER, « La réforme carolingienne de l'écriture latine et l'école calligraphique de Corbie », *Mémoires présentés par divers savants à l'Académie des inscriptions et belles-lettres,* 13 (1924), p. 417-440.

est mutilé, présente, sur deux colonnes, les sept livres d'Optat. Il provient de Saint-Denis de Reims, d'après une note en tête du folio 1 : *De conuentu sancti Dyonisii Rem.* [1]. L'écriture, d'une autre main à partir du folio 17, est un très bel exemple du type gothique appelé *littera textualis formata*, d'une calligraphie remarquable, surtout dans la première partie.

G Le *Parisinus lat. 13335* (autrefois *Germanensis 609*), sur parchemin, du XVᵉ siècle, conservé à la Bibliothèque Nationale, contient les sept livres d'Optat [2]. L'écriture gothique du type appelé *littera textualis formata* est extrêmement soignée.

V Le *Cusanus 50,* du XVᵉ siècle, fait partie de la collection de la Bibliothèque de l'Hôpital Saint-Nicolas de Cues, entre Trèves et Coblence. Les folios 1-62 ᵛ contiennent les six premiers livres du traité. L'écriture gothique du type *littera cursiua* est peu soignée. Ziwsa n'a pu consulter ce manuscrit ni même le désigner [3]. Nous lui avons donné le sigle V.

Les familles de manuscrits

RB Le rapprochement RB a été fait depuis longtemps, et Ziwsa soupçonnait déjà B de n'être qu'une copie de R, mais son apparat critique ne fait pas toujours apparaître clairement la similitude de ces deux manuscrits. Les quelques remarques qui suivent et les corrections que nous avons apportées nous permettent de conclure de façon certaine à la copie de R par B.

Tout d'abord, alors que la tradition manuscrite du traité présente une grande diversité, l'œuvre n'ayant pas toujours

1. Cf. Ziwsa, *CSEL* 26, p. xxiv-xxviii.
2. Cf. Ziwsa, *CSEL* 26, p. xxi-xxiii ; « Beiträge zu Optatus Mileuitanus », dans *Eranos Vindobonensis*, 1893, p. 168-176.
3. Cf. Ziwsa, *CSEL* 26, p. xl.

été conservée intégralement, nous constatons que R et B
sont strictement identiques par leur contenu. Ces deux
manuscrits présentent les sept livres d'Optat mais omet-
tent les passages contestés du livre VII. Le même titre général annonce l'œuvre : OPTATI MILIBITANI LIBRI
NUMERI VII, titre qui n'apparaît dans aucun autre manuscrit. Chaque livre est précédé d'une préface, que nous ne
ferons pas apparaître dans l'apparat critique pour ne pas
l'alourdir. R et B sont les seuls, avec P, à donner l'argument
du livre I : *In hoc libro primo continentur qui in persecutione
fuerint traditores et causae schismatis et ubi et a quibus
schisma sit factum*. R et B présentent en outre deux particularités communes importantes qui leur sont propres : le
passage III, 12, 1-36 se trouve répété au livre VII, fol. 63-64
pour R et fol. 66 ᵛ-67 pour B. Nous désignerons ce passage
répété par les sigles R ²B ² ; et surtout, dans le livre III, plusieurs pages (III, 7, 18-11, 37) sont transposées de façon tout
à fait incohérente dans le chapitre 3 (III, 3, 109 *ueniebant* :
+ *uindicauerit Macarius-Gaia Seia*). Par souci de clarté, nous
ne signalerons pas cette transposition dans l'apparat critique.

Si l'on examine le texte de plus près, on s'aperçoit que,
outre les leçons, qui sont presque toujours identiques, RB
donnent la même ponctuation : les points, nombreux, suivis
de majuscules, sont transcrits avec exactitude. Les mots sont
le plus souvent séparés par le même espace, bien que l'écriture plus serrée de R ait amené B à commettre des fautes de
lecture.

Nous citerons quelques exemples de similitude : I, 1, 10
sügitur pour *si igitur* ; II, 1, 57 *abostu solis* pour *ab ortu
solis* ; I, 23, 9 *licinioter* pour *Licinio ter* ; II, 1, 86 *conticis cite*
pour *conticiscite* : alors que R a dû couper le mot pour aller
à la ligne, B transcrit l'espace sur la même ligne.

Enfin, on peut noter deux passages remarquables par leur
identité : la liste des évêques qui composent le concile de

Rome (I, 23, 12-17 qui donne : *amediolano* ; *asinna* ; *aquintiano* ; *abarimino* ; *aflorentia* ; *afauentia* ; *acapua* ; *abeneuento* ; *atribus* ; *abhostis*) et la liste des évêques de Rome (II, 3) dont l'ordre et l'orthographe sont rigoureusement les mêmes.

Une des particularités de R, que nous ne signalerons pas dans l'apparat critique, est la confusion très fréquente, mais non systématique, du *r* et du *s* (*pastes* pour *partes*, *mastyr* pour *martyr*, *libestas* pour *libertas*, *hostus* pour *hortus*, *mostis* pour *mortis*, *ceste* pour *certe*, *aste* pour *arte*). Parfois B corrige directement le *s* en *r*, très souvent la correction est portée sur la ligne au dessus du *s* copié ; il lui arrive aussi de copier le *s* sans apporter de correction (II, 11, 3 *osto* RB pour *horto*), mais, contrairement à ce que donne l'apparat de Ziwsa, dont nous avons corrigé les erreurs sur ce point, nous n'avons relevé aucun cas où B donne *s* lorsque R donne *r*. La graphie en *s* est donc une particularité de R transcrite par B.

On peut également noter une similitude constante dans les abréviations, dont nous ne donnerons qu'un exemple significatif car propre à RB : *et in LXXImo psalmo* (II, 1, 43).

Pour que B soit une copie de R, il faut que toutes les fautes de R se retrouvent dans B. Nous avons constaté que les exceptions à cette règle sont extrêmement rares ; il peut arriver que pour un seul mot B reconstitue, sciemment ou non la bonne leçon : II, 20, 31 *dimittitis* R *dimittis* B ; III, 11, 46 *delinquerit* R *deliquerit* B ; notons, à ce propos, que certaines corrections dans R sont devenues très difficiles à lire, d'autres ont pu disparaître, effacées par le temps ; B a pu dans ces très rares exceptions retenir la correction de R, qui se limite souvent à un ou deux points placés sous la lettre ou la syllabe erronée.

Si toutes les fautes de R, ou peu s'en faut, se retrouvent dans B, la réciproque n'est évidemment pas vraie. Nous constatons qu'il existe un certain nombre de fautes propres à B, mais toutes peuvent s'expliquer par une mauvaise lecture de R ; nous choisirons seulement quelques exemples :

— II, 10, 9 *sic fit hominum* R *sic defit hominum* B : la faute de B s'explique par la présence dans R du mot *fide* situé juste au dessus de *fit* ; on devine que B a lu la ligne supérieure et a écrit *de* ; il s'est ensuite aperçu de son erreur puisqu'il a souligné cette syllabe de deux points qui signifient qu'il faut la supprimer.

— II, 5, 32 *deoreprophetae* R *deo reprophetae* B (pour *de ore prophetae*) : nous avons ici l'exemple d'une faute de B qui peut s'expliquer par une mauvaise lecture de R.

Nous trouvons de nombreux exemples où la faute de B s'explique par une lecture erronée de l'abréviation de R : *pro* pour *per*, *patres* pour *parentes*, *que si* pour *quasi*, *quo* pour *quoniam*.

Enfin, et ce dernier point n'est pas le moins important, pour que B soit une copie de R, il faut que toutes les omissions de R se retrouvent dans B. Cette règle ne souffre aucune exception. Nous avons vérifié qu'il en est bien ainsi : une lecture même rapide de l'apparat critique permet de voir que B présente rigoureusement les mêmes omissions que R, quelle que soit leur importance. Il peut s'agir d'un mot : I, 9, 5 *iam* ; I, 9, 13 *peccati* ; II, 7, 16 *alter* ; II, 25, 46 *aliquid* ; IV, 7, 35 *dici* ; VII, 4, 26 *moriturae* ; d'un groupe de mots : II, 5, 39 *in Esaia propheta* ; mais surtout d'un passage beaucoup plus long : II, 25, 64 *non curat—deus* ; II, 26, 14-15 *esse—Israhel* ; III, 9, 7-8 *emendator—missus* ; VII, 3, 47 *quem—negauit*.

Inversement, B a pu omettre un mot ou une ligne en transcrivant R. Or, nous constatons que les omissions de B par rapport à R sont extrêmement peu nombreuses et portent, dans presque tous les cas, sur un seul mot : I, 3, 19 *nos* ; I, 14, 4 *die* ; III, 2, 66 *tuarum* ; V, 5, 76 *ipsum*. Un exemple nous paraît ici tout à fait significatif : II, 18, 4-6 *celeritate—*

contra est omis par B ; alors que R donne : *qui tota celeritate... contra importunitatem*, B transcrit : *qui tota importunitatem* ; or l'omission correspond exactement à une ligne sautée de R et elle s'explique très facilement par la place du mot *importunitatem* juste au dessous de *tota* et légèrement décalé sur la droite.

Nous noterons, pour terminer, que les différences orthographiques entre R et B sont extrêmement peu nombreuses.

Au terme d'une enquête minutieuse et exhaustive, dont nous n'avons donné que quelques exemples, nous pouvons conclure que B procède de R par filiation directe. Cette conviction est étayée par le fait que R, qui se trouvait à Saint-Thierry, près de Reims, a très bien pu être transcrit directement par le copiste de B, puisque ce manuscrit provient lui-même de Saint-Denis de Reims.

S'il en est ainsi, est-il bien nécessaire de retenir le témoignage de B et de le faire figurer dans l'apparat critique ? Il se trouve que la comparaison avec B est déterminante pour préciser la parenté entre R et V, comme nous allons le voir.

RBV Pour des raisons obscures, Ziwsa n'a pas pu consulter le *Cusanus* (V) pour son édition. Il est pourtant un témoin important puisque c'est le seul qu'ait utilisé Cochlaeus pour l'*editio princeps,* que Ziwsa désigne par la sigle v dans son apparat. Il était donc nécessaire d'en faire la collation.

V ne contient que les six premiers livres du traité ; cependant, comme R et B, il donne à la fin du livre III le passage III, 12, 1-36 que les autres manuscrits présentent au livre VII, où R [2]B [2] le répètent. Et surtout, l'étonnante transposition du livre III que nous avons signalée pour R et B est très exactement reproduite dans V. Ces deux particularités, auxquelles viennent s'ajouter les leçons, fautes et omissions communes très nombreuses ne laissent aucun doute sur la parenté qui unit RBV entre eux ; celle-ci, déjà observée par Ziwsa grâce à la comparaison RBv, sort renforcée de la lecture de V, et toutes les corrections que nous avons pu apporter par rapport à v vont toujours dans le sens d'un lien plus étroit encore entre RBV et plus particulièrement entre R et V.

D'autre part, nous avons constaté de multiples corrections dans R. Or, tandis que B donne presque toujours la leçon de R après correction (R pc), V donne très régulièrement la leçon de R avant correction (R ac). Il est difficile de préciser davantage car R porte la marque de plusieurs correcteurs. La leçon commune R acBV, très rare, peut s'expliquer soit par le fait que B n'a pas vu ou n'a pas tenu compte de la correction de R, soit par le fait que cette correction est postérieure à la copie de R par B. Il faut enfin distinguer les corrections faites par R lui-même, qui expliquent les leçons R pcBV.

Ces réserves étant faites, la fréquence des leçons R acV et R pcB nous permet de tirer les conclusions suivantes — rappelons, pour plus de clarté, que R est un manuscrit du IXe siècle, B du XIVe, et V du XVe — :

— V pourrait procéder de R ou de B.

— V ne reproduisant jamais les corrections de R transcrites dans B ne peut procéder de B.

— V ne reproduisant jamais les corrections de R qui figuraient déjà dans R au XIVe siècle d'après le témoignage de B ne peut non plus procéder de R.

Ces conclusions sont confirmées par plusieurs observations. D'une part, V ne transcrit jamais les omissions propres à B. D'autre part, on ne retrouve pas dans V certaines omissions de R : III, 1, 18 *nulli dictum est* ; IV, 1, 4 *ille* ; IV, 4, 3 *est* ; IV, 5, 61 *genera* ; IV, 6, 24 *Ezechielem* ; V, 1, 46 *cum* ; V, 4, 17 *ab* ; V, 5, 21 *nemo* ; et surtout V, 4, 61 *quod uobis nec promittere licet nec reddere*. Enfin, il peut arriver, très rarement il est vrai, que V donne la bonne leçon contre R, et ceci ne peut être le fruit du hasard : IV, 6, 15 *salutare* V (contre *seculare* R) ; V, 3, 89 *duplicetur* V (contre *dupliciter* R) ; V, 4, 58 *loturum* V (contre *locuturum* R) ; VI, 1, 39 *sociati* V (contre *societati* R).

Nous pouvons donc affirmer que R et V procèdent d'un archétype commun que nous désignerons par le sigle α. Nous constatons que R a copié avec beaucoup de soin son modèle puisque les omissions ou fautes qui lui sont propres sont extrêmement rares. Il n'en est pas de même pour V qui a transcrit α en ajoutant des fautes et omissions qui le caractérisent. Cependant, le témoignage de V reste précieux puisqu'il contient quelques mots omis par R et qu'il donne parfois la bonne leçon contre celui-ci.

La comparaison entre R et V permet ainsi de reconstituer un archétype qui présentait toutes les fautes communes à RBV, de loin les plus nombreuses.

Il reste à essayer d'expliquer pourquoi V ne contient que six livres alors que R a transmis les sept livres du traité. Nous tenterons de répondre à cette question après avoir examiné les autres manuscrits.

ARB Les fragments du livre VII conservés dans A permettent, malgré leur brièveté, de préciser la parenté de ce manuscrit avec les autres.

Un décompte des erreurs de A donne : quinze fautes qui lui sont propres, huit erreurs communes avec R et B, trois fautes reproduites aussi par C et G. Les erreurs communes avec C et G sont peu significatives : VII, 1, 174 et 182 *Ezechielum* (pour *Ezechielem*) ; VII, 2, 30 omission de *et*. Les fautes de A qui se retrouvent dans R et B sont à la fois plus nombreuses et plus caractéristiques : VII, 1, 17 *traditionis* (pour *traditione*) ; VII, 1, 297 *dictum est* (pour *diximus*) ; et surtout les additions : VII, 1, 293 *adde temporibus* ; VII, 1, 293 *unitatis* : + *nam* ; et l'omission VII, 2, 13 *apostolus*.

Ces quelques observations, ajoutées à la similitude de la préface présentée au début du livre VII, nous amènent à rattacher A au groupe RB.

CG Toutes les corrections que nous avons apportées à l'apparat critique de Ziwsa font apparaître plus clairement le lien étroit qui unit C et G et que celui-ci avait bien noté. Nous pensons pouvoir préciser cette parenté.

L'identité des deux manuscrits est remarquable par certaines particularités qui leur sont propres. Tout d'abord, on trouve dans C et G le même argument au début du livre VII, en des termes qui diffèrent sensiblement de celui de R et de B : *Incipit prefatio. In hoc nouissimo libro continentur traditores qui in primo libro sub nominibus suis et locis et confessionibus sunt demonstrati graue peccatum habuisse qui necessitate non uoluntate peccauerint bono unitatis. Incipit liber septimus.* Et, à la fin du livre VII, la même formule caractérise C et G : *Explicit Liber Septimus Sancti Optati episcopi.*

D'autre part, toutes les erreurs de C se retrouvant dans G, nous pouvons penser que G dépend de C. Deux observations permettent de préciser cette dépendance. L'omission dans G, VII, 3, 29-30 *Petro—communicare* s'explique par un saut de ligne du copiste. Le mot *communicare* est répété dans le texte de C à la ligne suivante. Le copiste de G, ayant écrit une première fois le mot, poursuit sa lecture de C en copiant le texte à partir du second *communicare* qui se trouve dans C exactement à la même place, en début de ligne que dans G. Nous avons ici un exemple d'une omission de G due à une mauvaise lecture de C.

L'omission dans G, VII, 5, 48-49 *pacificos—infatuatos esse* nous paraît plus probante encore.

Tandis que C donne :

> ut dicant **fatuos factos esse** pacificos et parentes suos de dissensione **infatuatos esse in tellegere** noluerunt

Nous trouvons dans G :

> ut dicant fatuos **factos esse in tellegere** noluerunt

L'omission dans G s'explique par le rapprochement *fatuos factos esse* et *infatuos esse* ; le copiste a repris sa lecture à la ligne suivante, l'erreur ayant été favorisée par la place de *esse* à la fin de la ligne, avec la même nécessité pour G de couper le mot *intellegere.*

Nous pouvons conclure de cette enquête que G est une copie probablement directe de C avant la mutilation de ce manuscrit. Nous avons la preuve, s'il en était besoin, que C présentait, à son origine, les sept livres d'Optat, comme en témoigne G, augmentés du dossier sur le donatisme que G ne nous a pas transmis. C est donc un témoin précieux.

PCG P ne nous transmet que les deux premiers livres du traité, mais sa parenté avec G est suffisamment démontrée par le nombre de leçons ou fautes communes. Cependant, chaque manuscrit se caractérise par des erreurs qui lui sont propres, ce qui ne nous autorise pas à supposer une dépendance de G par rapport à P. Tous deux procèdent donc d'un même archétype sans qu'il soit possible de préciser davantage.

La filiation de G par rapport à C d'une part, la parenté de G avec P d'autre part, nous invitent naturellement à conclure à l'existence d'un ancêtre commun à P et à C, bien qu'aucun passage ne permette de confronter directement ces deux manuscrits.

Le fait que P donne les arguments des sept livres dans la préface du livre I (folios 243-244) atteste que P procède d'un archétype qui contenait les sept livres et peut-être le dossier que seul C nous a transmis. Nous le désignerons par le sigle β. Le groupe PCG constitue donc un ensemble remarquable par sa complémentarité puisqu'il permet de reconstituer l'intégralité de l'œuvre — ou presque, le dossier de C étant lui-même incomplet.

Nous proposerons donc le stemma suivant :

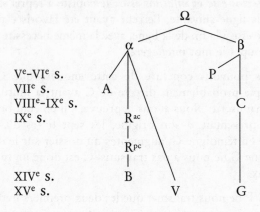

V^e-VIe s.
VIIe s.
VIIIe-IXe s.
IXe s.

XIVe s.
XVe s.

2. LE PROBLÈME DES DEUX ÉDITIONS

Nous allons maintenant analyser le difficile problème des deux éditions que plus de cent ans de critique depuis l'édition de Ziwsa ont considérablement compliqué.

Nous avons admis, pour des raisons sur lesquelles nous ne reviendrons pas, deux étapes dans l'élaboration du traité. Optat a d'abord rédigé six livres, il a ensuite augmenté son ouvrage d'un septième livre pour répondre aux attaques que celui-ci avait suscitées. Nous rappellerons simplement le caractère très hétérogène de ce livre VII, qui atteste que l'œuvre est restée inachevée et que certains passages ne sont que des suppléments destinés à être insérés dans les livres précédents. C'est ce manque d'unité qui nous a fait admettre l'authenticité des passages donnés par le seul *Tilianus*, comme témoignage des additions et remaniements successivement opérés.

Si Optat a remanié — et probablement à plusieurs reprises — son ouvrage, il est naturel qu'un certain désordre règne dans la tradition manuscrite, puisque celle-ci transmet un texte qui n'a jamais été définitivement fixé par son auteur.

Comme l'*editio princeps* (v) que Cochlaeus avait établie à partir du seul *Cusanus* (V) ne présentait que six livres, Ziwsa, qui n'avait pu consulter ce manuscrit, avait conclu qu'il était le témoin de la première édition par Optat en six livres. Les inexactitudes de son apparat critique ne l'ont pas empêché de distinguer, à juste titre, deux familles de manuscrits : ARB et PCG. Comme la parenté du groupe ARB avec v ne pouvait lui échapper, il a été amené à faire de l'ensemble ARBV le témoin de la première édition en six livres et du groupe PCG le représentant de l'édition remaniée en sept livres. C'était faire peu de cas du fait que, dans le groupe ARBV, trois manuscrits sur quatre ont transmis le livre VII : A par ses fragments, R dans son intégralité ou presque, B par copie de R.

Dès lors une confusion extrême s'est instaurée dans la critique de la tradition manuscrite d'Optat. A. Wilmart, qui accepte la thèse des deux éditions, affirme que « G est le seul témoin de ce qu'on est convenu d'appeler — non sans raison — la seconde édition du traité, une édition revue et augmentée », et que R et B sont « les manuscrits de l'édition en six livres, l'archétype du groupe ayant admis, sous forme d'addition le livre supplémentaire de la révision ». Mais il ajoute par ailleurs : « Une collation précise du *Cusanus* est désirable. Une particularité de ce manuscrit est qu'il omet le septième livre ; on pourrait donc supposer qu'il est le témoin *pur* de la première édition en six livres. J'incline à croire que cette omission du septième livre n'existait pas dans l'archétype du Cusanus, et qu'il n'y a pas lieu de faire une place à part à ce manuscrit dans le groupe RB [1]. »

Ainsi, on se trouverait devant deux familles de manuscrits dont les archétypes auraient tous deux transmis le livre VII.

---

1. WILMART₂, *Itoria*, p. 75.

Or, si le livre VII n'est plus le critère sur lequel on peut se fonder pour distinguer les deux éditions, comment s'assurer que le texte transmis par l'une ou l'autre famille est celui de la première ou de la deuxième édition ? Petschenig, puis Blomgren ont si bien vu le caractère hasardeux de cette entreprise qu'ils ont su gré à Ziwsa de ne pas avoir essayé de présenter séparément l'un ou l'autre texte mais d'avoir rendu compte dans son édition de l'intégralité de la tradition manuscrite, en choisissant ses leçons dans l'une ou l'autre famille [1].

La prudence de Ziwsa, que nous imiterons volontiers, laissait cependant dans l'ambiguïté le problème des deux éditions. Les deux familles de manuscrits sont-elles les témoins des deux éditions du traité par Optat ?

Nous allons tenter d'apporter quelques éléments qui pourraient éclaircir cette question. Si l'on admet, par hypothèse, que l'archétype du groupe ARBV a transmis le texte de la première édition en six livres, nous devons définir les critères qui permettent de le vérifier. Le livre VII ne faisant pas partie de cette première édition, le témoignage de A ne nous est d'aucun secours, puisqu'il ne contient que quelques fragments de ce livre. B peut être négligé comme copie de R. Nous devrons également écarter tout ce qui est commun aux deux groupes RV et PCG : l'annonce du plan en six livres (I, 7), par exemple, n'est pas une marque d'originalité puisqu'on la retrouve exactement transcrite dans P et G. Ainsi délimitée, la tâche ne paraît pas insurmontable. Il suffit de consulter l'apparat critique que nous avons établi. Que constate-t-on ? Les différences entre les leçons données par R et V d'une part et PCG d'autre part portent le plus souvent sur une lettre ou un mot. L'ensemble du texte établi à partir du groupe RV resterait très proche de l'ensemble

1. Petschenig[2], *Besprechung*, p. 458 ; S. Blomgren, « Ad Optatum Mileuitanum adnotationes », *Eranos*, 36 (1938), p. 86.

PG puis CG, sans différence notable. Parmi les omissions ou additions, nous n'en trouvons aucune qui soit significative et qui puisse attester que la leçon donnée par R et V est celle de la première édition.

Les six livres, composés vers 366-367, ont été remaniés plusieurs années plus tard, à l'occasion de la seconde édition. Existerait-il dans PCG des témoignages qui n'apparaîtraient pas dans RV ? En fait, la liste des évêques de Rome, qui devait nécessairement s'arrêter à Damase dans la première édition, mentionne Sirice (384-399) dans R et V, comme dans P et G. Plus étonnant encore, si l'on admet la thèse de Ziwsa, la liste des évêques donatistes de Rome, complète jusqu'à Claudianus (375) dans R et V, s'arrête à Macrobe, contemporain de la première édition dans... P !

Ces quelques observations nous amènent à rejeter l'hypothèse émise par Ziwsa, car elle n'est étayée par aucune preuve. Nous pensons que Ziwsa a été induit en erreur par le fait que l'*editio princeps* donnée d'après le seul *Cusanus* (V) ne présentait que les six premiers livres. Il a légitimement pu supposer que le *Cusanus* pouvait être le témoin de la première édition en six livres par Optat. La distinction très nette qui apparaît entre les deux familles de manuscrits l'a amené à tirer les conclusions que nous avons vues.

En fait, toute la tradition manuscrite du traité d'Optat procède de deux archétypes très proches qui tous deux ont transmis l'édition remaniée en sept livres. Nous pouvons affirmer que dans l'archétype β figurait le dossier que seul C nous a transmis. Il est intéressant de noter que ce dossier, auquel Optat fait référence dans le livre I à plusieurs reprises a pu faire partie de la première édition. Enfin, non seulement nous ne pensons pas que R et V puissent être les témoins de la première édition, mais nous constatons, au contraire, que, pour l'ensemble des manuscrits que nous possédons, le groupe ARBV rend compte de l'étape, sinon ultime, du moins la plus tardive dans le remaniement de l'ouvrage.

Nous avons déjà remarqué que le passage qui se trouve en III, 12, 1-36 dans R et V est répété dans R au livre VII. Nous y voyons la marque d'un remaniement déjà opéré dans le livre III. Les derniers chapitres du livre VII étant destinés à venir renforcer l'argumentation des six premiers, nous constatons que ce passage a déjà trouvé sa place dans R, alors qu'il ne se trouve encore qu'au livre VII dans C et G.

Le Tilianus

Nous terminerons par une remarque qui vient confirmer l'hypothèse que nous avons émise au sujet des passages contestés du livre VII dont nous avons admis l'authenticité.

Alors que l'argument du livre VII donne dans C et G : [...] *graue peccatum habuisse qui necessitate non uoluntate peccauerint bono unitatis,* on trouve dans A et R : [...] ***non graue peccatum habuisse qui necessitate non uoluntate peccauerint bono unitatis etiam tales in communione recipi potuisse*** (*potuissent* A).

L'argument de A et R annonce très précisément les passages contestés du livre VII dont le premier commence par : *etiam et ipsi ab ecclesia non fuerant repellendi in quibus necessitas **excusauerat** uoluntatem* (VII, 1, 26-27), et dont le second s'achève par : *quis illos **suam communionem non intrepide accepisset** ubi ut dictum est peccauerat necessitas non uoluntas ?* (VII, 1, 291-293). Ainsi peut-on vérifier, par l'intermédiaire de l'archétype α, l'authenticité des passages dans lesquels Optat affirme que les traditeurs eux-mêmes auraient pu être accueillis dans l'Église. Ces pages ont été reproduites par Baudouin dans sa deuxième édition (1569) d'après le *Tilianus,* manuscrit procuré par l'évêque de Meaux et depuis longtemps disparu. Dans l'édition de Baudouin, ces passages se trouvent insérés à divers endroits du livre VII, et nous les trouvons encore à la même place dans l'édition de Gabriel de l'Aubépine (1631) que nous avons utilisée. Nous savons par ailleurs que le *Tilianus* omettait la dernière partie du livre VII, sans qu'il soit possible de préciser davantage. Il est permis de penser que le *Tilianus* portait la marque d'un remaniement tardif et d'une tentative très maladroite de mise en place des additions présentées à la fin du livre VII. Toutes ces additions figuraient dans l'ancêtre commun à α et β, c'est-à-dire dans le texte original d'Optat. Mais, de même que les *Gesta apud Zenophilum* et autres documents officiels n'ont pas toujours été transmis (seul C les reproduit), de même le livre VII, sans doute à cause de son état disparate et inachevé, a été soit incomplètement transcrit (c'est le cas pour les manuscrits que nous possédons encore), soit omis (comme dans V).

Ainsi, la tradition manuscrite du traité contre les donatistes d'Optat de Milève nous a transmis une œuvre remaniée et inachevée, dont nous avons pu suivre la genèse avec assez de précision. Les différents manuscrits qui nous sont parvenus nous permettent, grâce à leur complémentarité, de reconstituer le dernier état du texte remanié. C'est donc vers cette synthèse que nous avons fait porter nos efforts, suivant en cela l'exemple de Ziwsa lui-même, car nous pensons qu'il serait vain de vouloir effectuer un partage qui ne ferait que morceler une œuvre que la tradition manuscrite nous présente, pour des raisons diverses, mutilée ou fragmentaire.

3. ÉDITIONS ET TRADUCTIONS

Editio princeps, par J. Cochlaeus, Mayence 1549.
Édition de F. Baudouin, Paris 1563 et 1569.
Édition de Casaubon, Londres 1631.
Édition de Gabriel de l'Aubépine, Paris 1631.
Édition de Dupin, Paris 1700 ; Amsterdam 1701 ; Anvers 1702 (reproduite par Migne, *PL* 11, 883 s.).

Il n'existe aucune traduction française du traité contre les donatistes d'Optat de Milève, si ce n'est :

L'histoire du schisme, blaspheme, erreurs, sacrileges, homicides, incestes et autres impietes des Donatians, escrite premierement en latin par Optat, evesque milevitain et aujourd'huy mise en nostre langue française par M. Pierre VIEL, *Préface* de François BAUDOUIN, Paris 1564 et 1597.

Nous avons pu consulter cette traduction, dont le texte paraît, en maints endroits, plus obscur, pour un lecteur moderne, que le texte latin original.

Il existe une traduction anglaise de l'œuvre d'Optat : *The Work of St. Optatus against the Donatists with Appendix, Translated into English with Notes by* O.R. VASSALL-PHILLIPS, Londres 1917.

Une traduction italienne du traité a été donnée : *La vera Chiesa, Ottato di Milevi,* introd., trad. e note a cura di Lorenzo DATTRINO, *Collana di testi patristici,* 71, Città nuova ed., Rome 1988.

4. L'APPARAT CRITIQUE

Nous avons établi le texte latin à partir des manuscrits ARBV PCG, que nous avons collationnés. Nous signalons toutes les leçons qui diffèrent du texte que nous proposons dans un apparat critique négatif : le manuscrit qui n'est pas mentionné donne la leçon du texte. Ainsi, lorsque nous indiquons une leçon avant ou après correction, la leçon qui n'est pas signalée est toujours celle du texte : L'unité critique ‖ *idolum : idolus* R [ac] ‖ doit se lire : R donne *idolus* avant correction, mais *idolum* (la leçon du texte) après correction.

Nous avons choisi de donner toutes les variantes orthographiques des noms propres. Il n'en va pas de même pour les autres mots.

Une des particularités de R étant la confusion très courante entre le *s* et le *r*, nous avons négligé cette variante, sauf lorsque nous devons signaler la leçon pour un autre motif : ‖ *partis : pastes* R ‖. Il en est de même pour B, dans lequel la graphie en *s* est cependant beaucoup moins fréquente.

Dans l'apparat critique, la leçon signalée pour une autre particularité conserve toujours et sans exception la graphie exacte du manuscrit : ‖ suprascriptorum : super scribtorum P ‖ schisma : scismata G ‖.

Les différences orthographiques étant peu nombreuses, nous avons pu faire figurer les variantes qui ont un caractère ponctuel, en écartant les constantes (*scisma/ schisma, scriptura/ scribtura, ecclesiae/ ecclesie, conlatio/ collatio, inpie/ impie*), et nous avons pu ainsi constater une grande homogénéité dans nos manuscrits.

Dans un souci de clarté et d'uniformité, nous avons cependant adopté l'orthographe communément admise dans le dictionnaire Blaise-Chirat, notamment pour les formes à préfixe, dont les variantes ne nous paraissent pas significatives.

Chaque fois que nous nous écartons de l'édition de Ziwsa, nous le signalons dans l'apparat critique par le sigle z. Pour le livre VII, nous avons également fait figurer le témoignage de l'édition de Gabriel de l'Aubépine (1631) qui nous paraît précieux puisqu'il reproduit les passages que seul le *Tilianus*, depuis longtemps disparu, nous avait transmis. Nous avons désigné cette édition du sigle g.

Enfin, nous citons les manuscrits dans un ordre constant, qui respecte la chronologie et la distinction des deux familles : PCG ARBV.

SIGLES

AB   : Analecta Bollandiana, Bruxelles.

ACW : Ancient Christian Writers, New York-Mahwah (NJ).

BA   : Bibliothèque Augustinienne, Paris.

CCSL : Corpus Christianorum, Series Latina, Turnhout.

CSEL : Corpus Scriptorum Ecclesiasticorum Latinorum, Vienne.

CUF : Collection des Universités de France, Les Belles Lettres, Paris.

DACL : Dictionnaire d'Archéologie Chrétienne et de Liturgie, Paris.

DECA : Dictionnaire Encyclopédique du Christianisme Ancien, Paris.

DSp   : Dictionnaire de Spiritualité, Paris.

DTC   : Dictionnaire de Théologie Catholique, Paris.

GCS   : Die Griechischen Christlichen Schriftsteller der ersten (drei) Jahrhunderte, Berlin-Leipzig.

JThS : Journal of Theological Studies, Oxford.

LHS   : Leumann-Hofmann-Szantyr, Lateinische Grammatik, t. 2 : Lateinische Syntax und Stilistik, Munich 1965.

PG   : Patrologia Graeca (J.-P. Migne), Paris.

PL   : Patrologia Latina (J.-P. Migne), Paris.

PLS   : Patrologiae Latinae Supplementum (A. Hamman), Paris.

PW : PAULY-WISSOWA-KROLL, Realencyclopädie
der classischen Altertumswissenschaft, Stuttgart.

RBén. : Revue Bénédictine, Maredsous.

REL : Revue des Études Latines, Paris.

RHR : Revue de l'Histoire des Religions, Paris.

RecSR : Recherches de Science Religieuse, Paris.

RevSR : Revue des Sciences Religieuses, Strasbourg.

SC : Sources Chrétiennes, Paris.

TLL : Thesaurus Linguae Latinae, Munich.

TU : Texte und Untersuchungen zur Geschichte
der altchristlichen Literatur, Leipzig.

BIBLIOGRAPHIE

N.B. — Dans les abréviations bibliographiques, le chiffre en indice après le nom de l'auteur indique dans quelle partie de la bibliographie (1, 2, 3 ou 4) se trouve le titre complet de l'œuvre en question.

1. Sources
2. Études sur Optat
3. Aspects historiques
4. Aspects théologiques

1. SOURCES

Actes de la conférence de Carthage en 411, 4 t., éd. S. Lancel, *SC* 194, 195, 224, 373, Paris 1972-1991 : *Capitula gestorum* (= *Capit.*), *SC* 195, p. 423-556 ; *Gesta conlationis Carthaginiensis* (= *Gesta*), *SC* 195 et 224, p. 559-1240.

AMBROISE, *De obitu Valentiniani*, éd. Faller, *CSEL* 73, Vienne 1955.

—, *Epistolae*, *PL* 16, 875-1286.

AMMIEN MARCELLIN, *Rerum gestarum libri* (*CUF*) : livres XIV-XVI, éd. E. Galletier et J. Fontaine, 1968 ; livres XVII-XIX, G. Sabbah 1970.

Appendix decem monumentorum ueterum ad Donatistarum historiam pertinentium : *I. Gesta apud Zenophilum* ; *II. Acta purgationis Felicis episcopi Autumnitani* ; *III. Epistula Constantini ad Aelafium* ; *IV. Concilium episcoporum Arelatense ad Siluestrum papam* ; *V. Epistula Constantini ad episcopos catholicos* ; *VI. Epistula Constantini ad episcopos partis Donati* ; *VII. Epistula*

Constantini ad Celsum uicarium Africae ; *VIII. Epistula praef. praet. Petronii ad Celsum* ; *IX. Epistula Constantini ad catholicam* ; *X. Epistula Constantini de basilica catholicis erepta*, CSEL 26, Vienne 1893 (Ces textes sont présentés, édités et traduits dans MAIER₃, *Dossier*).

AUGUSTIN, *Traités anti-donatistes* :

1. *Psalmus contra partem Donati (= Psalm. c. Don.). Contra epistulam Parmeniani libri tres (= C. Parm.). Epistula ad catholicos de secta donatistarum (= Epist. ad cath.)*, BA 28, Paris 1963.

2. *De Baptismo libri VII (= Bapt.)*, BA 29, Paris 1964.

3. *Contra litteras Petiliani libri tres (= C. Petil.)*, BA 30, Paris 1967.

4. *Contra Cresconium libri IV (= C. Cresc.). De unico baptismo (= Un. bapt.)*, BA 31, Paris 1968.

5. *Breuiculus collationis cum donatistis (= Breu. coll.). Ad donatistas post collationem (= Ad donatistas post coll.). Sermo ad Caesariensis ecclesiae plebem. Gesta cum Emerito donatistarum episcopo. Contra Gaudentium donatistarum episcopum libri duo*, BA 32, 1965.

—, *De ciuitate Dei*, BA 33, 34, 35, 36, 37, Paris 1959-1960.

—, *Sermones*, PL 38 et 39.

—, *De doctrina christiana*, PL 34, BA 11, Paris 1949 et CCSL 32, Turnhout 1962.

CLÉMENT DE ROME, *Épître aux Corinthiens*, éd. A. Jaubert, SC 167, Paris 1971.

CYPRIEN, *De ecclesiae unitate (= Eccl. unit.)*, éd. P. de Labriolle, *Unam Sanctam*, 9, Paris 1942 ; *De lapsis and De ecclesiae catholicae unitate*, Text and Traduction by M. Bévenot, Oxford 1971 ; éd. M. Bévenot, CCSL 3, Turnhout 1972 (avec *Ad Quirinum* et *Ad Fortunatum*).

—, *Correspondance*, 2 t. (texte et traduction), éd. Bayard, CUF, 2ᵉ éd., Paris 1962 ; *The Letters of St. Cyprian of Carthage*, translated and annoted by G.W. Clarke, t. 1 : *Letters 1-27* (ACW 43), New York-Mahwah (NJ), 1984 ;

t. 2 : *Letters 28-54* (*ACW* 44), 1984 ; t. 3 : *Letters 55-66* (*ACW* 46), 1986 (bibliographie, p. 128) ; t. 4 : *Letters 67-82* (*ACW* 47), 1989 (bibliographie, p. 113).

EUSÈBE DE CÉSARÉE, *Histoire ecclésiastique,* éd. G. Bardy, *SC* 31, 41, 55 et 73, Paris 1952-1960 (= *H. E.*).

FULGENCE DE RUSPE, *Ad Monimum, PL* 65 et *CCSL* 91, Turnhout 1968.

HONORIUS D'AUTUN, *De scriptoribus ecclesiasticis, PL* 172.

IRÉNÉE DE LYON, *Aduersus haereses,* éd. A. Rousseau et L. Doutreleau (I), *SC* 263 et 264, Paris 1979 ; (II), *SC* 293 et 294, Paris 1982 ; (III), *SC* 210 et 211, Paris 1974 ; (IV), *SC* 100, Paris 1965 ; (V), *SC* 152 et 153, Paris 1969.

JÉRÔME, *De uiris illustribus,* éd. Richardson, *TU* 14, 1, 1896.

LACTANCE, *De mortibus persecutorum,* éd. J. Moreau, *SC* 39, Paris 1954.

Passio ss. Maximae, Secundae et Donatillae, AB 9 (1890), p. 110-116.

Passio s. Felicis, éd. H. Delehaye, *AB* 39 (1921), p. 241-276.

Passio ss. Siriaci et Paulae, éd. B. de Gaiffier, *AB* 60 (1942), p. 2-15.

Passio sanctae Crispinae, éd. Franchi de Cavalieri (*Studi e Testi,* 9), Vatican 1902, Nuove note agiografiche, p. 32-35.

Passio sanctorum Datiui, Saturnini presbyteri et aliorum, éd. Franchi de Cavalieri (*Studi e Testi,* 65), Vatican 1935, Note agiografiche 8, p. 3-71.

Passio Marculi, PL 8, 760-766.

Passio Maximiani et Isaac, PL 8, 767-774.

TERTULLIEN (= TERT.), *De praescriptione haereticorum,* éd. R. F. Refoulé, *SC* 46, Paris 1957 (= *Praes.*).

—, *Aduersus Marcionem,* ed. and transl. by Ernest Evans, Oxford 1972 ; éd. R. Braun, *SC* 365, 368 et 399, Paris 1990-1994 (= *Marc.*).

—, *Aduersus Valentinianos,* éd. J.-C. Fredouille, *SC* 280 et 281, Paris 1980-1981 (= *Val.*).

—, *De carne Christi*, éd. J.-P. Mahé, *SC* 216 et 217, Paris 1975 (= *Carn.*).

—, *De baptismo*, éd. R. F. Refoulé, *SC* 35, Paris 1952 (= *Bapt.*).

TYCONIUS, *Regulae, PL* 18, 15-66 ; éd. Burkitt, *Texts and Studies*, III, l, Londres 1894.

ZOSIME, *Historia noua*, éd. Mendelssohn, Teubner, Leipzig 1887.

2. ÉTUDES SUR OPTAT

ALTANER B., *Patrologie*, 8 ᵉ éd., Freiburg-Basel-Wien 1978, p. 371-372.

AMANN E., art. « Optat », *DTC* 11 (1931), col. 1077-1084.

BALDWIN O., *Peasant Revolt in Africa in the Late Roman Empire* (témoignage d'Optat), *Nottingham Mediaeval Stud.*, 6 (1961), p. 3-11.

BATIFFOL P., *Le catholicisme de saint Augustin*, I, Paris 1920, p. 77-108.

BARDENHEWER O., *Geschichte der altkirchlichen Literatur*, t. 3, 2ᵉ éd., Freiburg 1923, p. 491-495.

BAYNES N. H., « Optatus », *JThS* 26 (1925), p. 37-44 et 404-406.

BLOMGREN S., « Ad Optatum Mileuitanum adnotationes », *Eranos, Acta philologica Suecana*, Göteborg, 37 (1939), p. 85-120.

—, *Eine Echtheitsfrage bei Optatus von Mileve* (*Acta academiae regiae scientiarum Upsaliensis*, 5), Stockholm 1959 (= BLOMGREN₂, *Echtheitsfrage*).

—, « Spicilegium Optatianum », *Eranos*, 63 (1960), p. 132-141.

BONOME E., *La chiesa sposa e le doti in Ottato Milevitano*, Rome 1943.

BOSIO G., *Iniziazione ai Padri*, II, Torino 1964, p. 215-227.

—, art. « Santo Ottato, vescovo di Milevi », *Bibliotheca sanctorum* (Istituto Giovanni XXIII della Pontificia Università Lateranense), 9 (1967), col. 1307-1312.

CAPELLE B., « Optat et Maximin », *RBén.* 35 (1923), p. 24-26.

CRESPIN R., *Ministère et sainteté. Pastorale du clergé et solution de la crise donatiste dans la vie et la doctrine de saint Augustin* (*Études Augustiniennes*, 22), Paris 1965 (sur Optat : p. 15. 23. 30. 32. 35. 50. 90. 213. 270. 271. 273. 282).

DATTRINO L., *La vera Chiesa, Ottato di Milevi*, int., trad. e note a cura di L. Dattrino (*Collana di testi patristici*), Città nuova ed., Rome 1988.

—, « Il battesimo e l'iniziazione cristiana in Ottato di Milevi », *Rivista di Arceologia Cristiana*, 66 (1990), p. 81-100.

DIESNER H. J., « Volk und Volksaufstände bei Optatus von Mileve », dans *Kirche und Staat im spätrömischen Reich. Aufsätze zur Spätantike und zur Geschichte der alten Kirche*, Berlin 1963, p. 17-21.

DINKLER E., *s.v.* « Optatus Afer », *PW*, Hbd 35 (1939), col. 765-772.

DÖLGER F. J., « Ein Taufwasser-Weihegebet bei Optatus von Mileve ? », dans *Antike und Christentum. Kultur — und religionsgeschichtliche Studien*, t. 5, Münster 1936, p. 281-282.

EMONDS H., *Zweite Auflage im Altertum. Kulturges-chichtliche Studien zur Ueberlieferung der antiken Literatur* (*Klass.-Philologische Studien*, 14), Leipzig 1941, p. 72-82.

ENO R. B., « The Work of Optatus as a Turning Point in the African Ecclesiology », *The Thomist*, Washington, 37 (1973), p. 668-685 (= ENO₂, *Work*).

GOŁDA A., « Les mots *fides* et *fidelis* chez Optat de Milève » (en pol. avec résumé en français), *Roczniki Teologiczno-Kanoniczne*, Lublin, 19 (1972), p. 172-180.

LABRIOLLE P. DE, *Histoire de la littérature chrétienne*, Paris 1947, p. 428-429.

LABROUSSE M., art. « Optat de Milève », *DSp* 11 (1982), col. 824-830.

MAŁUNOWICZÓWNA L., « Signification du mot *sacramentum* chez saint Optat de Milève » (en pol. avec résumé en français), *Roczniki Teologiczno-Kanoniczne*, Lublin, 19 (1972), p. 163-171.

MANDOUZE A., art. « Optatus 1 », *Prosopographie chrétienne du Bas-Empire*, t. 1 : *Afrique (303-533)*, Paris 1982, p. 795-797.

MANITIUS M., *Bemerken zur römischen Literaturgeschichte* (*Philologische Wochenschrift*), Leipzig 1932 (l'œuvre d'Optat se trouvait encore à Corbie au XIᵉ s.).

MARCELLI P., « La simbologia delle doti della Chiesa in Ottato di Milevi : problemi e significato », *Studi e Materiali di Storia delle Religioni*, 14 (1990), p. 219-244.

MAZUCCO Clementina, « La pace come unità della Chiesa e le sue metafore in Ottato di Milevi », *Civiltà Classica e Cristiana*, 12 (1991), p. 173-211.

—, *Ottato di Milevi in un secolo di studi : problemi e prospettive*, Università degli studi di Torino, Bologne 1993.

MICHAUD E., « La théologie d'Optat de Milève d'après son *De schismate donatistarum* », *Revue internationale de Théologie*, 16 (1908), p. 238-255.

MONCEAUX P., « Sur la date du traité de saint Optat contre les donatistes (fin 366) », *Comptes rendus de l'Académie des inscriptions et belles-lettres*, Paris 1913, p. 450-453.

—, « Saint Optat et les premiers écrivains donatistes », dans *Histoire littéraire de l'Afrique chrétienne*, t. 5, Paris 1920.

MORIN G., *S. Aureli Augustini tractatus siue sermones inediti*, Kempten-Munich 1917, p. 170-178 (Sermon pour la fête de Noël attribuable à Optat de Milève).

NASHE, « Conuenerunt in domum Faustae in Laterano s. Optati Mileuitani, I, 23 », *Römische Quartalschrift für christliche Altertumskunde und für Kirchengeschichte*, Freiburg, 71 (1976), p. 1-21.

152 BIBLIOGRAPHIE, 2

PETSCHENIG M., « Besprechung der Ausgabe Ziwsas »,
Berliner philologischen Wochenschrift, 14 (1894), p. 457-
463 (= PETSCHENIG$_2$, *Besprechung*).

PINCHERLE A., « Un sermone donatista attribuito a
S. Ottato di Milevi », *Bilychnis,* 22 (1923), p. 134-148.

—, « L'ecclesiologia nella controversia donatista », *Ricerche
religiose,* 1 (1925), p. 34-55 (= PINCHERLE$_2$, *Ecclesiologia*).

—, « Due postille sul donatismo », *Ricerche religiose,* 18
(1947), p. 160-164 (à propos d'un sermon attribué à saint
Optat).

—, « Noterelle ottazianee », *Cristianesimo antico e
moderno,* Rome 1956, p. 70-76.

RATZINGER J., *Volk und Haus Gottes in Augustins Lehre
von der Kirche,* Münich 1954, p. 44-123.

ROMERO POSE E., « Ticonio y el sermón *In natali sanctorum innocentium (exégesis de Mt 2)* », *Gregorianum,* 60
(1979), p. 513-544 (ce sermon a été attribué à Optat de
Milève).

ŠAGI-BUNIČ T., « Controuersia de baptismate inter Parmenianum et s. Optatum Mileuitanum », *Laurentianum,*
Rome, 3 (1962), p. 167-209.

SAXER V., « Un sermon médiéval sur la Madeleine. Reprise
d'une homélie antique pour Pâques attribuable à Optat de
Milève », *RBén.* 80 (1970), p. 17-50.

SCHANZ M.-HOSIUS C.-KRÜGER G., *Geschichte der römi-
schen Literatur,* vol. 4 : *Die römische Literatur von
Constantin bis zum Gesetzgebungswerk Justinians,* t. 1,
Munich 1970, p. 390-394.

SCORZA BARCELLONA F., art. « Donatisme », *DECA* 2
(1990), p. 1808-1810.

SILVESTRE H, « Trois sermons à retirer définitivement de
l'héritage d'Optat de Milève », *Proceedings of the African
Classical Association,* 7 (1964), p. 61-62.

SIMONETTI M., *s.v.* « Optat », dans A. DI BERARDINO,
Patrologie, t. 4, Paris 1986, p. 173-178.

TIXERONT J., *Histoire des dogmes*, II, Paris 1909, p. 300-302.

TURNER C. H., « Aduersaria Critica. Notes on the Anti-Donatist Dossier and on Optatus Books I, II », *JThS* 27 (1926), p. 288-296 (= TURNER₂, *Aduersaria critica*).

VANNIER O., « Les circoncellions et leurs rapports avec l'Église donatiste d'après le texte d'Optat », *Revue Africaine*, 67 (1926), p. 13-28.

VASSALL-PHILLIPS O. R., *The Work of St Optatus, Bishop of Milevis, against the Donatists*, transl. into engl. with notes by O. R. Vassall-Phillips, Longmanns, 35, Londres 1917 (= VASSALL-PHILLIPS₂, *Optatus*).

VEER A. C. DE, « A propos de l'authenticité du livre VII d'Optat de Milève », *Revue des Études Augustiniennes*, 7 (1961), p. 389-391 (= DE VEER₂, *Authenticité*).

VILLETTE L., « La théologie sacramentaire de saint Optat de Milève », dans *Foi et sacrements*, t. 1 : *Du Nouveau Testament à saint Augustin*, Paris 1959.

VISHER L., *Basilius der Grosse*, Bâle 1953 (« Excursus on Optatus », p. 72-85).

WILLIS G., *Saint Augustine and the Donatist Controversy*, Londres 1950 (bilan de ce qu'Augustin doit à Optat : p. 23-25 et 172 s.).

WILMART A., « Itoria. Note sur le traité d'Optat I, 1 », *JThS* 19 (1918), p. 73-78 (= WILMART₂, *Itoria*).

—, « Un sermon de saint Optat pour la fête de Noël », *RevSR* 2 (1922), p. 271-302.

—, « Un prétendu sermon pascal de saint Augustin », *RBén.* 41 (1929), p. 197-203.

3. ASPECTS HISTORIQUES

ALEXANDER J. S., « The Motive for a Distinction between Donatus of Carthage and Donatus of Casae Nigrae », *JThS* 31 (1980), p. 540-547.

AMANN E., « Le donatisme » (comptes rendus d'ouvrages), *RevSR* 4 (1924), p. 296-323.

BARNES T. D., « The Beginnings of Donatism », *JThS* 26 (1975), p. 13-22.

BATIFFOL P., *L'Église naissante et le catholicisme*, Paris 1909.
—, *La paix constantinienne et le catholicisme*, Paris 1914.

BALDWIN B., *Peasant Revolt in Africa in the Later Roman Empire* (*Nottingham Mediaeval Studies*, 18), Göteborg 1964.

BEAVER R. P., « The Donatist Circumcellions », *Church History*, 4 (1935), p. 123-133.

BIRLEY A. R., « Some Notes on the Donatist Schism », *Libyan Studies*, 18 (1987), p. 29-41.

BRISSON J.-P., *Autonomisme et christianisme dans l'Afrique romaine de Septime Sévère à l'invasion vandale*, Paris 1958 (= BRISSON₃, *Autonomisme et christianisme*).

BROWN P. R. L., « Religious Dissent in the Later Roman Empire : The Case of North Afrika », *History*, Londres, 46 (1961), p. 83-101.

CHAPMAN J., « La chronologie des premières listes épiscopales de Rome », *RBén*. 19 (1902), p. 13-37, 145-170.

CHAPON A., *Le donatisme : expression d'un phénomène d'acculturation*, Institut Protestant de Théologie, Paris 1989.

CHASTAGNOL A., « Les consulaires de Numidie », dans *Mélanges d'archéologie et d'histoire offerts à J. Carcopino*, Paris 1966, p. 215-228.

COLEMAN-NORTON P. R., *Roman State and Chistian Church. A Collection of Legal Documents to A.D. 535*, 3 vol., Londres 1966.

COURTOIS C., *Les Vandales et l'Afrique*, Paris 1955.

DANIÉLOU J. et MARROU H.-I., *Nouvelle histoire de l'Église*, t. I : *Des origines à saint Grégoire le Grand*, Paris 1963 (= DANIÉLOU-MARROU₃).

DECKER D. DE, « La politique religieuse de Maxence », *Byzantion*, 38 (1968), p. 472-562.

DIEHL E., *Inscriptiones latinae christianae ueteres*, éd. E. Diehl, 3 vol., Berlin 1961.

DIESNER H. J., « Die Circumcellionen von Hippo Regius », *Theologische Literaturzeitung*, 35 (1960), p. 497-508.

DI MAIO M., « The Emperor Julian's Edicts of Religious Toleration », *The Ancient World*, Chicago, 20 (1989), p. 99-109.

DÖLGER F. J., *Antike und Christentum. Kultur — und religionsgeschichtliche Studien*, 6 vol., Münster 1929-1950.

—, « Das Kultvergehen der Donastitin Lucilla von Karthago. Reliquienku vor dem Ku der Eucharistie. Martyrerreliquie als Schutzanhängsel », dans *Antike und Christentum*, 3, Münster 1932, p. 245-252.

Donatisme (article), *DACL* IV, 2 (1921) : H. LECLERCQ, « Institutions », col. 1457-1472 ; F. MARTROYE, « Législation répressive », col. 1472-1487 ; H. LECLERCQ, « Épigraphie », col. 1487-1505.

DUCHESNE L., « Le dossier du donatisme », *Mélanges d'archéologie et d'histoire de l'École française de Rome*, 10 (1890), p. 589-650 (= DUCHESNE₃, Donatisme).

—, *Le Liber Pontificalis*, texte, introduction et commentaire, 2 t., 2ᵉ éd., Paris 1955 ; 3ᵉ t., 2ᵉ éd. : Additions et corrections de L. Duchesne, publ. par C. Vogel, Paris 1981.

DUVAL Yvette, « Évêques et évêchés d'Afrique. Ce qu'on en ignore », *Revue des Études Augustiniennes*, 26 (1980), p. 228-237.

—, *Loca sanctorum Africae. Le culte des martyrs en Afrique du IVᵉ au VIIᵉ s. (Collection de l'École française de Rome, 58)*, Paris 1982.

FERRON J., « Circoncellions d'Afrique », *DHGE* 12 (1953), col. 837-839.

FÉVRIER P.-A., « Martyrs, polémique et politique en Afrique (IVᵉ-Vᵉ s.) », *Cahiers d'histoire et de civilisation du Maghreb*, 1 (1966), p. 8-18.

—, « Toujours le donatisme, à quand l'Afrique ? Remarques sur l'Afrique à la fin de l'Antiquité à propos d'un livre de E. Tengström », *Rivista di storia e letteratura religiosa*, Florence, 2 (1966), p. 228-240.

FISCHER J. A., « Das kleine Konzil zu Cirta im Jahr 305 (?) », *Annuarium Historiae Conciliorum*, 18 (1986), p. 281-292.

FREND W. H. C., *The Donatist Church. A Movement of Protest in Roman North Africa*, 3ᵉ éd., Oxford 1983 (= FREND₃, *Donatist Church*).

—, « The *Cellae* of the African Circumcellions », *JThS* 3 (1952), p. 87-89.

—, art. « Donatisme », *DECA* 1 (1990), p. 716-724.

—, art. « Donatismus », *RAC* 4 (1959), p. 128-146.

—, « The *Seniores Laici* and the Origins of the Church in North Africa », *JThS* 12 (1961), p. 280-284.

—, *Martyrdom and Persecution in the Early Church. A Study of a Conflict from the Maccabees to Donatus*, Oxford 1965.

—, « Heresy and Schism as Social and National Movements », dans *Schism, Heresy and Religious Protest*, ed. by Baker (*Studies in Church History*, 9), Cambridge Univ. Pr., XVI, 1972, p. 37-56.

—, « When did the Donatist Schism Begin ? », *JThS* 28 (1977), p. 104-109.

—, « Donatist and Catholic. The Organisation of Christian Communities in the North African Countryside », dans *Popoli e paesi nella cultura altomedievale (23-29 avril 1981)*, (*Sett. di studi del Centro ital. di studi sull'alto medioevo*, 29), Spoleto 1983, p. 601-634.

GAGÉ J., *Les classes sociales dans l'empire romain*, Paris 1964.

GAGIC P., « En Afrique romaine. Classes et luttes sociales, d'après les historiens soviétiques », *Annales*, 12 (1957), p. 650-661.

GAUDEMET J., « La législation religieuse de Constantin », *R. Hist. Égl. France*, 39 (1947), p. 25-61.

—, *L'Église dans l'Empire romain (IVe et Ve siècles)*, Paris, 1958.

—, *Les conciles gaulois du IVe s.*, SC 241, Paris 1977.

—, *Le droit romain dans la littérature occidentale chrétienne du IIIe au Ve siècle*, Milan 1978.

—, *La formation du droit séculier et du droit de l'Église aux IVe et Ve siècles*, 2e éd., Paris 1979.

GESSEL W., « Der nordafrikanische Donatismus », *Antike Welt*, Zürich, 11, 1 (1980), p. 3-16.

GIRARDET K. M., *Kaisergericht und Bischofsgericht. Studien zu den Anfängen des Donatistenstreites (313-315) und zum Prozess des Athanasius von Alexandrien (328-346)* (*Antiquitas*, 21), Bonn 1975.

—, « Die Petition der Donatisten an Kaiser Konstantin (Frühjahr 313). Historische Voraussetzungen und Folgen », *Chiron*, Munich, 19 (1989), p. 185-206.

GRASMÜCK E. L., *Coercitio. Staat und Kirche im Donatistenstreit*, Bonn 1964 (= GRASMÜCK₃, *Cœrcitio*).

GREENSLADE S. L., *Schism in the Early Church*, 2e éd., Londres 1964.

GRÉGOIRE H., *Les persécutions dans l'Empire romain*, 2e éd., Bruxelles 1964.

HARNACK A. VON, *Mission und Ausbreitung des Christentums in den ersten drei Jahrhunderten*, Munich, 4e éd., Leipzig 1924.

HEFELE K. J.-LECLERCQ H., *Histoire des Conciles*, Paris 1907-1939.

HORNUS J. M., *Évangile et Labarum. Étude sur l'attitude du christianisme primitif devant les problèmes de l'État, de la guerre et de la violence*, Genève 1960.

ISICHEI E. A., *Political Thinking and Social Experience. Some Christian Interpretations of the Roman Empire from Tertullian to Salvian*, Canterbury 1964.

JONES A. H. M., « Were ancient heresies national or social movements in disguise ? », *JThS* 10, 2 (1959), p. 280-298.

—, *The Later Roman Empire (284-602). A Social, Economic and Administrative Survey*, 3 vol., Oxford 1964.

—, *Le déclin du monde antique, (284-610)*, Paris 1970 (version abrégée, donnée par l'auteur, du précédent).

—, MARTINDALE J. R., MORRIS J., *The Prosopography of the Later Roman Empire*, t. 1 : *A.D. 260-395*, Cambridge 1971.

JOUANNOU P. P., *La législation impériale et la christianisation de l'Empire romain (311-476)*, (*Orientalia Christiana Analecta*, 192), Rome 1972.

KAJANTO I., *The Latin Cognomina*, Helsinki 1965.

KOTULA T., « Point de vue sur le christianisme nord-africain à l'époque du Bas-Empire », dans *Miscellanea historiae ecclesiasticae, VI : Congrès de Varsovie (25 juin-1er juillet 1978)*, Section I : *Les transformations dans la société chrétienne au IVe siècle* (*Bibliothèque de la RHE*, 67), Bruxelles 1983, p. 116-120 (= KOTULA₃, *Point de vue*).

KRIEGBAUM B., « Zwischen den Synoden von Rom und Arles : die donatistische Supplik bei Optatus », *Archivum Historiae Pontificiae*, 28 (1990), p. 23-61.

LANCEL S., « Les débuts du donatisme, la date du Protocole de Cirta et l'élection épiscopale de Silvanus », *Revue des Études Augustiniennes*, 25 (1979), p. 217-229.

—, « Le dossier du donatisme. A propos du livre de J.-L. MAIER, *Le dossier du donatisme* », *REL* 66 (1988), p. 37-42.

LECLERCQ L., *L'Afrique chrétienne*, 2 vol., Paris 1904.

LEPELLEY C., *L'Empire et le christianisme*, Paris 1969.

—, *Les limites de la christianisation de l'État romain sous Constantin et ses successeurs. Christianisme et pouvoir politique*, Lille 1972.

—, *Les cités de l'Afrique romaine au Bas-Empire*, t. 1 : *La permanence d'une civilisation municipale*, Paris 1979 ; t. 2 : *Notices d'histoire municipale*, Paris 1981.

LORENZ R., « Circumcelliones-Cotopitae-Cutzupitani », *Zeitschrift für Kirchengeschichte*, Stuttgart, 82 (1971), p. 54-59.

MAIER J.-L., *L'épiscopat de l'Afrique romaine, vandale et byzantine* (*Bibliotheca Helvetica Romana*, XI), Genève 1973 (= MAIER₃, *Épiscopat*).

—, *Le dossier du donatisme*, t. 1 : *Des origines à la mort de Constance II (303-361)* ; t. 2 : *De Julien l'Apostat à saint Jean Damascène (361-750)* (*TU* 134-135), Berlin 1987-1989 (= MAIER₃, *Dossier*).

MANDOUZE A., « Encore le donatisme. Problèmes de méthode posés par la thèse de J.-P. BRISSON, *Autonomisme et christianisme dans l'Afrique romaine de Septime Sévère à l'invasion vandale* », *Antiquité classique*, 29 (1960), p. 61-107.

—, « Le donatisme représente-t-il la résistance à Rome de l'Afrique chrétienne tardive ? », dans *Assimilation et résistance à la culture gréco-romaine dans le monde ancien. Travaux du VIᵉ congrès international de la fédération internationale des Associations d'études classiques*, Madrid, septembre 1974, Paris 1976.

—, *Prosopographie chrétienne du Bas-Empire*, t. 1 : *Afrique (303-533)*, Paris 1982 (= MANDOUZE₃, *Prosop.*).

—, « Le mystère Donat », *Bulletin de la société nationale des Antiquaires de France*, Paris 1982, p. 98-104.

—, « L'Afrique chrétienne à la lumière de l'enquête prosopographique », *Bulletin de la Société nationale des Antiquaires de france*, Paris 1983, p. 223-238.

—, « Les donatistes entre ville et campagne », *Histoire et archéologie de l'Afrique du Nord. Actes du III ᵉ colloque de Montpellier (avril 1985)*, Paris 1986, p. 193-216.

MANSI, *Sacrorum conciliorum noua et amplissima collectio*, 8 t., Florence-Venise 1757-1798.

MARTROYE F., « Une tentative de révolution sociale en Afrique. Donatistes et Circoncellions », *Revue des questions historiques*, 32 (1904), p. 353-416 et 33 (1905), p. 5-53.

—, art. « Circoncellions », *DACL*, III, 12 (1914), col. 1692-1710.

—, « La répression du donatisme et la politique religieuse de Constantin et de ses successeurs en Afrique », *Mémoires de la Société nationale des Antiquaires de France*, 73 (1914), p. 23-140.

MESNAGE J., *L'Afrique chrétienne. Évêchés et ruines antiques*, Paris 1912.

—, *La romanisation de l'Afrique (Tunisie, Algérie, Maroc)*, Paris 1913.

—, *Le christianisme en Afrique. Origines, développements, extension*, Paris 1914.

MONCEAUX P., *Histoire littéraire de l'Afrique chrétienne depuis les origines jusqu'à l'invasion arabe*, 7 vol., Paris 1901-1923, rééd. Bruxelles 1966 (= MONCEAUX₃, *Hist. litt.*).

MOMMSEN, *Codex Theodosianus*, avec l'apparat critique de Krueger, 2 t., 3e éd., 1962.

MOREAU J., *Les persécutions du christianisme dans l'Empire romain*, Paris 1956.

MUNIER C., *Concilia Galliae (314-506)*, *CCSL* 148, Turnhout 1963.

—, *Concilia Africae (345-525)*, *CCSL* 149, Turnhout 1974.

OPELT I., *Die Polemik in der christlischen Literatur von Tertullian bis Augustin* (*Bibl. der class. Altertumswiss.*, 63), Heidelberg 1980.

PALANQUE J.-R.-BARDY G.-LABRIOLLE P. DE, t. 3 : *De la paix constantinienne à la mort de Théodose*, Paris 1950 dans FLICHE A.-MARTIN V., *Histoire de l'Église depuis les origines jusqu'à nos jours*.

PALLU DE LESSERT A. C., « De la compétence respective du Proconsul et du Vicaire d'Afrique dans les démêlés donatistes », *Bulletin et Mémoires de la Société nationale des Antiquaires de France*, t. 60 (1901), p. 175 s.

PETIT P., *Histoire générale de l'Empire romain*, Paris 1974.

PIETRI C., *Roma christiana. Recherches sur l'Église de Rome, son organisation, sa politique, son idéologie, de Miltiade à Sixte (311-440)*, Paris 1976.

PIGANIOL A. *L'Empire chrétien (325-395)*, 2ᵉ éd. mise à jour par A. Chastagnol, Paris 1972.

PINCHERLE A., *Il Donatismo*, I, *Corsi Universitari*, Rome 1960.

—, « Note sul donatismo. A proposito di un libro recente », *Studi e Materiali di Storia delle Religioni*, 33 (1962), p. 155-169.

POIRIER P.-H., *Ancienne littérature chrétienne et histoire de l'Église (Chronique bibliographique)*, *Laval théologique et philosophique*, Québec, 45 (1989), p. 303-318.

PORTOLANO A., *L'etico della pace nei primi secoli del Cristianesimo*, Naples 1974.

RAHNER H., *Kirche und Staat im frühen Christentum*, Munich 1961.

SAUMAGNE C., « Ouvriers agricoles ou rôdeurs de celliers ? Les circoncellions d'Afrique », *Annales d'histoire économique et sociale*, VI, 28 (1934), p. 351-364.

SAXER V., *Morts, martyrs, reliques en Afrique chrétienne aux premiers siècles. Témoignages de Tertullien, Cyprien et Augustin à la lumière de l'archéologie africaine (Théologie historique*, 55), Paris 1980 (= SAXER₃, *Morts, martyrs, reliques*).

SCHINDLER A., « Kritische Bemerkungen zur Quellenbewertung in der Circumcellionenforschung », *Studia patristica*, 15 (1980), p. 238-241.

SEECK O., « Quellen und Urkunden über die Anfange des
    Donatismus », Zeitschrift für Kirchengeschichte, 10
    (1889), p. 505-568 ; 30 (1909), p. 181-227.
—, Regesten der Kaiser und Päpste (311-476), Stuttgart
    1919.
SHAW B. D., « The Elders of Christian Africa », dans
    Mélanges Gareau (Cahiers des Études anciennes, 14),
    Ottawa 1982, p. 207-226.
STADLER H., Päpste und Konzilien. Kirchengeschichte und
    Weltgeschichte. Personen, Ereignisse, Begriffe, Hermes
    Handlexikon Düsseldorf Econ. Verl., 1983.
STEIN E., Histoire du Bas-Empire, t. I : De l'État romain à
    l'État byzantin (284-476), éd. française par J.-R.
    Palanque, 2 vol., Paris 1959.
TENGSTRÖM E., Die Protokollierung der Collatio
    Carthaginiensis. Beiträge zur Kenntnis der römischen
    Kurzschrift nebst einem Exkurs über das Wort scheda
    (schedula), (Studia graeca et latina Gothob., 14),
    Göteborg 1962.
—, Donatisten und Katholiken. Soziale, wirtschaftliche und
    politische Aspekte einer nordafrikanischen Kirchens-
    paltung (Studia graeca et latina Gothob., 18), Göteborg
    1964 (= TENGSTRÖM₃, Donatisten und Katholiken).
TURNER C. H., Ecclesiae Occidentalis Monumenta Iuris
    Antiquissima. Canonum et Conciliorum Graecorum
    Interpretationes Latinae, 7 t., Oxford 1899-1939 (=
    TURNER₃, EOMIA).
VAN LINDEN P. L'affaire Cécilien. Étude sur la méthode de
    saint Augustin dans son argumentation anti-donatiste,
    Louvain 1959.
VOELTER D., Der Ursprung des Donatismus, Friburg 1883.
VON SODEN A., Urkunden zur Entstehungsgeschichte des
    Donatismus (Kleine Texte für Vorlesungen und Übungen,
    122) Bonn 1913, 2ᵉ éd. par H. von Campenhausen, Berlin
    1960 (= VON SODEN₃, Urkunden).

WARMINGTON B. H., *The North African Provinces from Diocletian to the Vandal Conquest,* Cambridge 1954.

—, *Religious Coercion in the Later Roman Empire : The Case of North Africa, History,* 48, 1963.

4. ASPECTS THÉOLOGIQUES

ALTENDORF E., *Einheit und Heiligkeit der Kirche. Untersuchungen zur Entwicklung des alterchristlichen Kirchenbegriffs im Abendland von Tertullian bis zu den antidonatistischen Schriften Augustinus,* Berlin-Leipzig 1932.

AMANN E., art. « Marcion » *DTC* 9, 2 (1927), col. 2009-2032.

—, « L'ange du baptême dans Tertullien », *RevSR* 1 (1921), p. 208-221.

BADCOCK F. J., « Le credo primitif d'Afrique », *RBén.* 45 (1933), p. 3-29.

BARDY G., *La théologie de l'Église de saint Clément de Rome à saint Irénée,* Paris 1945.

—, *La théologie de l'Église de saint Irénée au Concile de Nicée,* Paris 1947.

BAREILLE G., « Baptême des hérétiques », *DTC* 2 (1910), col. 223 s.

BATIFFOL P., *Le siège apostolique,* Paris 1924.

—, *Cathedra Petri. Études d'histoire ancienne de l'Église,* Paris 1938.

BAVAUD G., « Le pécheur n'appartient pas à l'Église. Réflexions sur un thème augustinien », *Orpheus,* 10 (1963), p. 187-193.

BÉVENOT M., *St Cyprian's De unitate chap. 4 in the Light of the Manuscripts (Analecta Gregoriana,* 2), Londres 1939.

—, « A Bishop is Responsible to God Alone », *RecSR* 39 (1951), p. 397-415.

—, « Épiscopat et primauté chez saint Cyprien », *Ephemerides Theologicae Lovanienses,* 42 (1966), p. 176-195.

BLACKMAN E. C., *Marcion and his influence,* Londres 1948.

BRAUN R., *Deus christianorum. Recherches sur le vocabulaire doctrinal de Tertullien,* 2ᵉ éd., Paris 1977.

CAMPEAU L., « Le texte de la Primauté dans le *De catholicae ecclesiae unitate* de saint Cyprien », *Sciences ecclésiastiques,* 19 (1967), p. 81-100 et 225-275.

CAPELLE P., *Le texte du psautier latin en Afrique* (*Collectanea biblica latina,* 4), Rome 1913.

CASPAR E., « Primatus Petri », *Zeitschrift der Savigny-Stiftung für Rechtsgeschichte, kanonische Abteilung,* 47 (1927), p. 253-331.

CHARVET P., *L'ecclésiologie de saint Optat de Milève* (thèse de doctorat en théologie), Fac. catholiques de Lyon, 1929.

COLSON J., *L'évêque, lien d'unité et de charité chez saint Cyprien de Carthage,* Paris 1961.

—, *L'épiscopat catholique. Collégialité et Primauté dans les trois premiers siècles de l'Église* (*Unam Sanctam,* 43), Paris 1963 (= COLSON₄, *Collégialité*).

CONGAR Y. M.-J., « Cephas-Cephale-Caput », *Revue du Moyen Age latin,* 8 (1952), p. 5-42.

—, « La théologie donatiste de l'Église et des sacrements. L'apport de saint Augustin », dans *Introduction générale, Traités anti-donatistes de saint Augustin* (*BA* 28), Paris 1963, p. 48-124 (= CONGAR₄, *BA* 28).

CULMANN O., *Saint Pierre, disciple, apôtre, martyr,* Neuchâtel-Paris 1952.

—, *Dieu et César,* Paris 1965.

DANIÉLOU J., *Essai sur les origines de la typologie chrétienne,* Paris 1950.

—, *Bible et Liturgie. La théologie biblique des sacrements et des fêtes d'après les Pères de l'Église,* Paris 1951.

—, *Sacramentum futuri. Études sur les origines de la typologie biblique,* Paris 1958.

—, *Les symboles chrétiens primitifs,* Paris 1961.

DELAHAYE K., *Ecclesia Mater chez les Pères des trois premiers siècles,* trad. de l'allemand par P. Vergriete et E. Bovis, Paris 1964.

—, *Sanctus. Essai sur le culte des saints dans l'Antiquité,* Paris 1977.

DEMOUSTIER A., « Épiscopat et union à Rome selon saint Cyprien », *RecSR* 52 (1964), p. 337-369.

DOIGNON J., « Tobie et le poisson dans la littérature et l'iconographie occidentales, IIIe-IVe s. Du symbolisme funéraire à une exégèse christique », *RHR* 190 (1976), p. 113-126.

EDSMAN E., *Le baptême de feu,* Leipzig 1940.

FABER J., *Vestigium Ecclesiae. De doop als spoor der Kerk (Cyprianus, Optatus, Augustinus), Gœs Gosterboan en Lecointre,* 32, 1969.

FREDOUILLE J.-C., *Tertullien et la conversion de la culture antique,* Paris 1972.

FREND W. H. C., *Saints and Sinners in the Early Church. Differing and Conflicting Traditions in the First Six Centuries,* Londres 1985.

FONTAINE J., *Le monde antique et la Bible (Bible de tous les temps),* sous la direction de J. Fontaine et C. Piétri, Paris 1985.

GILES P. E., *Documents Illustrating Papal Authority, A.D. 96-454* (ed. and introduced by), SPCK, Londres 1952, p. 96-454.

GRANT R. M., *La Gnose et ses origines chrétiennes,* Paris 1964.

HAMER J., « Le baptême et la Foi », *Irénikon,* 23 (1950), p. 387-405.

—, « Le baptême et l'Église », *Irénikon,* 25 (1952), p. 142-164 et 263-275.

JOANNOU P. P., *Die Ostkirche und die Cathedra Petri im 4. Jahrhundert. Päpste und Papsttum,* III, Stuttgart 1972.

KELEHER P. J., *St Augustine's Notion of Schism in the Donatist Controversy,* Mundelein 1961.

KELLY J. N. D., *Early Christian Doctrines,* Edimburgh 1958.

—, *Initiation à la doctrine des Pères de l'Église,* trad. de l'anglais par C. Tunmer, Paris 1968 (= KELLY₄, *Initiation*).

KOCH H., *Cathedra Petri. Neue Untersuchungen über die Anfänge der Primatslehre,* Giessen 1930.

KRIEGBAUM B., *Kirche der Traditoren oder Kirche der Martyrer? Die Vorgeschichte des Donatismus (Innsbrucker theol. Stud.,* 16), Innsbruck 1986 (= KRIEGBAUM₄, *Kirche*).

LA BONNARDIÈRE A.-M., « Le Cantique des Cantiques dans l'œuvre de saint Augustin », *Revue des Études Augustiniennes,* 1 (1955), p. 225-237.

—, « *Tu es Petrus.* La péricope Matthieu, XVI, 13-23 dans l'œuvre de saint Augustin », *Irénikon,* 34 (1961), p. 451-499.

LAMIRANDE E., *La situation ecclésiologique des donatistes d'après saint Augustin. Contribution à l'histoire doctrinale de l'œcuménisme,* Ottawa 1972.

LEBRETON J., *Histoire du dogme de la Trinité des origines au Concile de Nicée,* t. 1 : *Les origines du dogme de la Trinité,* 6ᵉ éd., Paris 1927 ; t. 2 : *De saint Clément à saint Irénée,* 2ᵉ éd., Paris 1928.

LIÉBAERT J., *L'Incarnation,* t. 1 : *Des origines au Concile de Chalcédoine,* Paris 1966.

LODS M., *Précis d'histoire de la théologie chrétienne du IIᵉ s. au début du IVᵉ s.,* Neuchâtel 1966.

LUBAC H. DE, « Typologie et allégorisme », *RevSR* 34 (1947), p. 180-224.

MARGERIE B. DE, *La Trinité chrétienne dans l'histoire* (*Théologie historique*, 31), Paris 1975.

MARSCHALL W., *Karthago und Rom. Die Stellung der nordafrikanischen Kirche zum apostolischen Stuhl in Rom*, Stuttgart, 1971 (= MARSCHALL₄, *Karthago und Rom*).

MARTIMORT A.-G., *L'Église en prière. Introduction à la Liturgie*, Paris 1961.

MOINGT J., *Théologie trinitaire de Tertullien* (*Théologie*, 68-69-70-75), 4 t., Paris 1966-1969.

MONACHINO V., « Il primato nelle scisma donatista », *Archivum Historiae Pontificiae*, 2 (1964), p. 7-44.

MONCEAUX P., *Histoire littéraire de l'Afrique chrétienne*, t. 1, Paris 1901 : « La Bible latine en Afrique », p. 97-173.

PERLER O., « Le *De unitate* (chap. IV-V) de saint Cyprien interprété par saint Augustin », dans *Augustinus Magister*, t. 2, Paris 1954, p. 835-858.

PÉTRÉ H., « *Haeresis, schisma* et leurs synonymes latins », *REL* 15 (1937), p. 316-326.

PONTET M., *L'exégèse de saint Augustin prédicateur*, Paris 1944.

POSCHMANN B., *Ecclesia principalis. Ein kritischen Beitrag zur Frage des Primats bei Cyprian*, Breslau 1933.

PRINA E., *La controversia donatista alla luce della dottrina del Corpo Mistico di Gesù Cristo nelle opere antidonatistiche di S. Agostino*, Rome 1942.

RAHNER H., *Symbole der Kirche. Die Ekklesiologie der Väter*, Salzburg 1964.

RATZINGER J., *Volk und Haus Gottes in Augustins Lehre von der Kirche*, Munich 1954 (Tertullien-Cyprien-Optat, p. 44-123).

REMY G., *Membres de l'Église d'après la controverse antidonatiste*, Rome 1950.

SAGI-BUNIC T., « Ecclesia sola baptizat. Sententia Tertulliani et s. Cypriani », *Laurentianum*, 2 (1961), p. 261-273.

SAGNARD F.-M., *La gnose valentinienne et le témoignage de saint Irénée*, Paris 1947.

SAXER V., *Cyprien, L'unité de l'Église catholique. Augustin, Sermons sur l'Église unie*, textes introd., trad. et annotés par V. Saxer (*Les Pères dans la foi*), Paris 1979.

—, « Die Ursprünge des Märtyrerkult in Afrika », *Römische Quartalschrift für christliche Altertumskunde und für Kirchengeschichte*, Freiburg, 89 (1984), p. 1-11.

SIMONIS W., *Ecclesia uisibilis et inuisibilis. Untersuchungen zur Ekklesiologie und Sakramentenlehre in der afrikanischen Tradition von Cyprian bis Augustinus*, Frankfurt 1970 (= SIMONIS₄, *Ecclesia*).

TIXERONT J., *Histoire des dogmes dans l'Antiquité chrétienne*, t. 1 : *La théologie anténicéenne*, Paris 1930 ; t. 2 : *De saint Athanase à saint Augustin*, Paris 1931.

THIBAUD A., « Aspects du processus d'intégration sociale à la fin du Bas-Empire. Pratique de la pénitence et fonctionnement de la catégorie d'unité », *Dialogues d'histoire ancienne*, 3 (1977), p. 287-307 (analyse de la pénitence comme solution apportée à la crise globale de l'Empire romain, d'après les textes de saint Augustin consacrés à la querelle anti-donatiste).

VEER A. C. DE, « L'exploitation du schisme maximianiste par saint Augustin dans sa lutte contre le donatisme », *Recherches augustiniennes*, 3, (1965), p. 219-237.

VILLETTE L., *Foi et sacrements*, t. 1 : *Du Nouveau Testament à saint Augustin* (*Travaux de l'Institut catholique de Paris*, 5), Paris 1959.

VOGEL C., *Le pécheur et la pénitence dans l'Église ancienne*. Textes choisis, traduits et présentés par Cyrille Vogel, Paris 1966.

WICKERT U., *Sacramentum Unitatis. Ein Beitrag zum Verständnis der Kirche bei Cyprian*, Berlin 1971.

WISCHMEYER W., « Die Bedeutung des Sukzessionsgedankens für eine theologische Interpretation des donatistichen Streits », *Zeitschrift für die neutestamentliche Wissenschaft und die Kunde der älteren Kirche*, Berlin, 70 (1979), p. 68-85.

ZMIRE P., « Recherches sur la collégialité épiscopale dans l'Église d'Afrique », *Recherches augustiniennes*, 7 (1971), p. 3-72 (= ZMIRE₄, *Recherches*) : 1. Collégialité épiscopale ; 2. Rôle de l'évêque de Rome.

CONSPECTVS SIGLORVM

P	: Petropolitanus Latinus 25, Q.V.I.2	saec. V-VI
A	: Aurelianensis 169	saec. VII
C	: Parisinus Latinus 1711	saec. VIII-IX
R	: Remensis 373	saec. IX
B	: Parisinus Latinus 1712	saec. XIV
G	: Parisinus Latinus 13 335	saec. XV
V	: Cusanus 50	saec. XV
g	: Gabrielis Albaspinaei editio, Parisiis	1631
z	: Ziwsa, *CSEL* 26	1893

codd. : codices omnes
transp. : transposuit
om. : omisit
sup.l. : supra lineam
ac : ante correctionem
pc : post correctionem
+ : addidit

TEXTE
ET
TRADUCTION

LIBER PRIMVS

1. 1. Cunctos nos christianos, carissimi fratres, omnipotenti Deo fides una commendat, cujus fidei pars est credere filium Dei Deum iudicem saeculi esse uenturum, eum qui iampridem uenerit et secundum hominem suum per Mariam
5 uirginem natus sit, passus et mortuus, sepultus resurrexerit. **2.** Et antequam in caelum ascenderet, unde descenderat, christianis nobis omnibus itoriam per apostolos pacem dereliquit. Quam ne uideretur solis apostolis dimisisse ideo ait : *Quod uni ex uobis dico, omnibus dico* [a]. Deinde ait : *Pacem*

N.B. – Les chiffres en gras renvoient aux chapitres et les chiffres en maigre aux lignes de ceux-ci.

PG RBV z

Titulus : OPTATI MILIBITANI LIBRI NVMERI VII R Optati Milibitani libri numeri VII B Optati liber primus G

1, 3 Deum : dominum G z ‖ 4 uenerit : -erat RBV ‖ et *del.* R *om.* BV ‖ per Mariam uirginem : ex Maria uirgine B ‖ 5 mortuus : + et G z ‖ resurrexerit : -rrexit RBV ‖ 6 in : *om.* G ‖ ascenderet caelum G ‖ 7 itoriam : historiam P pc storiam RBV z uictricem G ‖ dereliquit : -liquid P -linquit RBV ‖ 8 dimisisse : demisisse P ‖ 9 uni : uno P

---

a. Mc 13,37

N.B. — Dans les abréviations bibliographiques, le chiffre en indice après le nom de l'auteur indique dans quelle partie de la bibliographie (1, 2, 3 ou 4) se trouve le titre complet de l'œuvre en question.

1. Sur le credo d'Optat, cf. F. J. BADOCK, « Le credo primitif d'Afrique », *RBén.* 45 (1933), p. 3-9. Le credo d'Optat semble postérieur à ce credo primitif.

LIVRE I

I. Exorde, plan du traité, réfutations préliminaires

1. Exorde

Appel à la paix **1. 1.** Nous tous les chrétiens, très chers frères, nous sommes recommandés à Dieu tout puissant par une même foi, et l'un des articles de cette foi est de croire que Dieu, le Fils de Dieu [1], viendra pour juger le monde, lui qui est venu il y a longtemps déjà, qui, quant à son humanité, est né de la Vierge Marie, a souffert sa passion, est mort, a été mis au tombeau d'où il est ressuscité. **2.** Et avant de monter au ciel, d'où il était descendu, à nous tous, les chrétiens, par l'intermédiaire des apôtres, il a laissé sa paix, comme don d'adieu [2]. Mais pour ne pas paraître avoir laissé sa paix aux seuls apôtres, il a dit : « Ce que je dis à l'un d'entre vous, je le dis à tous [a]. » Il a

---

2. Cf. WILMART[2], *Itoria*, p. 73 s. : « *Itoria*, substantivé, était employé couramment en Afrique avec le sens particulier de *pourboire*. Appliqué à l'œuvre du Christ, le mot désigne les dons de Notre Seigneur à ses disciples [...]. La paix est le don suprême, le legs, l'adieu du Fils de Dieu à ses disciples. » A. Wilmart retient donc la leçon de P : « Le copiste du VIe siècle a bel et bien écrit "itoriam", et dans ce contexte : "Christianis [nobis] omnibus itoriam pacem per apostolos dereliquit". » ~ VASSALL-PHILLIPS[2], *Optatus* (*ad loc.*), lui aussi a adopté cette leçon : « as his parting gift ». ~ Nous pensons qu'il faut rejeter la proposition de TURNER[2] (*Aduersaria critica*, p. 288) : « uictor iam ».

10 *meam do uobis, pacem meam relinquo uobis* [b]. 3. Igitur
pax christianis omnibus data est. Quam rem Dei esse
constat, dum dicit : *meam.* Cum autem dicit : *do uobis,* non
solum suam uoluit esse sed et uniuersorum in se credentium.

2. 1. Quae pax si ut data erat sic integra inuiolataque
mansisset nec ab auctoribus schismatis turbaretur, inter nos
et fratres nostros hodie non esset ulla dissensio, nec illi
inconsolabiles Deo lacrimas facerent, quod Esaias propheta
5 testatur [c], nec falsorum uatum nomen et actus incurrerent,
nec ruinosum ac dealbatum extruerent parietem [d], nec minus
astutas sed tantum simplices euerterent mentes, nec male
imponendo omnibus capitibus manum euersionis uelamen
obtenderent ; 2. nec maledicerent Deo, nec rebaptizarent
10 fideles, nec nos euersas aut occisas innocentium animas
doleremus, quas prius doluit Deus per Ezechielem prophetam dicens : *Vae facientibus uelamen super omne caput et*
super omnem aetatem ad euertendas animas. Animae euer-
sae sunt populi mei et maledicebant mihi in populo meo, ut

---

10 uobis [2] : + si RBV ‖ 12 dum : cum V ‖ 13 esse uoluit P
2, 2 schismatis : scismatum G ‖ turbaretur : + et G ‖ 4 Esaias : Eseias
P Esayas V ‖ 5 uatum : uatu* R uatuum BV ‖ 8 capitibus : captiuis RBV
‖ uelamen : -ment* R -mentum B -mento V -menta z ‖ 10 innocentium : -tum G -tes B ‖ 11 prius : prior G ‖ Ezechielem : -lum P

---

b. Jn 14,27   c. Cf. Is. 22, 4   d. Cf. Éz. 13, 10

---

1. Toutes les citations bibliques d'Optat appartiennent au groupe
« africain ». Optat suit toujours, pour chacun des livres sacrés, un texte
unique que l'on retrouve dans les documents joints en appendice à son
traité. Les exceptions, peu nombreuses, peuvent s'expliquer par la substi-
tution ultérieure des leçons de la Vulgate. Cette version ne diffère que
légèrement de celle de Cyprien. Cf. P. MONCEAUX, « La Bible latine en
Afrique », dans MONCEAUX,, *Hist. litt.,* t. 1, p. 97-173 (Sur Optat, p. 134-
135). ~ La citation de *Jn* 14, 27 est reprise exactement dans les mêmes
termes dans OPT., II, 5, 6. On peut constater que le même texte se trouve
dans les *Gesta apud Zenophilum, CSEL* 26, p. 190 et 192 (*Pacem meam*

dit ensuite : « Je vous donne ma paix, je vous laisse ma paix [b][1]. » 3. La paix a donc été donnée à tous les chrétiens. Elle est de Dieu, cela est évident, puisqu'il a dit : « ma » paix. Mais en disant : « Je vous donne », il a voulu qu'elle ne fût pas seulement à lui mais aussi à tous ceux qui croient en lui [2].

Les actes des schismatiques 2. 1. Or, si cette paix était restée telle qu'elle nous avait été donnée, entière et inviolée, et si elle n'était pas troublée par les responsables du schisme, il n'y aurait aujourd'hui entre nous et nos frères aucune dissension, et ces hommes ne feraient pas verser à Dieu des larmes intarissables, comme l'atteste le prophète Isaïe [c] ; ils n'encourraient pas par leur conduite le nom de faux prophètes, ils n'élèveraient pas un mur blanchi qui menace ruine [d], ils ne perdraient pas des âmes qui ne sont guère fourbes mais seulement naïves et, en imposant pernicieusement les mains sur toutes les têtes, ils ne tendraient pas le voile de la perdition ; 2. ils ne médiraient pas de Dieu, ils ne rebaptiseraient pas les chrétiens baptisés, et nous, nous ne déplorerions pas la perte ou la mort d'âmes innocentes, que Dieu le premier a déplorée, en disant par la bouche du prophète Ézéchiel : « Malheur à ceux qui fabriquent des voiles pour toutes les têtes et pour tous les âges, afin de perdre les âmes. Ils ont perdu les âmes de mon peuple et ils médisaient de moi

---

do uobis, pacem meam relinquo uobis), alors que la Vulgate donne : *Pacem relinquo uobis, pacem meam do uobis*. Le texte de CYPR. (*Testimon.*, III, 3) se rapproche de celui d'Optat : *Pacem meam do uobis, pacem meam demitto uobis.*

2. Cf. l'Introduction, p. 117-121 ; cf. AVG., *C. Parm.*, III, I, 1 : « Toute règle, toute mesure ecclésiastique qui s'inspire de la piété doit avoir en vue avant tout l'unité de l'esprit par le lien de la paix » (« Cum omnis pia ratio et modus ecclesiasticae disciplinae unitatem spiritus in uinculo pacis maxime debeat intueri ») ; III, II, 5 : *Pacem meam do uobis, pacem meam relinquo uobis.*

15 *occiderent animas quas non oportuit mori, dum adnuntiant*
populo meo uanas seductiones ᵉ. 3. Et tamen admissa sunt
haec ab his, qui nostri sunt fratres.

3. 1. Sed ne quis dicat inconsiderate me eos fratres appellare qui tales sunt, ab Esaiae prophetae uocibus increpati
exorbitare non possumus. Quamuis et illi non negent et
omnibus notum sit quod nos odio habeant et execrentur et
5 nolint se dici fratres nostros, tamen nos recedere a timore
Dei non possumus, quos hortatur spiritus sanctus per
Esaiam prophetam dicens : *Vos qui timetis uerbum domini,*
audite uerbum domini : hi qui uos odio habent et execran-
tur et nolunt se dici fratres uestros, uos tamen dicite eis :
10 *fratres nostri estis* ᶠ. 2. Sunt igitur sine dubio fratres, quamuis non boni. Quare nemo miretur eos me appellare fratres
qui non possunt non esse fratres. Est quidem nobis et illis
spiritalis una natiuitas, sed diuersi sunt actus. 3. Nam et
Cham, qui patris sui risit impie nuditatem, frater innocen-
15 tium fuit et pro merito suo iugum seruitutis incurrit, ut esset
fratribus frater addictus ᵍ. Ergo hoc nomen fraternitatis nec
interueniente peccato deponitur. 4. Sed de istorum fratrum
delictis dicam alio loco, qui sedentes aduersus nos detrahunt

---

15 adnuntiant : annuntiant G ‖ 16 admissa : amissa G

3, 1 quis : qui PG ‖ me inconsiderate RBV ‖ 2 Esaiae : Eseiae P   Esaye
V ‖ increpati : *sup.l.* R   *om.* V ‖ 3 possumus : possum PG ‖ 5 nolint : -lunt
RBV ‖ 7 Esaiam : Eseiam P   Esayam V ‖ uerbum : nomen   RBV   *om.* G
‖ domini : -num G ‖ 8 audite uerbum domini : *om.* V ‖ uerbum : nomen
RB ‖ hi : his   P hii V ‖ 9 uestros : nostros V ‖ 11 me eos G ‖ 12 non ¹ :
om. P ‖ 14 Cham : Chain G ‖ risit patris sui G ‖ 18 alio : + in G ‖ aduersus : -sum RBV ‖ detrahunt : denotant PG

---

e. Éz. 13, 18   f. Is. 66, 5   g. Cf. Gen. 9, 22-25

---

1. Le début de cette citation (*uae facientibus uelamen... ad euertendas*
animas) se retrouve au livre II, 24, 2. Le texte d'Optat diffère très sensiblement de celui de la Vulgate. L'ordre d'*Éz.* 13, 18-19 paraît avoir été
inversé dans le texte que suit OPT. (cf. II, 26, 3 ; IV, 6, 4 ; V, 11, 2). Ni

devant mon peuple pour tuer des âmes qui ne devaient pas
mourir, en disant à mon peuple de vains mensonges[e 1]. »
3. Et cependant, ces actes ont été commis par ces hommes,
qui sont nos frères.

Appel **à la fraternité**	**3. 1.** Mais qu'on ne vienne pas me dire que je parle à la légère quand j'appelle frères de tels hommes, car nous ne pou-

vons nous détourner des paroles du prophète Isaïe. Certes
ils ne nient pas, et tout le monde sait qu'ils nous détestent
et nous maudissent et ne veulent pas être appelés nos frères,
mais nous, nous ne pouvons nous écarter de la crainte de
Dieu, nous que l'Esprit-Saint exhorte, en disant par la
bouche du prophète Isaïe : « Vous qui craignez la parole du
Seigneur, écoutez la parole du Seigneur ; à ceux qui vous
détestent et vous maudissent, et ne veulent pas être appelés
vos frères, dites cependant : vous êtes nos frères[f 2]. » **2.** Ils
sont donc sans aucun doute nos frères, bien qu'ils ne soient
pas bons. C'est pourquoi personne ne doit s'étonner de
m'entendre appeler frères des hommes qui ne peuvent pas
ne pas être nos frères. Car il est vrai que nous avons avec
eux une même naissance spirituelle mais que nos actes sont
différents. **3.** Ainsi Cham, lui aussi, qui se moqua de façon
impie de la nudité de son père, fut le frère d'hommes innocents ; mais par son péché il a encouru le joug de la servitude, si bien qu'il devint, lui, leur frère, esclave de ses
frères[g]. Ainsi on ne perd pas cette appellation de frère,
même lorsque le péché intervient. **4.** Mais je parlerai
ailleurs des fautes de ces frères qui siègent contre nous et

Tertullien ni Cyprien ne citent ce passage (cf. *Biblia patristica*, Éd. du
CNRS, t. I, Paris 1975, p. 167 et t. II, Paris 1977, p. 167).
   2. Il s'agit probablement d'une réminiscence de *Is.* 66, 5, qu'Optat
adapte aux circonstances. Le texte de la Vulgate est très différent : *Audite
uerbum Domini qui tremetis ad uerbum eius ; dixerunt fratres uestri
odientes uos et abicientes propter nomen meum : glorificetur Dominus.*

et contra nos scandala ponunt et cum illo fure concurrunt,
20 qui Deo furtum facit, et cum moechis [h], id est cum haereticis, partem suam ponunt et peccata sua laudant et conuicia
contra nos catholicos meditantur.

4. 1. Omnes quidem per singula loca maledicis uocibus
perstrepunt ; sed unum quidem uix inuenimus cum quo per
litteras uel hoc modo loquamur, Parmenianum scilicet fra-
trem nostrum, si tamen se a nobis uel hoc nomine nuncu-
5 pari permittit. Et quia collegium episcopale nolunt nobiscum habere commune, non sint collegae, si nolunt ! Tamen,
ut supra diximus, fratres sunt. **2.** Frater meus igitur
Parmenianus, ne uentose ac nude ut ceteri loqueretur, quicquid sentire potuit non solum dixit sed etiam in scriptura
10 digessit. Cujus dictis cum respondere ueritate cogente com-
pellimur, erit inter nos absentes quoquomodo collatio.
3. Eodem modo satisfiet et desideriis aliquorum. Nam a
multis saepe desideratum est ut ad eruendam ueritatem ab
aliquibus defensoribus partium conflictus haberetur ; et fieri
15 potuit. **4.** Sed quoniam et accessum prohibent et aditus
intercludunt et consessum uitant et colloquium denegant,
uel tecum mihi, frater Parmeniane, sit isto modo collatio, ut,
quia tractatus tuos, quos in manibus et in ore multorum esse

---

19 nos : *om.* B ‖ 20 facit : -ciunt P RBV

4, 2 perstrepunt : + quibus ad aliqua de occasione respondeam G z ‖
quidem : *om.* PG ‖ 5 permittit : -tunt P   -tat G ‖ et : *om.* PG ‖ 6 commune : -nem V ‖ sint : sunt B ‖ collegae : colliges V ‖ 8 ne uentose : ne
uentuse P   nequiciose V ‖ 9 scriptura : scribturam P ‖ 10 cum : dum PG
‖ 12 modo : + fiet V ‖ et : *om.* G ‖ 13 eruendam : erudiendam RBV   exqui-
rendam G ‖ 15 accessum : -sus G ‖ aditus : auditus G ‖ 16 consessum *scripsi
cum* z : consensum P RB [pc]V   concessum B [ac] G ‖ 18 in [2] *del.* P   *om.* G

---

h. Cf. Ps. 49, 18-20

---

1. Parménien, évêque donatiste de Carthage, successeur de Donat. OPT.
(I, 5, 4 ; II, 7, 4) indique qu'il n'est pas africain d'origine ; il est probable-

nous calomnient, nous déshonorent, se mettent avec ce
voleur qui vole Dieu, sont de connivence avec les adultères [h],
c'est-à-dire les hérétiques, louent leurs propres péchés et
s'exercent à lancer des accusations contre nous, les catholiques.

2. Méthode et plan

Le dialogue impossible   **4. 1.** Il est vrai qu'ils font tous retentir
partout des paroles outrageantes ; mais je ne
vois guère qu'un homme à qui je puisse
m'adresser, par écrit du moins ; c'est notre frère
Parménien [1], si cependant il me permet de lui donner ce
titre. Et puisqu'ils ne veulent pas former avec nous un même
collège épiscopal, qu'ils ne soient pas nos collègues, s'ils ne
le veulent pas ! Cependant, comme je l'ai dit plus haut, ils
sont nos frères. **2.** Donc, mon frère Parménien, peu désireux de jeter simplement des paroles en l'air, comme les
autres, ne s'est pas contenté d'exprimer toutes ses pensées,
il les a aussi exposées dans un ouvrage. Or, à ces paroles la
contrainte de la vérité me force de répondre. Il y aura donc
entre nous, bien que séparés, une sorte de conférence.
3. De cette façon, je donnerai aussi satisfaction aux désirs de
certains. En effet, bien des gens ont souvent désiré que, pour
découvrir la vérité, une controverse s'engageât entre
quelques-uns des défenseurs des deux partis ; et cela était
possible. **4.** Mais puisqu'ils nous interdisent l'entrée, fer-
ment leurs portes, évitent de siéger et refusent de discuter
avec nous, qu'avec toi du moins, frère Parménien, il me soit
permis de conférer ainsi. Tes écrits, que tu as voulu mettre
entre les mains et sur les lèvres de la multitude, je ne les ai

---

ment arrivé à Carthage après le rescrit de Julien autorisant les donatistes à
rentrer d'exil (cf. AVG., *C. Petil.*, II, XCVII, 224). Cf. l'Introduction, p. 17-
18 ; sur Parménien, cf. CONGAR[4], *BA* 28, 1963 ; MANDOUZE[3], *Prosop.*,
p. 816-821 : « Parmenianus ».

uoluisti, non aspernatus sum neque contempsi sed omnia a
20 te dicta patienter audiui, audias et tu humilitatis nostrae responsa.

5. 1. Nam et ego intellego et tu non negas et quiuis
sapiens peruidet te nulla alia ratione tam prolixe tractasse,
nisi ut ecclesiam catholicam tuis tractatibus indigne pulsares.
Sed ut intellegi datur, aliud habet animus, aliud resonat
5 sermo. 2. Denique non omnia te uideo dixisse contra
catholicam, immo multa pro catholica, cum catholicus non
sis, ut et nobis necesse non fuerit respondere tractatibus tuis,
nisi quod, dum male instructus es, ut quod non uidisti sed
quod falso audieris loquereris, cum in epistula Petri apos-
10 toli legerimus : *Nolite per opinionem iudicare fratres uestros* [i], ut inter aliqua, quae ad nos non pertinent, sicuti probaturi sumus, diceres a nobis contra uos militem fuisse
postulatum. 3. Ceterum a te, in aliis partibus tractatus tui,
aliqua pro nobis dicta sunt et contra uos, ut diluuii et cir-
15 cumcisionis comparatio ; quaedam et pro nobis et pro uobis,
ut ea quae in laude dixisti baptismatis, praeter illud quod
carnem Christi male tractaueris. Ideo et pro uobis quia, quamuis foris sitis, tamen ex nobis existis ; nam et illud pro
ambobus, quod demonstrasti haereticos extraneos esse
20 catholicis sacramentis, si tamen uos ipsos non eis adiun-

---

20 nostrae : -tra B ‖ responsa : + iam posco G

5, 4 animus : + et G ‖ 5 non omnia : nomina B nihil P ‖ 6 catholicam :
+ fidem G ‖ 8 uidisti : -deris G ‖ 9 quod : *om.* G RBV ‖ 9-11 cum — aliqua : *om.* P ‖ 10 legerimus : legimus G ‖ per opinionem iudicare : pro opi-
nione ducere G ‖ 11 nos : uos G ‖ probaturi : prouocaturi G ‖ 16 ut : *om.*
G RBV ‖ laude : -dem P ‖ 17 tractaueris : -tasti P ‖ quia : quae R [ac] que
V ‖ 19 haereticos : + et G ‖ esse : + a PG

---

i. Cf. Jac. 4, 11 ; Rom. 2, 1 ; I Pierre 2, 1

---

1. Optat cite sans doute de mémoire les versets de *Jac.* 4, 11 ou *Rom.*
2, 1, qu'il attribue à tort à Pierre. Peut-être se souvient-il de *I Pierre* 2, 1 :

ni rejetés ni dédaignés, mais j'ai écouté patiemment toutes tes paroles. Écoute donc toi aussi mes humbles réponses.

Les maladresses de Parménien

5. 1. Je le comprends, et tu ne le nies pas, et tout homme sensé le constate : tu n'as parlé aussi longuement que pour attaquer indignement par tes écrits l'Église catholique. Mais comme on peut le remarquer, autre est l'intention, autre la chanson. 2. Car je m'aperçois que tu n'as pas toujours parlé contre l'Église catholique et que tu as même souvent parlé en faveur de l'Église catholique, bien que tu ne sois pas catholique, si bien que nous n'aurions pas eu besoin de répondre à tes écrits. Mais voilà, tu es mal renseigné, tu parles de ce que tu n'as pas vu et tu rapportes les fausses rumeurs que tu as pu entendre, alors que nous avons lu dans l'Épître de l'apôtre Pierre : « Ne jugez pas vos frères sur la renommée [i] [1]. » C'est ainsi que, entre autres accusations qui ne nous concernent pas, comme je me propose de le prouver, tu as dit que nous avions demandé l'intervention des troupes. 3. A part cela, dans les autres parties de ton ouvrage, certaines paroles sont pour nous et contre vous, comme la comparaison avec le déluge et la circoncision ; certaines sont pour nous et pour vous, comme celles que tu as prononcées dans ta louange du baptême, si ce n'est que tu n'as pas bien parlé de la chair du Christ. Je dis qu'elles sont aussi pour vous parce que, même si vous êtes à l'extérieur, vous êtes cependant sortis de chez nous ; et c'est ainsi que tu as également parlé pour nous deux lorsque tu as démontré que les hérétiques étaient étrangers aux sacrements de l'Église catholique, à condition toutefois que tu renonces à vous assimiler à eux, vous qui êtes, cela est évident, des

---

« Rejetez donc toute malice et toute fourberie, hypocrisies, jalousies et toute sorte de médisances » ? Le texte de la Vulgate est, dans tous les cas, très éloigné de celui-ci.

geres, quos esse schismaticos constat. 4. Quaedam pro
nobis solis, ut unius ecclesiae commemoratio ; quaedam
contra uos per ignorantiam, quia peregrinus es, ut traditorum et schismaticorum accusatio ; etiam illud et contra uos,
25 quod dixisti de oleo et sacrificio peccatoris. Ac per hoc nihil
contra nos a te dictum est, nisi quod ignoranter dixisti a
nobis militem postulatum ; quod calumniose a te dictum
esse probationibus uerissimis demonstrabimus. 5. Tolle
hanc calumniam et noster es ! Quid enim tam magis pro
30 nobis et nostrum est quam quod dixisti in comparatione
baptimatis semel factum esse diluuium ? Et singularem cir-
cumcisionem salubriter profecisse populo Iudaeorum magis
pro nobis quasi noster locutus es – haec enim nostra uox
est, qui in Trinitate baptismatis unionem defendimus – non
35 pro uobis, qui baptisma, in cuius imagine sunt illa duo,
audaciter et quod contra leges est, iteratis, quamuis et uos
ipsi non negetis quia non debet iterari, quod semel iussum
est fieri. 6. Sed tu dum subtiliter laudasti quod omni laudis praeconio dignum est, callide uestram supposuisti per-
40 sonam, ut quasi, quia semel licet, uobis liceat, aliis denege-
tur. Si traditoribus non licet, uobis licere non debuit,
quorum principes probamus fuisse traditores. Si schismaticis non licet, adaeque uobis licere non debuit, apud quos
origo schismatis inuenitur. 7. Si peccatoribus non licet,
45 etiam peccatores uos esse testimonio diuino conuincimus.
Et tamen, quia semel licet, non per electum hominem sed

22 solis : soli sunt V ‖ commemoratio : -tionem + faceres RBV ‖ 23 ignorantiam : + tuam G ‖ 24 accusatio : -tionem RBV ‖ et illud P ‖ 28 demonstrabimus : -trauimus RBV ‖ 29 noster es : eris noster V ‖ tam *codd.* : iam
z ‖ 30 quam : *om.* RBV ‖ 31 singularem : -lare G ‖ 32 salubriter : *om.* G ‖
profecisse : -ficisse PV ‖ 34 Trinitate : -tatem RBV ac ‖ 35 imagine : -nem
G ‖ 36 leges : -gem G ‖ 38 laudis : -de B ac ‖ 42 fuisse probamus G ‖ si :
om. V ‖ 43 adaeque : atque que V que G ‖ uobis : + deo G ‖ 46 semel :
om. B

schismatiques. 4. Certaines paroles sont pour nous seulement, comme le rappel de l'unité de l'Église ; certaines sont
contre vous, par ignorance, parce que tu es étranger, comme
l'accusation portée contre les traditeurs et les schismatiques ;
et tu as aussi parlé contre vous dans tes propos sur l'huile
et sur le sacrifice du pécheur. Bref, tu n'as rien dit contre
nous, si ce n'est que, dans ton ignorance, tu nous as accusés d'avoir demandé l'intervention des troupes ; mais cela est
une calomnie, et je le démontrerai par des preuves irréfutables. 5. Supprime cette calomnie et tu es avec nous ! En
effet, qu'est-ce qui nous est plus favorable et plus avanta-
geux que de t'avoir entendu dire, dans ta comparaison avec
le baptême, que le déluge n'avait eu lieu qu'une fois ? Et
quand tu as rappelé qu'une seule circoncision avait suffi
pour le salut du peuple des juifs, tu as plutôt parlé pour
nous, comme si tu étais avec nous — car c'est précisément
ce que nous affirmons, nous qui défendons l'unité du baptême dans la Trinité — et non pas pour vous qui, avec
audace et contrairement aux lois de l'Église, réitérez le baptême, dont le déluge et la circoncision sont les figures ; et
pourtant vous reconnaissez vous aussi qu'il ne doit pas être
réitéré parce qu'il a été ordonné de ne le conférer qu'une
fois. 6. Mais toi, tout en louant avec habileté ce sacrement
qui est digne de toute affirmation élogieuse, tu as fait intervenir adroitement votre personne et tu voudrais faire croire
que, puisque le baptême ne doit être administré qu'une fois,
il vous est permis à vous de le conférer et interdit aux autres.
Mais si cela est interdit aux traditeurs, c'est à vous que l'on
aurait dû l'interdire, vous dont les premiers chefs ont été,
comme nous le prouvons, des traditeurs. Si cela est interdit
aux schismatiques, c'est à vous également que l'on aurait dû
l'interdire, vous chez qui on trouve l'origine du schisme.
7. Si cela est interdit aux pécheurs, nous démontrerons aussi,
par le témoignage de Dieu, que vous êtes des pécheurs. Et
cependant, puisque le baptême ne doit être conféré qu'une

per quod semel licet, ideo post uos non emendamus, quia et apud nos et apud uos unum est sacramentum, cuius sacramenti ratio tota quinto libro monstrabitur.

6. 1. A te quidem, frater Parmeniane, multa tractata sunt ; sed uideo mihi non eo respondendum esse ordine quo a te dicta sunt singula. Tu enim primo loco dixisti comparationes laudesque baptismatis et praeter carnem Christi a
5 te male tractatam cetera bene dixisti ; hoc enim magis pro nobis te dixisse suo loco monstrabitur. 2. Secundo autem loco exclusis haereticis unam dixisti esse ecclesiam ; sed eam ubi sit agnoscere noluisti. Tertio loco traditores nullis certis personis aut nominibus accusasti. Quarto a te unitatis
10 lacerati sunt operarii. Quinto, ut minuta praetermittam, dixisti de oleo et sacrificio peccatoris.

7. 1. Sed mihi uidetur primo loco traditorum et schismaticorum indicandas esse ciuitates, personas et nomina, ut quae a te de his dicta sunt, ueros auctores et certos reos suos agnoscant. Deinde mihi dicendum est quae uel ubi sit una
5 ecclesia, quae est, quia praeter unam altera non est. 2. Tertio a nobis militem non esse petitum et ad nos non pertinere quod ab operariis unitatis dicitur esse commissum. Quarto loco qui sit peccator cuius sacrificium repudiat Deus

6, 2 esse respondendum RBV ‖ 3 dixisti : + in PG ‖ 7 esse : *om.* G ‖ 8 agnoscere : cognoscere G ‖ certis : estis B ^{ac} ‖ 9 aut nominibus : a omnibus G ‖ accusasti : -sati RB ‖ 10 minuta : minima RBV ‖ praetermittam : mittam G

7, 1 primo : + in G ‖ 2 ut quae a te : ut quaeatem R ut qua etatem B ^{ac} utque que a te V ut que dicta sunt a te de his G ‖ 4 quae : qua B ^{ac} ‖ 5 quae : qua B ^{ac} ‖ unam : una G ‖ 6 petitum : praeteritum V ‖ 8 quarto loco : quar stoto loco B ‖ qui *codd.* : quis z ‖ repudiat : -diet G

fois, ce n'est pas à cause de l'homme qui a été choisi pour l'administrer, mais c'est parce qu'il ne doit être conféré qu'une fois que nous ne rebaptisons pas après vous, puisque nous avons, vous et nous, un seul et même sacrement, dont je montrerai toute la doctrine au livre V.

Plan du traité de Parménien   **6. 1.** Pour ta part, frère Parménien, tu as traité bien des questions ; mais je vois bien qu'il ne me faut pas répondre dans l'ordre que tu as suivi. En effet, en premier lieu tu as établi des comparaisons avec le baptême et tu en as fait la louange et, en dehors de tes erreurs sur la chair du Christ, tu as parfaitement parlé ; je montrerai en effet en temps et lieu que c'est davantage pour nous que tu as parlé. **2.** Deuxièmement, après en avoir exclu les hérétiques, tu as affirmé l'unité de l'Église ; mais où est l'Église unique, cela tu n'as pas voulu le reconnaître. En troisième lieu, tu as porté des accusations contre les traditeurs, sans aucune certitude sur les personnes ni sur les noms. Quatrièmement, tu as déchiré les artisans de l'unité. Cinquièmement, pour passer sur les détails, tu as parlé de l'huile et du sacrifice du pécheur.

Un traité en six livres   **7. 1.** Pour moi, je pense devoir, en premier lieu, indiquer les cités, les personnes et les noms des traditeurs et des schismatiques, pour que les accusations que tu as portées puissent être imputées à leurs véritables auteurs et aux vrais coupables. Ensuite, je dois dire quelle est et où est l'Église unique, qui est l'unique Église existante, parce que, en dehors d'elle, il n'en existe pas d'autre. **2.** Troisièmement, je montrerai que nous n'avons pas demandé l'intervention des troupes et que nous ne sommes pour rien dans les actes que l'on reproche aux artisans de l'unité. Quatrièmement, je dois dire quel est le pécheur dont Dieu refuse le sacrifice ou dont il faut fuir

uel cuius oleum fugiendum sit. Quinto de baptismate, sexto
10 de incondideratis praesumptionibus et erroribus uestris.

8. 1. Sed priusquam de rebus singulis aliquid dicam,
quod carnem Christi male tractaueris breuiter ostendam.
Dixisti enim carnem illam peccatricem Iordanis mersam
diluuio ab uniuersis sordibus esse mundatam. Merito hoc
5 diceres si caro Christi pro omnibus baptizata sufficeret, ut
nemo pro se baptizaretur. **2.** Si ita esset, ibi esset totum
genus hominum, illic omne quod corporaliter natum est ;
nihil esset inter fideles et unumquemque gentilem quia in
omnibus caro est. Et dum nemo non est qui non habeat car-
10 nem, si, ut dixisti, caro Christi diluuio Iordanis demersa est,
omnis caro hoc beneficium consequeretur. Aliud est enim
caro Christi in Christo, aliud uniuscuiusque in se. **3.** Quid
tibi uisum est carnem Christi dicere peccatricem ? Vtinam
diceres : caro hominum in carne Christi ! Nec sic probabi-
15 liter dixeras quia unusquisque credens in nomine Christi
baptizatur, non in carne Christi, quae specialiter illius erat.
Adde quod eius caro de spiritu sancto concepta inter alios
non potuit in remissa peccatorum tingi, quae nullum uidebatur admisisse peccatum. **4.** Addidisti et Iordanis diluuio
20 demersam ; satis inconsiderate hoc usus es uerbo, quod uer-

---

9 fugiendum : -gendum V ‖ sit : est P
8, 2 tractaueris : tractati P ᵃᶜ   tractasti P ᵖᶜ ‖ ostendam : ostandam B ‖ 3
mersam : + esse G   demersam RBV ‖ 4 mundatam : -tum G ‖ 7 hominum :
humanum G ‖ 8 esset : interesset P ‖ fideles : credentes P ‖ 9 est et : esset
G ‖ est ² : esset G ‖ est qui non : *om.* P ‖ habeat : -bet P ‖ 10 si ut : sicut
P RBV ‖ 14 probabiliter : probaliter G ‖ 15 credens : *om.* P ‖ 16 baptizatur : -zari + potest PG ‖ illius : inius G ‖ 17 adde : addo RBV ‖ sancto :
om. P ‖ 18 remissa *codd.* : -sam z ‖ 19 addidisti : addisti RBV ‖ diluuio : +
et G ‖ 20 demersam : mersam P ‖ quod : quot V

---

1. « quod corporaliter natum est » : L'emploi de l'adverbe, de préfé-
rence à l'adjectif, est fréquent chez OPT. (cf I, 19, 3 : « episcopi retro tem-

l'huile. Cinquièmement, je parlerai du baptême, sixième-
ment, de vos actes effrontés et de vos erreurs.

3. Réfutations préliminaires

Le baptême du Christ   **8. 1.** Mais avant de parler de chaque
point en particulier, je voudrais montrer
brièvement que tu n'as pas bien parlé de la
chair du Christ. Tu as dit en effet que cette chair pécheresse,
immergée dans les eaux du Jourdain, avait été purifiée de
toutes les souillures. Tu dirais cela avec raison si le baptême
de la chair du Christ suffisait pour le salut de tous et si personne ne devait être baptisé pour soi. **2.** S'il en était ainsi,
là serait tout le genre humain, là serait tout être dont l'origine est charnelle [1] ; il n'y aurait aucune différence entre
ceux qui ont la foi et n'importe quel païen puisqu'en tous il
y a la chair. Et puisqu'il n'est personne qui ne soit de chair,
si, comme tu l'as dit, la chair du Christ, immergée dans les
eaux du Jourdain, a été purifiée, toute chair devrait obtenir
ce bienfait. Car autre est la chair du Christ dans le Christ,
autre la chair de chacun en soi. **3.** Pourquoi as-tu trouvé
bon de dire que la chair du Christ était pécheresse ? Ah ! Si
tu disais : la chair des hommes dans la chair du Christ ! Mais
c'est avec raison que tu n'as pas dit cela, parce que chaque
homme qui a la foi est baptisé au nom du Christ et non pas
dans la chair du Christ, qui lui appartenait en propre. Ajoute
à cela que sa chair, conçue de l'Esprit-Saint, n'a pu être
plongée comme les autres dans l'eau du baptême pour la
rémission des péchés, car elle était exempte de tout péché.
4. Tu as ajouté qu'elle avait été « immergée » dans les eaux
du Jourdain ; c'est bien à la légère que tu as employé ce mot

---

poris » ; III, 3, 2 : « principaliter testis est »). Cet usage est caractéristique
de la langue tardive ; cf. Tert., *Cult. fem.*, II, 9 : « retro dignitas » ; Cypr.,
Zel., 18 : « semper regnum » ; *LHS* p. 171.

bum soli Pharaoni et eius populo debebatur, qui pondere
delictorum tamquam plumbum ita mersus sit ut ibi remanserit j ! Christi autem caro dum in Iordane descendit et
ascendit k, mersa a te dici non debuit. Cuius caro ab ipso
25 Iordane sanctior inuenitur ut magis aquam ipsa descensu
suo mundauerit quam ipsa mundata sit.

9. 1. Etiam illud praeterire non possum quod te subtiliter egisse considero ut ad inducendos uel decipiendos animos auditorum post circumcisionis et diluuii descriptionem
et post laudem baptismatis haereticos cum erroribus suis
5 iam mortuos et obliuione sepultos quodammodo resuscitare
uoluisti, quorum per prouincias Africanas non solum uitia
sed etiam nomina uidebantur ignota. 2. Marcion, Praxeas,
Sabellius, Valentinus et ceteri usque ad cataphrygas tempo-

---

21 debebatur : uidebatur B ‖ 22 ut : *om.* P ac ‖ 23 Iordane : -nem G ‖ 24
ab : *om.* G ‖ 25 sanctior : purior G ‖ ipsa : -sam G V ‖ descensu : discensu
RB ac ‖ 26 ipsa : ipse G ‖ mundata : -tus G
  9, 1 te : tem R   tam B ‖ 2 considero : -derato B ac ‖ 5 iam : *om.* RBV ‖
obliuione : + iam RBV ‖ quodammodo : quosdammodo B ac ‖ 8
Valentinus : Valenti*nus P ‖ usque ad cataphrygas *scripsi cum* z : *post*
Carthaginiensi *transp. codd.* catafrigas RBV   cathafrigas G   catafregas P

---

j. Cf. Ex. 14, 28   k. Cf. Matth. 3, 16 ; Mc 1, 10 ; Lc 4, 1

---

1. Optat donne ici une liste d'hérésies condamnées aux IIe et IIIe siècles.
~ Marcion et Valentin sont des gnostiques contre lesquels Tertullien a
rédigé deux ouvrages, l'*Aduersus Marcionem* (*SC* 365, 368 et 399) et
l'*Aduersus Valentinianos* (*SC* 280 et 281). Praxéas et Sabellius ont professé
le modalisme, qui nie la Trinité. Tertullien a également combattu cette doctrine dans l'*Aduersus Praxean*, mais il ne nomme jamais Sabellius. Celui-
ci, qui vint à Rome vers la fin du pontificat de Zéphyrin (198-217), a été
violemment attaqué par Hippolyte qu'Optat ne cite pas. Comme il ne mentionne pas non plus Irénée, qui s'est illustré par sa lutte contre les gnostiques, on peut penser que l'évêque de Milève n'a pas lu ces auteurs, sans
doute parce qu'il ne connaissait pas le grec. ~ La source d'Optat, pour la
connaissance de ces hérésies, pourrait donc être essentiellement Tertullien.
Mais comment expliquer, d'une part qu'il connaisse Sabellius (alors que
Tertullien ne le mentionne pas), d'autre part qu'il cite Zéphyrin de Rome

qui n'aurait dû être appliqué qu'à Pharaon et à son peuple qui ont été immergés sous le poids de leurs crimes comme du plomb, si bien qu'ils sont restés au fond [j] ! Mais puisque la chair du Christ, après être descendue dans le Jourdain, en est remontée [k], tu n'aurais pas dû dire qu'elle avait été immergée. Et il se trouve que cette chair est plus sainte que le Jourdain même, si bien qu'elle a plutôt purifié l'eau par sa descente qu'elle n'a été purifiée elle-même.

Différence entre schisme et hérésie

9. 1. Mais ceci non plus je ne peux le passer sous silence : je considère que tu as agi avec habileté quand, pour induire en erreur ou tromper les esprits de tes auditeurs, après avoir décrit la circoncision et le déluge, tu as voulu en quelque sorte ressusciter avec leurs erreurs des hérétiques qui étaient déjà morts et enterrés par l'oubli et dont les fautes et les noms mêmes paraissaient ignorés dans les provinces d'Afrique. **2.** Marcion, Praxéas, Sabellius, Valentin et les autres, jusqu'aux cataphrygiens [l], ont été

(qui écrit lui aussi en grec) ? ~ La réponse se trouve peut-être dans la référence à Victorin de Poetovio († 304). JÉRÔME (*De uiris illustribus*, 74) attribue à cet auteur un *Aduersus omnes haereses* que nous ne connaissons pas autrement. Or, certains manuscrits donnent en appendice au *De praescriptione* de Tertullien un catalogue de trente-deux hérésies qui porte ce titre (cf. *CSEL* 47, p. 213-226). Victorin de Poetovio pourrait avoir traduit en latin et remanié ce texte, qui aurait pour auteur Zéphyrin de Rome (d'après E. SCHWARTZ, *Sitzungsberichte der Bayerischen Akademie der Wissenschaften, philos. — hist. Klasse*, 3, Munich 1936). Optat pourrait avoir trouvé dans cet ouvrage le nom de Sabellius, qu'il faut, de toute façon, mettre en relation avec Zéphyrin. L'évêque de Rome, en effet, avait été violemment attaqué par Hippolyte, qui le considérait comme un modaliste convaincu, alors que sa théologie était simplement un peu archaïque. Optat saisit peut-être ici l'occasion de rejeter les accusations portées contre Zéphyrin, en rappelant qu'il fut un défenseur de la foi catholique. ~ La mention des cataphrygiens (ou phrygiens = montanistes) suscite également des interrogations. Optat peut-il ignorer que Tertullien, loin d'avoir combattu les montanistes, a rompu avec l'Église pour rejoindre leur communauté ? Le catalogue des trente-deux hérésies qui fait suite au *De praes-*

ribus suis a Victorino Petauionensi et Zephyrino Vrbico et
10 a Tertulliano Carthaginiensi et ab aliis adsertoribus ecclesiae
catholicae superati sunt. Vt quid bellum cum mortuis geris
qui ad negotium temporis nostri non pertinent ? **3**. Sed
quia schismaticus hodie aliquid peccati quod probare possis
in catholicos non habes, ideo ad prolixitatem scripturae tuae
15 augendam tot haereticos cum erroribus suis commemorare
uoluisti.

10. 1. Nunc alia quaestio est ut quid a te memorati sunt
illi apud quos non sunt sacramenta, quae nobis et uobis
uidentur esse communia. Sanitas non flagitat medicinam, de
se secura uirtus forinsecus non quaerit auxilia, ueritas non
5 desiderat argumenta. Aegroti est remedia quaerere, inertis et
imbellicis est auxilia comparare, mendacis est argumenta

---

12 qui : quid G   quod RBV ‖ pertinent : -net RBV ‖ 13 schismaticus :
-matis RBV ‖ peccati : *om.* RBV ‖ 14 scripturae tuae : -tura tua B [ac]

10, 1 a te : ante B ‖ 3 sanitas : -tias G ‖ 4 forinsecus : forensecus P [ac] ‖
5 inertis : -tibus RBV ‖ 6 mendacis : mendascis B [ac]

---

criptione de Tertullien place les Phrygiens parmi les hérétiques. C'est peut-
être dans cet ouvrage que l'évêque de Milève a trouvé ce nom. Mais il a pu
également le lire dans la lettre adressée à Cyprien par Firmilien, évêque de
Césarée en Cappadoce († vers 268), dans laquelle celui-ci attaque le pape
Étienne et soutient que le baptême conféré par les hérétiques est sans
valeur. Cf. CYPR., *Ep.* LXXV, VII, 3 : « ceux qu'on appelle cataphrygiens » ;
G. W. CLARKE, *ACW* 47 (t. 4), p. 259, n. 29 et p. 260, n. 31. ~ La place du
groupe de mots « usque ad cataphrygas » dans le texte d'Optat pose un
problème d'interprétation. Nous avons choisi, comme Ziwsa, de le transcrire après « ceteri », dans la suite logique de l'énumération de toutes les
hérésies. Cependant, tous les manuscrits donnent l'ordre suivant : « et a
Tertulliano Carthaginiensi usque ad cataphrygas ». Optat aurait-il voulu
rappeler ainsi que Tertullien avait combattu toutes ces hérésies avant de
tomber lui-même dans l'erreur des cataphrygiens (jusqu'à ce qu'il rejoigne
les cataphrygiens) ?

1. Sur Marcion, cf. A. VON HARNACK, *Marcion. Das Evangelium vom
fremden Gott* (*TU* 45), Leipzig 1924, 2ᵉ éd. (réimpr. Darmstadt 1960) ;
E. AMANN, art. « Marcion », *DTC* 9, 2 (1927), col. 2009-2032 ;
E. C. BLACKMAN, *Marcion and his Influence,* Londres 1948 ; M. LODS,

vaincus de leur temps par Victorin de Poetovio, Zéphyrin de Rome, Tertullien de Carthage [1] et les autres défenseurs de la foi catholique. Alors, pourquoi fais-tu la guerre à des morts qui n'ont rien à voir avec l'affaire de notre temps ? 3. Mais c'est que toi, qui es schismatique, tu ne peux en ce jour convaincre d'aucune sorte de péché les catholiques ; aussi, pour augmenter la longueur de ton ouvrage, tu as voulu rappeler le souvenir de tant d'hérétiques et de leurs erreurs.

10. 1. Mais c'est une autre question de savoir pourquoi tu as rappelé le souvenir de ces hommes qui ne possèdent pas les sacrements qui nous sont communs, à vous et à nous. La santé ne réclame pas de remède ; la puissance sûre d'elle ne recherche pas de l'aide à l'extérieur ; la vérité n'a pas besoin de preuve. Aux malades de chercher des remèdes, aux incapables et aux faibles de se procurer de l'aide, aux men-

---

Précis d'histoire de la théologie chrétienne du début du IIe s. au début du IVe s., Neuchâtel 1966, p. 55-58 ; KELLY₄, *Initiation*, p. 68-70 ; G. PELLAND, art. « Marcion », *DSp* 10 (1980), col. 314-318 ; R. BRAUN, *SC* 365, p. 60 s. ~ Sur Praxéas et Sabellius, cf. M. LODS, *op. cit.*, p. 40-41 ; KELLY₄, *Initiation*, p. 129-132. ~ Sur Valentin, cf. F. M. SAGNARD, *La gnose valentinienne et le témoignage de saint Irénée*, Paris 1947 ; KELLY₄, *Initiation*, p. 29-31 ; *L'exposé valentinien. Les fragments sur le Baptême et sur l'Eucharistie*, texte établi et présenté par J.É. Ménard (*Bibliothèque de Nag Hammadi*, 14), Québec 1985 ; J.-D. DUBOIS, art. « Valentin, école valentinienne », *DSp* 16 (1994), col. 146-156. ~ Sur le montanisme, cf. M. LODS, *op. cit.*, p. 71-76 (la prophétie montaniste naquit en Phrygie vraisemblablement en 157, d'où le nom de *phrygiens* ou *cataphrygiens* attribué aux montanistes) ; cf. EUSÈBE, *H. E.*, V, XVI, 10 ; XIX, 3). ~ Sur Victorin de Poetovio (Poetovium, Pettau, slav. Ptuy ; dans la Styrie yougoslave), cf. B. ALTANER, *Précis de patrologie*, Paris 1961, p. 275 ; Martine DULAEY, *Victorin de Poetovio, premier exégète latin (EA* 139-140), 2 t., Paris 1993. ~ Sur Zéphyrin de Rome, cf. B. ALTANER, p. 207. Sur les premières querelles christologiques et la doctrine trinitaire, cf. M. LODS, *op. cit.*, p. 38 s. ; J. LIÉBAERT, *L'Incarnation*, t. 1 : *Des origines au concile de Chalcédoine*, Paris 1966 ; KELLY₄, *Initiation*, p. 132-135 ; A. GRILLMEIER, *Gesù il Christo nella fede della chiesa*, vol. 1, t. 1 : *Dall'età apostolica al concilio di Calcedonia (451)*, Brescia 1982, p. 244-260 ; B. DE MARGERIE, *La Trinité chrétienne dans l'histoire*, Paris 1975, p. 100-128.

conquirere. 2. Interea dixisti apud haereticos dotes ecclesiae esse non posse et recte dixisti. Scimus enim haereticorum ecclesias singulorum prostitutas nullis legalibus sacra-
10   mentis et sine iure honesti matrimonii esse ; quas non
necessarias recusat Christus, qui est sponsus unius ecclesiae,
sicut in Canticis Canticorum [l] ipse testatur, qui cum unam
laudat ceteras damnat, quia praeter unam, quae est uere
catholica, ceterae apud haereticos putantur esse sed non
15   sunt. 3. Secundum quod indicat, ut supra diximus, in
Canticis Canticorum [m] unam esse columbam suam, eamdem
sponsam electam, eumdem hortum conclusum et fontem
signatum, ut haeretici omnes neque claues habeant quas
solus Petrus accepit, nec anulum quo legitur fons esse signa-
20   tus, nec aliquem illorum esse ad quem hortus ille pertineat
in quo Deus arbusculas plantat [n]. 4. De quibus haereticis,
quamuis ad praesentem non pertineat causam, quod diu
locutus es, et suffecerat et abundabat. Sed miror quid tibi
uisum est etiam uos ipsos eis adiungere quos esse schisma-
25   ticos constat, dum ecclesiae dotes et haereticis ipsis et uobis
schismaticis denegasti. Dixisti enim inter cetera schismati-

---

8 scimus : scismus G ‖ 10 et : *om.* P ‖ 11 sponsus : -sis B [ac] ‖ 13 quia :
qui RBV ‖ uere : uera G ‖ 14 ceterae : -ra B [ac] ‖ 15 supra : primo P ‖ 17
electam : delectam G   dilictam P ‖ eumdem : eandem PG B ‖ 20 nec aliquem : ne apud aliquem G ‖ quem : quos P ‖ 23 locutus : locus B [ac] ‖ suffecerat *scripsi cum* z : sufficerat *codd.* ‖ 24 uos : nos G

---

l. Cf. Cant. 6, 8-9   m. Cf. Cant. 4, 12 ; 6, 8   n. Cf. Cant. 6, 10

---

1. « dotes » : Selon le *TLL s.v.* col. 2044, 55-72, ce terme, employé par
Optat pour désigner les « dons » de l'Église, n'est attesté avec un tel
contexte que chez RUFIN, *Orig. in cant.*, 1, et Ps.-AVG., *Symb.* 4, 13, 13 ;
Serm. 11, 30.
2. Les références au *Cant.* sont nombreuses chez OPT. (cf. I, 12, 2 ; II,
8, 1 ; II, 13, 3). Les donatistes, comme Cyprien avant eux, ne se lassaient
pas d'invoquer le texte du *Cant.* Cf. CYPR., *Ep.* LXIX, II, 1 : « Si l'épouse
du Christ qu'est l'Église est un jardin fermée, une chose fermée ne peut

teurs de rechercher des preuves. 2. Cependant, tu as dit que les hérétiques ne pouvaient pas posséder les dons [1] de l'Église et tu as parfaitement parlé. Nous savons en effet qu'aucune de ces églises hérétiques, de ces courtisanes, n'a obtenu la consécration juridique d'un mariage légal ; car le Christ repousse ces églises, qui ne lui sont pas alliées, lui qui est l'époux d'une seule Église, comme il l'atteste lui-même dans le Cantique des Cantiques [l], en faisant la louange d'une seule, il réprouve les autres, car en dehors d'une seule, qui est véritablement catholique, les autres, chez les hérétiques, passent pour l'être mais ne le sont pas. 3. En effet, comme je l'ai dit plus haut, il déclare dans le Cantique des Cantiques [m] que sa colombe est unique, unique son épouse élue, uniques le jardin bien clos et la source scellée [2]. Ainsi, tous les hérétiques ne possèdent ni les clefs que seul Pierre a reçues ni l'anneau qui, lit-on, scelle la source. Il n'est aucun d'entre eux à qui revienne ce jardin dans lequel Dieu plante de jeunes arbres [n]. 4. Tu as parlé longuement, suffisamment et abondamment de ces hérétiques bien que cela ne concerne pas la présente affaire. Mais ce qui m'étonne, c'est que tu aies cru bon [3] de vous assimiler à eux, vous qui êtes, cela est évident, des schismatiques, en affirmant qu'on ne trouve les dons de l'Église ni chez les hérétiques ni chez vous, les schismatiques. Tu as dit en effet, entre autres choses, que les

être ouverte à des étrangers et à des profanes ; si elle est une fontaine scellée, celui-là n'y peut boire, ni y recevoir la marque du sceau, qui, étant du dehors, n'a point accès à la fontaine » (« Si autem hortus conclusus est sponsa Christi quae est ecclesia, patere res clausa alienis et profanis non potest. Et si fons signatus est, neque bibere inde neque consignari potest cui foris posito accessus ad fontem non est ») ; pour les donatistes, cf. AVG., *Bapt.*, VII, LI, 99. Cf. l'Introduction, p. 92-94.

3. « Quid tibi uisum est » : Optat emploie souvent l'indicatif au lieu du subjonctif dans la subordonnée interrogative. Il se conforme en cela à l'usage des auteurs chrétiens. Cet emploi est aussi attesté dans la langue classique, notamment après l'impératif. Cf. *LHS* p. 538.

cos a uite uelut sarmenta esse concisos destinatos poenis
tamquam ligna arida gehennae ° ignibus reseruari. 5. Sed
uideo te adhuc ignorare schisma apud Carthaginem a ues-
30 tris principibus factum. Quaere harum originem rerum et
inuenies te hanc in uos dixisse sententiam cum schismaticis
haereticos sociasti. Non enim Caecilianus exiuit a Maiorino
auo tuo sed Maiorinus a Caeciliano. Nec Caecilianus recessit a cathedra Petri uel Cypriani sed Maiorinus cuius tu
35 cathedram sedes, quae ante ipsum Maiorinum originem non
habet. 6. Et cum haec ita gesta esse manifestissime constet,
et uos heredes traditorum et schismaticorum esse euidenter
appareat, satis te miror, frater Parmeniane, cum schismaticus sis, schismaticos haereticis iungere uoluisse. Aut si sic
40 tibi uidetur et ita placet, cumula illa quae a te paulo ante
sunt dicta. Dixisti enim fieri non posse ut in falso baptismate inquinatus abluat, immundus emundet, supplantator
erigat, perditus liberet, reus ueniam tribuat, damnatus abso-
luat. 7. Bene haec omnia potuerunt ad solos haereticos
45 pertinere, quia falsauerunt symbolum, dum alter dixit duos
deos, cum Deus unus sit ; alter patrem uult in persona filii
cognosci ; alter carnem subducens filio Dei per quam Deo
reconciliatus est mundus ; et ceteri huiusmodi qui a sacramentis catholicis alieni esse noscuntur. 8. Quare paeniteat

---

27 a : *om.* V ‖ sarmenta : sacra V ac sacrata V pc ‖ destinatos : distinatos
P ac destinatis G ‖ 29 ignorare : -rasse G ‖ apud Carthaginem : *post* factum *transp.* P ‖ 30 factum : -tam RV *om.* B ‖ quaere : quare B querere
G ‖ et : *om.* P ‖ 31 schismaticis : -cos P ‖ 32 haereticos : -cis P ‖ a Maiorino
exiuit B ‖ 34 Cypriani : Cipriani BV ‖ 35 cathedram : + ante B ac ‖ quae :
qua B ac ‖ 36 habet : -bebat RBV ‖ haec : hac B ac ‖ constet : -tent RBV ‖
37 esse : *post* heredes *transp.* RBV ‖ 40 uidetur tibi B ‖ cumula : cum RBV
‖ quae a te : qua etate B ac ‖ 41 dicta sunt P ‖ in : *om.* G ‖ 42 abluat : abluit
V ‖ 44 haec : hac B ac ‖ omnia : *om.* G ‖ potuerunt : -terunt V ‖ 45 quia :
qui G ‖ dixit : -xerit RBV ‖ 46 persona : -nam RBV ‖ 47 cognosci : -scere
G ‖ 48 reconciliatus : -siliatus G ‖ huiusmodi : + homines G ‖ a : *om.* G

---

o. Cf. Jn 15, 6 ; Matth. 3, 10 ; 7, 19 ; 18, 9 ; Lc 3, 9

schismatiques, coupés du cep comme des sarments et destinés aux châtiments, étaient réservés, comme des branches
sèches, au feu de la Géhenne °. 5. Mais je le vois bien, tu
ignores encore que le schisme a été produit à Carthage par
vos premiers chefs. Cherche l'origine de ces événements et
tu t'apercevras que tu as prononcé votre condamnation
quand tu as associé les hérétiques aux schismatiques. Car ce
n'est pas Cécilien qui s'est séparé de ton aïeul Majorinus,
mais c'est Majorinus qui s'est séparé de Cécilien. Ce n'est
pas Cécilien qui s'est écarté de la chaire de Pierre ou de
Cyprien, mais c'est Majorinus, dont tu occupes la chaire,
une chaire qui n'existait pas avant Majorinus lui-même.
6. Et puisqu'il est très manifestement établi que cela s'est
passé ainsi, puisqu'il est bien évident que vous êtes les héritiers des traditeurs et des schismatiques, je m'étonne que toi,
frère Parménien, toi qui es schismatique, tu aies voulu assimiler les schismatiques aux hérétiques. Ou bien, si cela te
paraît bon et te plaît ainsi, rassemble ce que tu as dit peu
auparavant ; tu as dit en effet qu'il était impossible, par un
faux baptême, à l'homme corrompu de laver, à l'impur de
purifier, à celui qui renverse de relever, au damné de délivrer, au coupable de pardonner et au condamné d'absoudre [1].
7. Tout cela aurait très bien pu ne se rapporter qu'aux hérétiques, puisqu'ils ont falsifié le symbole de la foi : l'un a dit
qu'il y avait deux dieux, alors qu'il n'y a qu'un Dieu ; l'autre
veut faire reconnaître le Père dans la personne du Fils ; un
autre retire au Fils de Dieu la chair qui a réconcilié le monde
avec Dieu ; et il en est d'autres encore de ce genre qui
sont, nous le savons, étrangers aux sacrements catholiques.

---

1. L'emploi de l'adjectif ou du participe substantivé est fréquent chez
Optat. Cf. II, 19, 5 : « incestus ad castum » ; III, 4, 2 : « uenientibus supra
memoratis » ; III, 12, 5 : « de amaro... de dulci ». Attesté dès le début de la
langue latine, cet usage se développe dans le latin tardif. Cf *LHS* p. 156-
157.

50 te talibus hominibus etiam schismaticos adiunxisse ; in te
enim conuertisti sententiae gladium dum aestimas quia alte-
ros adpetebas et non adtendisti inter schismaticos et haereticos quam sit magna distantia. Inde est quod ignoras et quae
sit sancta ecclesia. Et sic omnia miscuisti.

11. 1. Catholicam facit simplex et uerus intellectus in
lege et singulare ac uerissimum sacramentum et unitas animorum. Schisma uero sparso coagulo pacis dissipatis sensibus generatur, liuore nutritur, aemulatione et litibus robo-
5 ratur, ut deserta matre catholica impii filii, dum foras exeunt
et se separant, ut uos fecistis, a radice matris ecclesiae inui-
diae falcibus amputati errando rebelles abscedunt ; 2. nec
possunt nouum aliquid aut aliud agere nisi quod iamdudum
apud suam didicerant matrem.

12. 1. Haeretici uero ueritatis exules, sani et uerissimi
symboli desertores, de sinu sanctae ecclesiae impiis sensibus
deprauati, contempto quod bene fuerant geniti, ut igno-
rantes et rudes deciperent, de se nasci uoluerunt. Et qui iam-
5 dudum uitalibus pasti fuerant cibis, corruptela malae digestionis in perniciem miserorum disputationibus impiis

50 adiunxisse : iunxisse G ‖ 51 sententiae : -tia B ᵃᶜ ‖ gladium sententie
G ‖ 52 non : *om*. G ‖ 53 inde : iste P ‖ et : *om*. P ‖ quae : qua B ᵃᶜ
11, 1 in lege : intellegere R intelligere BV ‖ 2 et ¹ : *om*. RBV ‖ singulare : -rem RBV ‖ 3 dissipatis : -ti B ᵃᶜ ‖ 4 aemulatione : emulatorum V ‖ 5
exeunt : excurrunt V ‖ 6 fecistis : -isti B ᵃᶜ ‖ 7 abscedunt : -cendunt B ᵃᶜ ‖
9 didicerant : -cerunt RBV
12, 1 sani : facti G ‖ uerissimi : ueri PG ‖ 2 sanctae ecclesiae : sancta
ecclesia B ᵃᶜ ‖ 4 deciperent : -perant B ᵃᶜ ‖ 5 uitalibus : in talibus V ‖ cibis :
cibus B ᵃᶜ ‖ malae : maltae P ‖ digestionis : digessionis P ‖ 6 perniciem : -
cie RBV ‖ impiis disputationibus G

1. « Catholicam facit simplex et uerus intellectus *in lege* » (P) : TURNER₂
(*Aduersaria critica*, p. 289) accepte cette leçon. Cf. II, 1, 2 : « Numquid
pagani *extralegales* possunt aut cantare aut laudare nomen domini, et non
sola ecclesia quae *in lege* est. » ~ Sur le mot *extralegales,* cf. n. 3 bis, du

8. C'est pourquoi tu dois te repentir d'avoir associé aussi les schismatiques à de tels hommes, car c'est contre toi-même que tu as tourné le glaive de ta sentence quand tu pensais atteindre les autres, et tu n'as pas remarqué la grande différence qui existe entre les schismatiques et les hérétiques. De là vient que tu ignores aussi quelle est l'Église sainte. Et ainsi, tu as tout mélangé.

11. 1. Ce qui fait l'Église catholique, c'est l'interprétation simple et juste de la Loi [1], le sacrement unique et très véritable et l'union des cœurs. Quant au schisme, le lien de la paix une fois rompu, il naît de la division des sentiments, il est nourri par la jalousie et consolidé par la rivalité et par les querelles. Ainsi quand, ayant abandonné leur mère, l'Église catholique, les fils impies sortent de son sein et se séparent d'elle, comme vous l'avez fait, coupés de leur racine, leur mère l'Église, par les faux de la haine, ces révoltés s'égarent loin d'elle ; 2. mais ils ne peuvent rien faire de nouveau ni de différent, sinon ce qu'ils avaient appris auparavant chez leur mère.

12. 1. Quant aux hérétiques, privés de la vérité, déserteurs du symbole saint et très véritable, détournés du sein de l'Église sainte par des sentiments impies, ils ont dédaigné leur juste naissance et, pour la perte des ignorants et des innocents, ils ont voulu naître d'eux-mêmes. Ils s'étaient nourris auparavant d'aliments sains ; mais la corruption est venue d'une mauvaise digestion. Alors, pour la perte des malheureux, dans leurs controverses impies, ils ont vomi des

---

livre II. Cf. VII, 1, 34 : « Apostolus de *extralegalibus* ait : gentes quae *legem* nesciunt, ea quae *legis* sunt faciunt ; habent enim *legem* scriptam in cordibus suis. » Cf. VASSALL-PHILLIPS[2], *Optatus*, p. 23, n. 3 : « Harnack quotes this passage and understands by *lege* the 2 Testaments » (*History of Dogma*, V, p. 43). ~ On peut rapprocher la construction *intellectus in lege* de OPT., IV, 9, 6 : « tuus *intellectus in* hoc capitulo Hieremiae », « ton interprétation de ce chapitre de Jérémie ». Sur cette construction, cf. *TLL s.v.* col. 2092, 5-7.

uenena mortifera uomuerunt. 2. Vides ergo, frater
Parmeniane, haereticos a domo ueritatis satis extorres solos
habere uaria et falsa baptismata, quibus inquinatus non pos-
10 sit abluere, immundus emundare, supplantator erigere, perditus liberare, reus ueniam tribuere, damnatus absoluere.
Bene clausisti hortum haereticis. Bene reuocasti claues ad
Petrum. Bene abstulisti colendi potestatem ne arbusculas
colerent hi quos ab hortulo et a paradiso Dei constat alie-
15 nos. Bene subduxisti anulum his quibus aperire non licet ad
fontem ᴾ 3. Vobis uero schismaticis, quamuis in catholica
non sitis, haec negari non possunt quia nobiscum uera et
communia sacramenta traxistis. Quare cum haec omnia haereticis bene negentur, quid tibi uisum est haec et uobis
20 negare uoluisse quos schismaticos esse manifestum est ?
4. Vos enim foras existis. Quantum in nobis est, uolebamus
ut soli damnarentur haeretici ; quantum in te est, etiam uos
ipsos cum eis una sententia ferire uoluisti.

---

8 satis : *om.* G ‖ 9 habere : + et G ‖ 14 hi : hii PV   ii z ‖ 15 his : hiis V
iis z ‖ ad : *om.* P ‖ 16-17 quamuis — sitis : *om.* V ‖ 17 haec : hac B ᵃᶜ ‖
negari : denegari G ‖ nobiscum : uobiscum P ‖ 18 haereticis : *om.* B ᵃᶜ ‖ 19
negentur : benegentur B ᵃᶜ ‖ 20 manifestum : -festissimum PG V ‖ 21 uolebamus : -bam RBV ‖ 23 sententia : -tiae P

---

p. Cf. Cant. 4, 12

---

1. « Bene... bene... » : L'anaphore est un procédé de style qu'Optat
affectionne particulièrement. On peut en trouver de nombreux exemples
dans son traité. Cf. par ex., II, 1, 6 : « permittite [...] permittite » ; III, 7, 3 :
« uindicauit [...] uindicauit » ; VII, 1, 41 : « integrum [...] integrum ».

2. « Haec negari non possunt quia *nobiscum* uera et communia sacramenta traxistis. » BLAISE (*Dict.*, p. 823) cite OPT., I, 12 : *traho* = « recevoir,
prendre part à ». Cependant TURNER₂ (*Aduersaria critica*, p. 289) rejette
nobiscum pour *uobiscum* (P) et suggère : « When you left the Church you
took with you the true sacraments you share with us. »

poisons mortels. 2. Tu vois donc, frère Parménien, que seuls les hérétiques, trop égarés loin de la maison de la vérité, ont des baptêmes différents et faux, par lesquels l'homme corrompu ne peut laver, l'impur purifier, celui qui renverse relever, le damné délivrer, le coupable pardonner et le condamné absoudre. Tu as eu raison [1] de fermer le jardin aux hérétiques. Tu as eu raison d'attribuer les clefs à Pierre. Tu as eu raison de retirer à ces hommes le pouvoir de cultiver, pour les empêcher de cultiver de jeunes arbres, eux qui sont, cela est évident, étrangers au jardin et au paradis de Dieu. Tu as eu raison de leur enlever l'anneau, car ils n'ont pas le droit d'ouvrir l'accès à la source [p]. 3. Mais à vous, les schismatiques, bien que vous ne soyez pas dans l'Église catholique, tout cela ne peut être refusé, car vous avez reçu avec nous les sacrements très véritables qui nous sont communs [2]. Ainsi, alors que tout cela est refusé avec raison aux hérétiques, pourquoi as-tu trouvé bon de le refuser aussi à vous, qui êtes manifestement des schismatiques ? 4. Car vous êtes sortis de l'Église. Pour nous, nous ne voulions que la condamnation des hérétiques ; mais toi, tu as voulu vous frapper vous aussi avec eux de la même sentence [3].

---

3. Sur la validité du baptême des schismatiques, cf. l'Introduction, p. 94-100 ; Avg., *C. Parm.*, II, XIII, 30 (*BA* 28, p. 347) : « Quant à ceux qui sont séparés de l'unité de l'Église, la question ne se pose plus ; il est sûr qu'ils l'ont et peuvent le donner, sûr aussi qu'ils le possèdent pour leur perte et le transmettent pour leur perte hors du lien de la paix. Ceci a déjà été discuté, examiné attentivement, clairement reconnu et confirmé dans l'Unité qui englobe l'univers » (« De his uero qui ab ecclesiae catholicae unitate separati sunt, nulla iam quaestio est quod et habeant perniciosaeque tradant extra uinculum pacis. Hoc enim iam in ipsa totius orbis unitate discussum consideratum perspectum atque firmatum est »). ~ Augustin pensait qu'un concile plénier avait décidé dans le sens de la théologie romaine, donc contre celle de Cyprien. Il situe ce concile entre la mort de Cyprien et sa propre naissance (Arles, 314 ? Nicée, 325 ?). Cf. CONGAR[4], *BA* 28, p. 347.

13. 1. Sed iam ut ad propositum singularum rerum ordinem redeamus, primo loco audi qui fuerint traditores et plenius auctores schismatis disce. In Africa duo mala et pessima admissa esse constat, unum in traditione, alterum in
5 schismate, sed utraque mala et uno tempore et hisdem auctoribus uidentur esse commissa. Debes ergo, frater
Parmeniane, discere quod intellegeris ignorare. **2.** Nam
ferme ante annos sexaginta et quod excurrit per totam
Africam persecutionis est diuagata tempestas quae alios
10 fecerit martyres, alios confessores, nonnullos funestam
prostrauit in mortem, latentes dimisit illaesos. Quid commemorem laicos qui tunc in ecclesia nulla fuerant dignitate
suffulti ? Quid ministros plurimos ? Quid diaconos in tertio, quid presbyteros in secundo sacerdotio constitutos ?
15 **3.** Ipsi apices et principes omnium, aliqui episcopi illius
temporis, ut damno aeternae uitae istius incertae lucis moras
breuissimas compararent, instrumenta diuinae legis impie
tradiderunt. Ex quibus erant Donatus Masculitanus, Victor
Rusiccadiensis, Marinus ab Aquis Tibilitanis, Donatus
20 Calamensis et homicida Purpurius Liniatensis, qui interro-
gatus de filiis sororis suae quod eos in carcere Milei necasse
diceretur confessus est dicens : **4.** Et occidi et occido non
eos solos sed et quicumque contra me fecerit ; et Menalius

13, 1 propositum : + et P ‖ 2 redeamus : -damus B ᵃᶜ ‖ primo : + in G
‖ 5 hisdem *codd.* : iisdem z ‖ 7 quod : quos B ‖ 9 diuagata : deuagata RBV
diu ac tuta G ‖ 10 funestam : -ta RBV ‖ 11 mortem : -te RBV ‖ commemorem : -ram B ᵃᶜ ‖ 12 ecclesia : -siam P ‖ 13 suffulti : *om.* G ‖ 15 omnium :
om. p ‖ illius temporis : illis temporibus RBV ‖ 16 aeternae : -na B ᵃᶜ ‖
uitae : -ta B ᵃᶜ ‖ moras : *om.* G ‖ 17 impie : -piae R ‖ 18 erant : erat P ‖ 19
Rusiccadiensis : -densis PG z ‖ Marinus : Manus G ‖ 20 homicida : -dia G
‖ Liniatensis *codd.* : Limatensis z ‖ 21 carcere *scripsi* cum z : carcerem *codd.*
‖ Milei : Milie V ‖ 22 et¹ : *om.* P ‖ 23 et¹ : det B ᵃᶜ

---

1. Les *ministri* désignent très probablement les sous-diacres (*subdiaconi*,
cf. *Gesta apud Zenophilum, CSEL* 26, p. 187, 2). On retrouve les quatre
grades de la hiérarchie du clergé en II, 14, 1 (« episcopos, presbyteros, dia-

II. Les origines du schisme

Persécution et *traditio*   **13.** 1. Mais pour en revenir maintenant au plan précis que je me suis proposé de suivre, sache tout d'abord quels ont été les traditeurs et apprends de façon plus complète quels ont été les responsables du schisme. Il est établi qu'en Afrique deux péchés très graves ont été commis : l'un est la *traditio*, l'autre le schisme ; mais il se trouve que ces deux péchés ont été commis à la même époque par les mêmes auteurs. Tu dois donc, frère Parménien, apprendre ce que tu ignores de toute évidence. 2. En effet, il y a plus de soixante ans, dans toute l'Afrique s'est répandu l'orage de la persécution, faisant ici des martyrs, là des confesseurs de la foi, terrassant quelques-uns par une mort déplorable, mais épargnant ceux qui se cachaient. A quoi bon rappeler les laïcs qui alors, dans l'Église, n'avaient été soutenus par aucune dignité ? A quoi bon rappeler les nombreux servants de l'Église ? Et les diacres au troisième rang, et les prêtres au deuxième rang du sacerdoce [1] ? 3. Les chefs eux-mêmes et les premiers de tous, certains évêques de cette époque, ont choisi de perdre la vie éternelle pour quelques brefs instants de cette vie incertaine et ont livré de façon impie les livres de la loi divine. Et parmi eux il y avait Donat de Mascula, Victor de Rusiccade, Marinus d'Aquae Tibilitanae, Donat de Calama et l'homicide Purpurius de Limata ; interrogé sur les enfants de sa sœur qu'on l'accusait d'avoir tués dans la prison de Milève, il avoua et dit : 4. « Oui, je les ai tués et avec eux je tue aussi qui a agi contre moi. » Il y avait aussi Menalius

---

conos, ministros »). Sur les institutions ecclésiastiques, cf. A. FAIVRE, *Naissance d'une hiérarchie. Les premières étapes du cursus clérical* (*Théologie historique*, 40), Paris 1977 (tableau, p. 204-205). ~ Sur la persécution de Dioclétien en Afrique, cf. l'Introduction, n. 4, p. 12.

qui ne turificasse a suis ciuibus probaretur, oculorum dolo-
25 rem fingens, ad consessum suorum procedere trepidauit.

14. 1. Hi et ceteri, quos principes tuos fuisse paulo post
docebimus, post persecutionem apud Cirtam ciuitatem, quia
basilicae necdum fuerant restituae, in domum Vrbani Carisi
consederunt die III Iduum Maiarum, sicut scripta
5 Nundinarii tunc diaconi testantur et uetustas membranarum
testimonium perhibet, quas dubitantibus proferre poterimus. 2. Harum namque plenitudinem rerum in nouissima
parte istorum libellorum ad implendam fidem adiunximus.
Hi episcopi interrogante Secundo Tigisitano se tradidisse
10 confessi sunt. Et cum ipse Secundus a Purpurio increpare-
tur quod et ipse diu apud stationarios fuerit et non fugerit
sed dimissus sit, non sine causa dimissum fuisse, nisi quia
tradiderat, iam omnes erecti coeperant murmurare.
3. Quorum spiritum Secundus metuens consilium accepit a

---

24 ne : ine B ᵃᶜ ‖ turificasse : -catus P ‖ 25 consessum : -sensum G RBV
14, 1 hi : hii V ‖ 2 apud : + circum RB ‖ Cirtam : Chirtam P   circam
B ‖ 3 domum : -mo PG ‖ Carisi : Garisi RB ‖ 4 consederunt : -siderunt
B ᵃᶜ ‖ die : om. B ‖ Iduum : idus G   idum V ‖ Maiarum : mayas G ‖ 5 diaconi : -nes P ‖ 7 rerum : om. PG ‖ 8 implendam : -plandam + uitam B ᵃᶜ ‖
9 hi : hii P V ‖ interrogante : -tes G ‖ Tigisitano : Tigistano G   Tisigitano
V ‖ tradidisse se G ‖ se : om. RBV ‖ 11 stationarios : -rio B ᵃᶜ   -rum G ‖
12 dimissus : diuiuus B ᵃᶜ ‖ dimissum : diuiuum B ‖ 13 erecti : heretici RBV
‖ coeperant : ceperant G B   coeperunt V

---

1. Sur Donat, évêque de *Mascula* (en Numidie = Kenchela, en Algérie),
cf. AVG., *C. Cresc.*, III, XXVII, 30 ; MANDOUZE₃, *Prosop.*, p. 290-291 :
« Donatus 2 ». ~ Sur Victor, évêque de *Rusiccade* (en Numidie = Skikda,
ex-Philippeville, en Algérie), cf. AVG., *C. Cresc.*, III, XXVII, 30 ;
MANDOUZE₃, *Prosop.*, p. 1153 : « Victor 2 ». ~ Sur Marinus, évêque
d'*Aquae Tibilitanae* (en Numidie = Hammam Meskoutine, en Algérie),
cf. AVG., *C. Cresc.*, III, XXVII, 30 ; MANDOUZE₃, *Prosop.*, p. 702-703 :
« Marinus 1 ». ~ Sur Donat, évêque de *Calama* (en Numidie = Guelma, en
Algérie), cf. AVG., *C. Cresc.*, III, XXVII, 30 ; MANDOUZE₃, *Prosop.*, p. 289-
290 : « Donatus 1 ». ~ Sur Purpurius, évêque de Limata (siège non exactement identifié, en Numidie), cf. AVG., *C. Cresc.*, III, XXVII, 30 ; *C. Gaud.*,

qui, de peur d'être convaincu par ses concitoyens d'avoir offert de l'encens, prétexta une douleur aux yeux et eut peur de se rendre à la réunion de ses collègues [1].

Le concile de Cirta

14. 1. Ces hommes et d'autres encore qui, nous le montrerons un peu plus loin, ont été tes premiers chefs, ont siégé, après la persécution, dans la ville de Cirta, chez Urbanus Carisus, parce que les basiliques n'avaient pas encore été restituées, le troisième jour des ides de Mai [2], comme l'attestent les écrits de Nundinarius [3] qui était alors diacre et comme le prouvent les vieux parchemins que nous pourrons présenter à ceux qui douteraient. **2.** En effet, dans la dernière partie du présent ouvrage, pour accréditer ce que nous avançons, nous avons reproduit l'ensemble de ces documents. Ces évêques, interrogés par Secundus de Tigisi, ont avoué qu'ils avaient livré. Et comme Secundus lui-même était pris à partie par Purpurius parce que, retenu longtemps chez les gardes, il n'avait pas fui mais avait été relâché, tous, s'étant levés, commençaient à protester qu'il n'avait pas été relâché sans raison, mais parce qu'il avait livré. **3.** Devant les sentiments

---

I, XVI, 17 ; MANDOUZE₃, *Prosop.*, p. 935-936. ~ Menalius, évêque de Numidie dont le siège n'est pas mentionné, n'est connu que par le texte d'Optat. Peut-être faut-il l'identifier avec l'homonyme dont Constantin dénonce la folie dans sa lettre au vicaire d'Afrique Domitius Celsus : cf. CONSTANTIN, *Epistula ad Celsum*, CSEL 26, p. 211 ; trad. J.-L. MAIER, *Le dossier du donatisme*, t. 1 : *Des origines à la mort de Constance II (303-361)*, TU 134, Berlin 1987 (= MAIER₁, *Dossier*), p. 194 s. ; Cf. MANDOUZE₃, *Prosop.*, p. 747 ; MAIER₃, *Épiscopat*, p. 363.

2. Sur le concile de Cirta (5 mars 305, date communément admise), cf. l'Introduction, n. 4, p. 60-61. Urbanus Carisus est donné dans AVG., *C. Cresc.*, III, XXVII, 30, sous le nom de Urbanus Donatus. Cf. MANDOUZE₃, *Prosop.*, p. 291.

3. Nundinarius, diacre, est essentiellement connu par les *Gesta apud Zenophilum* (CSEL 26, p. 186-197 ; MAIER₃, *Dossier*, p. 211 s.), pièces du procès qu'il a intenté en 320 contre Silvanus, évêque de Cirta. Cf. l'Introduction, p. 60 ; MANDOUZE₃, *Prosop.*, p. 788-789.

15 filio fratris sui Secundo minore ut talem causam Deo serua-
    ret. Consulti sunt qui remanserant, id est Victor Garbensis,
    Felix a Rotario et Nabor a Centurionis ; hi dixerunt talem
    causam Deo debere reseruari. Et dixit Secundus : Sedete
    omnes. Tunc dictum est ab omnibus : Deo gratias, et sede-
20 runt. Habes ergo, frater Parmeniane, qui manifesto fuerint
    traditores.

    15. 1. Deinde non post longum tempus idem ipsi tot et
    tales ad Carthaginem profecti, traditores, turati, homicidae,
    Maiorinum, cuius tu cathedram sedes, post ordinationem
    Caeciliani ordinauerunt schisma facientes. Et quoniam tra-
5   ditionis reos principes uestros fuisse monstratum est, conse-
    quens erit eosdem fuisse auctores schismatis. Quae res ut
    clara et manifesta esse omnibus possit ostendendum est ex
    qua radice sese usque in hodiernum erroris protenderint
    rami et ex quo fonte riuulus iste maligni liquoris occulte ser-
10 pens usque in tempora nostra manauerit. **2.** Dicendum est

    15 seruaret : -uarent P -uare G -uiret B ^{ac} ‖ 16 remanserant : -erunt
    RBV ‖ Garbensis : Gabrensis G Gardensis RB Gradiensis V ‖ 17
    Rotario : Ratorio RB ‖ Nabor a : Noboria B ^{ac} ‖ Centurionis : Centoriones
    P ‖ hi : hii P RBV ‖ 18 Deo : domino RBV ‖ 16 reseruari : seruari PG ‖
    19 omnibus : hominibus B
    15, 1 idem *codd.* : iidem z ‖ 3 cathedram : chatedram P cathadram V
    ‖ 6 erit : + ostendere G ‖ eosdem : eodem B ^{ac} ‖ fuisse : + et G ‖ 8 sese : se
    P ‖ protenderint : -derent V ‖ 9 maligni : malim B ‖ serpens : -piens V

    1. Sur Secundus de *Tigisi* (en Numidie = Aïn el Bordj, en Algérie),
    évêque primat de Numidie, cf. MANDOUZE$_3$, *Prosop.*, p. 1052-1054 :
    « Secundus 1 ». Sur Secundus le Jeune (*minor*), neveu de Secundus de
    Tigisi, cf. AVG., *C. Cresc.*, III, XXVII, 30 ; MANDOUZE$_3$, *Prosop.*, p. 1054 :
    « Secundus 2 ». ~ Sur Victor, évêque de *Garbe* (siège non localisé de
    Numidie), cf. AVG., *C. Cresc.*, III, XXVII, 30. Il s'agit probablement du
    même *Victor Garbensis* envoyé à Rome par les donatistes, entre 314 et 320,
    premier évêque de leur communauté dans cette ville (cf. OPT., II, 4, 3). Cf.
    MANDOUZE$_3$, *Prosop.*, p. 1153-1154 : « Victor 3 ». ~ Sur Félix, évêque de
    Rotaria (siège non identifié de Numidie) cf. AVG., *C. Cresc.*, III, XXVII, 30 ;

manifestés par ces hommes, Secundus prit peur ; le fils de son frère, Secundus le Jeune, lui conseilla de s'en remettre à Dieu pour une telle affaire. On consulta ceux qui n'avaient pas été interrogés, c'est-à-dire Victor de Garbe, Félix de Rotaria et Nabor de Centurionae ; ils répondirent qu'il fallait s'en remettre à Dieu pour une telle affaire. Alors Secundus dit : « Asseyez-vous tous ! » Tous répondirent : « Nous rendons grâce à Dieu » et s'assirent [1]. Tu vois donc, frère Parménien, quels hommes ont été manifestement des traditeurs.

Les auteurs du schisme

15. 1. Mais peu de temps après, ces mêmes hommes précisément, tous traditeurs, apostats, homicides, sont venus à Carthage et, après l'ordination de Cécilien [2], ils ont ordonné Majorinus [3] dont tu occupes la chaire, produisant ainsi un schisme. Et puisque je viens de montrer que vos premiers chefs ont été coupables de *traditio*, il s'ensuivra logiquement que ces mêmes hommes ont été les auteurs du schisme. Mais pour que cela puisse être clair et évident pour tous, il faut montrer à partir de quelles racines les branches de l'erreur se sont déployées jusqu'à nos jours et à partir de quelle source ce ruisseau d'eaux mauvaises, serpentant dans l'ombre, a coulé jusqu'à notre époque. 2. Il faut dire à partir de quoi,

---

MANDOUZE₃, *Prosop.*, p. 413 : « Felix 9 ». Sur *Rotaria,* cf. S. LANCEL, *SC* 373 (t. 4), p. 1451-1452. ~ Sur Nabor, évêque de *Centurionae* (siège non identifié de Numidie) cf. AVG., *C. Cresc.,* III, XXVII, 30 ; MANDOUZE₃, *Prosop.*, p. 768-769 : « Nabor 1 ».

2. Sur Cécilien, évêque de Carthage, cf. l'Introduction, p. 61-65 ; MAIER₃, *Épiscopat*, p. 270-271 ; MANDOUZE₃, *Prosop.,* p. 165-174.

3. Sur Majorinus, premier évêque donatiste de Carthage, cf. AVG., *Ep.,* XLIII, V, 15 -16 ; *C. Cresc.,* II, II, 3 ; II, XXVI, 31 ; III, XXIX, 33 ; *C. Parm.,* III, II, 11 ; III, III, 18. Cf. MANDOUZE₃, *Prosop.,* p. 666-667 : « Majorinus 1 ». A une date impossible à déterminer et qui n'est pas évoquée par Optat, Donat lui succède comme évêque dissident de Carthage et donne son nom au schisme.

unde et ubi et a quibus ortum constet hoc alterum malum,
quae conuenerint causae, quae fuerint operatae personae,
qui auctores huius mali, qui nutritores, a quibus sint inter
partes ab imperatore postulata iudicia, qui sederint iudices,
15 ubi sit actum concilium, quae sint prolatae sententiae. De
diuisione agitur ; et in Africa sicut et in ceteris prouinciis
una erat ecclesia antequam diuideretur ab ordinatoribus
Maiorini cuius tu hereditariam cathedram sedes.
3. Videndum est quis in radice cum toto orbe manserit, quis
20 foras exierit, quis cathedram sederit alteram quae ante non
fuerat, quis contra altare altare erexerit, quis ordinationem
fecerit saluo altero ordinato, quis iaceat sub sententia
Iohannis apostoli qui dixit multos antichristos foras exitu-
ros : *quia non erant,* inquit, *nostri, nam si nostri essent man-*
25 *sissent nobiscum* q. Ergo qui in uno cum fratribus manere
noluit haereticos secutus quasi antichristus r foras exiuit.

16. 1. Hoc apud Carthaginem post ordinationem
Caeciliani factum esse nemo qui nesciat, per Lucillam scili-

---

11 ortum : hortum P ‖ 12 conuenerint : -erunt P ac ‖ 14 ab : de G ‖ postulata : -tolata RV ‖ 15 prolatae : probate G ‖ 18 Maiorini : Maioriani G ‖
tu : + cathedram V ‖ 19 radice : -cem V ‖ manserit : remanserit P ‖ quis ² :
qui R acV ‖ 20 sederit : -ret V ‖ 21 altare ² : *om.* G V ‖ 22 saluo : salua R ac
‖ iaceat : -cet B   -cerat G ‖ sententia : -tiam RBV ‖ 23 multos : nulos B ac
multi V ‖ 24 inquit : inquid P BV ‖ si essent nostri G ‖ 25 manere cum
fratribus G

16, 2 nemo : *om.* G   + est z ‖ qui : quis G

---

q. I Jn 2, 19   r. Cf. I Jn 2, 22

---

1. L'expression « dresser autel contre autel » est une façon de désigner
l'acte de schisme, l'unicité de l'autel signifiant l'unicité de l'Église.
Cf. CYPR., *Ep.* XLIII, v, 2 : « Un autre autel ne peut être érigé, un autre
sacerdoce ne peut être institué, en dehors de cet unique autel, de cet unique
sacerdoce » (« Aliud altare constitui aut sacerdotium nouum fieri praeter
unum altare et unum sacerdotium non potest »). Cf. AVG., *Psalm. c. Don.*,
23 : « et altare contra altare ».
2. « ordinationem... ordinato » : Cette figure de style (polyptote) est
souvent utilisée par OPT. (cf. I, 21, 8 : « uindicta... uindicas » ; II, 25,

en quel endroit et par qui cet autre mal a été manifestement engendré, quelles causes ont convergé, quelles personnes ont agi, qui a été responsable de ce mal, qui l'a nourri, qui a demandé à l'empereur des jugements entre les deux parties, quels juges ont siégé, où s'est tenu le concile, quelles sentences ont été prononcées. Il s'agit d'une division ; or, en Afrique comme dans toutes les autres provinces, l'Église était une avant d'être divisée par ceux qui ont ordonné Majorinus, dont tu occupes la chaire, que tu as reçue en héritage.   3. Il faut voir qui est resté enraciné dans l'Église universelle, qui en est sorti, qui a siégé dans une autre chaire, auparavant inexistante, qui a dressé autel contre autel [1], qui a ordonné un second évêque du vivant d'un évêque déjà ordonné [2], qui tombe sous la sentence de l'apôtre Jean qui a dit que beaucoup d'antéchrists partiraient de chez nous : « Ils n'étaient pas des nôtres, dit-il, car s'ils avaient été des nôtres, ils seraient restés avec nous [q][3]. » Donc, celui qui n'a pas voulu rester uni à ses frères a suivi les hérétiques et, comme un antéchrist [r], il est parti de chez nous.

Les causes du schisme : Lucilla contre Cécilien	**16.** 1. Personne n'ignore que cela a été accompli à Carthage, après l'ordination de Cécilien, par l'intermédiaire d'une intrigante, une certaine Lucilla [4].

3 : « uidetur non uidens » ; III, 5, 1 : « mala male ; malum male » ; *LHS* p. 707-708).

3. Le texte d'Optat se rapproche de celui de Cyprien : *mansissent nobiscum* (*Ep.* LIX, VII, 3 et LXIX, I, 3). La Vulgate donne : *permansissent utique nobiscum.*

4. Sur Lucilla, cf. AVG., *C. Cresc.*, III, XXVIII, 32 ; *Ep.*, XLIII, VI, 17 ; *C. Petil.*, II, CVIII, 247 ; MANDOUZE,, *Prosop.*, p. 649 : « Lucilla 1 » ; F. J. DÖLGER, « Das Kultvergehen der Donatistin Lucilla von Karthago. Reliquienkuß vor dem Kuß der Eucharistie », *Antike und Christentum*, 3 (1932), p. 245 s. ; A. C. DE VEER, « Le rôle de Lucilla dans l'origine du schisme africain », *BA* 31, p. 799-802. Y. DUVAL, *Loca sanctorum Africae. Le culte des martyrs en Afrique du IVe au VIIe siècle*, Paris 1982, t. II, p. 481-482 (La *uindicatio martyrum* en Afrique).

cet, nescio quam feminam factiosam quae ante concussam
persecutionis turbinibus pacem, dum adhuc in tranquillo
5 esset ecclesia, cum correptionem archidiaconi Caeciliani
ferre non posset, quae ante spiritalem cibum et potum os
nescio cuius martyris, si tamen martyris, libare dicebatur, et
cum praeponeret calici salutari os nescio cuius hominis mortui, et si martyris sed necdum uindicati, correpta cum confu-
10 sione irata discessit. 2. Irascenti et dolenti ne disciplinae
succumberet occurrit subito persecutionis innata tempestas.

17. 1. Isdem temporibus Felix quidam diaconus qui per
famosam nescio quam de tyranno imperatore tunc factam
epistulam reus appellatus est, periculum timens apud
Mensurium episcopum delituisse dicitur. Quem cum postu-
5 latum Mensurius publice denegaret, relatio missa est.
Rescriptum uenit ut, si Mensurius Felicem diaconum non
reddidisset, ad palatium dirigeretur. Conuentus non leues
patiebatur angustias ; erant enim ecclesiae ex auro et argento
quam plurima ornamenta quae nec defodere terrae nec
10 secum portare poterat. 2. Quae quasi fidelibus senioribus
commendauit commemoratorio facto, quod cuidam anicu-

3 nescio : -ciao V ‖ concussam : -sum V ‖ 5 archidiaconi : archaediaconi
P ᵃᶜ ‖ Caeciliani : + non B ᵃᶜ ‖ 6 posset : -sit P ᵃᶜ ‖ os : omnes B ᵃᶜ ‖ 7 dicebatur libare B ‖ 8 calici : -cis G ‖ salutari : -ris G ‖ os : omnes B ᵃᶜ ‖ 9 uindicati : -canti B ᵃᶜ ‖ 10 discessit irata G ‖ 11 occurrit : succurrit PG
  17, 1 isdem : hisdem PG   hiisdem V ‖ quidam : -dem B ᵃᶜ ‖ 2 famosam : fanosam B ᵃᶜ ‖ 3 epistulam reus *scripsi cum* z : epistularius *codd.* ‖ 8
ecclesiae : -sia B ᵃᶜ ‖ 9 quam : *om.* PG ‖ 10 quae : *om.* P RBV ‖ 11 commendauit : -daut P

1. Félix, diacre, n'est connu que par le texte d'Optat. Sur l'empereur
tyran, cf. T. D. BARNES, « The Beginnings of Donatism », *JThS* 26 (1975),
p. 13-19, argumentation contestée par A. C. DE VEER, *REAug.* 22 (1976),
p. 355, qui rappelle que le terme de tyran désigne le despote et qu'EUSÈBE
(*H. E.*, VIII, 14, 1-6) l'emploie précisément pour désigner Maxence, tout
en signalant que cet empereur fut, par calcul, tolérant à l'égard des chrétiens.

Avant que la tempête de la persécution ne vînt ébranler la paix, quand l'Église était encore dans la tranquillité, cette femme ne put supporter la réprimande que lui adressa l'archidiacre Cécilien ; elle avait, disait-on, l'habitude d'embrasser, avant de prendre l'aliment et le breuvage spirituels, l'os de je ne sais quel martyr, à supposer que ce fût un martyr, et comme elle faisait ainsi passer avant le calice du salut les ossements d'un homme mort, martyr peut-être, mais en tout cas qui n'avait pas encore été reconnu officiellement, réprimandée pour cette pratique, pleine de honte et de colère, elle s'en alla. 2. Mais comme elle se répandait en invectives et en plaintes, l'orage de la persécution éclata soudain, lui permettant ainsi de ne pas se plier à la discipline.

Mort de Mensurius, évêque de Carthage — 17. 1. A la même époque, Félix, un diacre qui avait écrit je ne sais quelle lettre diffamatoire sur l'empereur tyran, fut mis en accusation [1] ; redoutant la peine capitale, il se réfugia, dit-on, chez l'évêque Mensurius [2]. Comme Mensurius refusait publiquement de livrer l'homme qui était poursuivi, on envoya un rapport. Un rescrit arriva, ordonnant, au cas où il n'aurait pas livré le diacre Félix, d'envoyer Mensurius au palais. Cette assignation lui posait de graves problèmes ; l'Église possédait en effet de très nombreux ornements en or et en argent qu'il ne pouvait ni enterrer ni emporter avec lui. 2. Il confia ces objets précieux à des notables [3] soi-disant fidèles, mais il en dressa l'inven-

---

2. Sur Mensurius, dernier évêque catholique de Carthage avant la rupture de l'unité, cf. *Passio ss. Datiui, Saturnini presbyt. et aliorum*, 20, 21 et 23 ; Avg., *C. Petil.*, II, xcii, 202 ; *C. Gaud.*, I, xxxvii, 47 ; *Un. bapt.*, XVI, 29-30 ; Mandouze, *Prosop.*, p. 748-749.

3. Cf. W. H. C. Frend, « The Seniores Laïci and the Origins of the Church in North Africa », *JThS* 12 (1961), p. 280-284 ; B. D. Shaw, « The Elders of Christian Africa », *Mélanges Gareau, Cahiers des Études anciennes*, 14, Ottawa 1982 (« The possible connection between villages elders — *seniores* — and elders in the Church »).

lae dedisse dicitur ita ut, si ipse non rediret, reddita pace
christianis, anicula illa illi daret quem in episcopali cathedra
sedentem inueniret. Profectus causam dixit. Iussus est
15 reuerti, ad Carthaginem peruenire non potuit.

18. 1. Tempestas persecutionis peracta et definita est.
Iubente Deo indulgentiam mittente Maxentio christianis
libertas est restituta. Botrus et Celestius, ut dicitur, apud
Carthaginem ordinari cupientes, operam dederunt ut absen-
5 tibus Numidis soli uicini episcopi peterentur qui ordinationem apud Carthaginem celebrarent. 2. Tunc suffragio
totius populi Caecilianus eligitur et manum imponente
Felice Autumnitano episcopus ordinatur. Botrus et
Celestius de spe sua deiecti sunt. Breuis auri et argenti
10 sedenti Caeciliano, sicuti delegatum a Mensurio fuerat, traditur adhibitis testibus. Conuocantur supra memorati
seniores qui faucibus auaritiae commendatam ebiberant
praedam. 3. Cum reddere cogerentur, subduxerunt communioni pedem, non minus et ambitores quibus et ordinari
15 non contigit ; necnon et Lucilla quae iamdudum ferre non
potuit disciplinam cum omnibus suis potens et factiosa
femina communioni misceri noluit. Sic tribus conuenienti-
bus causis et personis factum est ut malignitas haberet effec-
tum.

19. 1. Schisma igitur illo tempore confusae mulieris ira-
cundia peperit, ambitus nutriuit, auaritia roborauit. Ab his

---

13 illa : *om.* G ‖ daret : redderet G ‖ 14 inueniret : ueniret B [ac]
18, 2 indulgentiam : -tia G V ‖ 3 Celestius : Celesius RBV ‖ 5
Numidis : mundis V ‖ 7 manum : -nu G RBV + ei G ‖ 9 Celestius :
Celesius RBV ‖ sunt : + tunc G ‖ 14 et [2] : *om.* PG
19, 2 ambitus : -itio G ‖ nutriuit : nutriit P   interiuit V

---

1. Cf. Avg., *Psalm. c. Don.*, 47.
2. Sur *Felix Autumnitanus* (*Abthugni*, aux confins de la Proconsulaire
et de la Byzacène = Henchir es Souar, en Tunisie), cf. *Acta Purg. Felicis*,

taire, qu'il remit, dit-on, à une vieille femme. Ainsi, s'il ne revenait pas, quand les chrétiens auraient recouvré la paix, cette vieille femme remettrait la liste des trésors à celui qui occuperait la chaire épiscopale. Il partit et plaida. On lui permit de revenir, mais il ne put parvenir à Carthage.

Élection de Cécilien **18. 1.** L'orage de la persécution s'apaisa et prit fin. Selon la volonté de Dieu, Maxence envoya un édit de tolérance et rendit la liberté aux chrétiens. Botrus et Célestius [1], qui désiraient, dit-on, être ordonnés à Carthage, veillèrent à ce que, en l'absence des Numides, seuls les évêques voisins fussent convoqués pour célébrer l'ordination à Carthage. **2.** Alors, à l'unanimité, le peuple choisit Cécilien, et, par l'imposition des mains, Félix d'Abthugni l'ordonna évêque [2]. Botrus et Célestius furent déchus de leurs espérances. Comme Mensurius l'avait ordonné, l'inventaire des objets en or et en argent est apporté à l'évêque Cécilien devant témoins. On convoque les notables mentionnés plus haut qui, d'une gorge avide, avaient bu le trésor qui leur avait été confié. **3.** Comme on voulait les forcer à le rendre, ils rompirent la communion avec l'Église, et, avec eux, les candidats malchanceux à l'épiscopat ; Lucilla, elle aussi, cette femme puissante et intrigante qui auparavant n'avait pas pu supporter la discipline, décida, avec tous ses gens, de ne pas rester en communion avec l'Église. Ainsi, trois causes ont convergé, trois groupes se sont unis pour faire triompher le mal.

Concile de Carthage : élection de Majorinus **19. 1.** Le schisme a donc été enfanté en ce temps-là par la colère d'un femme humiliée ; il a été nourri par l'ambition et fortifié par la cupi-

CSEL 26, p. 197-204 ; Maier[1], *Dossier*, p. 171 s. ; Avg., *Ep.*, XLIII, II, 4 ; *C. Cresc.*, III, LXIX, 80 ; *Un. bapt.*, XVI, 20 ; Maier[3], *Épiscopat*, p. 311 ; Mandouze[3], *Prosop.*, p. 409-410 : « Felix 2 ».

tribus personis contra Caecilianum causae confictae sunt ut
uitiosa eius ordinatio diceretur. Ad Secundum Tigisitanum
5 missum est ut Carthaginem ueniretur. Profiscuntur omnes
supra memorati traditores, suscepti hospitio ab auaris, ab
ambitoribus, ab iratis, non a catholicis quorum petitione
Caecilianus fuerat ordinatus. 2. Interea ad basilicam, ubi
cum Caeciliano tota ciuica frequentia fuerat, nullus de
10 supradictis accessit. Tunc a Caeciliano mandatum est : Si est
quod in me probetur, exeat accusator et probet. Illo tempore a tot inimicis nihil in illum potuit confingi, sed de ordi-
natore suo quod ab his falso traditur diceretur meruit infa-
mari. Iterum a Caeciliano mandatum est ut, si Felix in se
15 sicut illi arbitrabantur nihil contulisset, ipsi tamquam adhuc
diaconum ordinarent Caecilianum. Tunc Purpurius solita
malitia fretus quasi et Caecilianus filius sororis eius esset sic
ait : Exeat huc quasi imponatur illi manus in episcopatu et
quassetur illi caput de paenitentia. 3. His rebus compertis
20 tota ecclesia Caecilianum retinuit ne se latronibus tradidisset. Illo tempore aut reus de sede debebat expelli aut com-
municari debuit innocenti. Conferta erat ecclesia populis,
plena erat cathedra episcopalis, erat altare loco suo in quo
pacifici episcopi retro temporis obtulerant, Cyprianus,

5 missum : scribtum P scriptum G ‖ est : *om.* B ᵃᶜV ‖ ut : + ad G ‖
Carthaginem : kastaginem RB ‖ 6 auaris : + autem B ᵃᶜ ‖ 9 ciuica : ciuitas +
in RBV ‖ 10 supradictis : -ctus P ᵃᶜ ‖ est : *om.* G ‖ 12 illum : eum G illo
RBV ‖ 13 his : hiis V ‖ diceretur : diceceretur B ᵃᶜ ‖ 17 quasi : tamquam P
‖ sic : *om.* P ‖ 18 huc : hoc V ‖ quasi : + ut G ‖ 20 retinuit : tenuit PG ‖
tradidisset : tradidieret P ᵃᶜ traderet P ᵖᶜ ‖ 21 de sede : de se R ᵃᶜV *om.* P ‖
debebat : debebant B ᵃᶜ debuit G ‖ 24 retro : retto B ᵃᶜ ‖ temporis : -ribus
G ‖ obtulerant : -lerunt RBV ‖ Cyprianus : Ciprianus V Cripianus R
Cripianus B

1. Cf. AVG., *Breu. coll.*, III, XVI, 29 (*BA* 32, p. 107) : « Ils citèrent encore
un mot prêté à Cécilien par un texte d'Optat : "Si ce sont des traditeurs
qui m'ont ordonné, qu'ils viennent, eux, et qu'ils m'ordonnent !" »
(« Dixerunt etiam scripsisse Optatum, quod Caecilianus dixerit : "Si tradi-

dité. Ces trois sortes de personnes ont inventé des prétextes pour faire passer l'ordination de Cécilien pour irrégulière. On demanda à Secundus de Tigisi de venir à Carthage. Tous les traditeurs mentionnés plus haut se mettent en route et sont hébergés par les cupides, les ambitieux, les gens en colère, et non par les catholiques qui avaient demandé l'ordination de Cécilien. 2. Cependant, aucun des évêques susnommés ne pénétra dans la basilique où se trouvait, avec Cécilien, toute la foule de la cité. Alors Cécilien demanda : « Si l'on a quelque preuve à produire contre moi, que l'accusateur se présente et qu'il prouve ! » A cette époque, tant d'ennemis ne purent rien inventer contre lui, mais ils lui reprochèrent d'avoir été ordonné par un homme qu'ils accusaient à tort d'être un traditeur. Alors, de nouveau, Cécilien leur demanda, si l'ordination conférée par Félix n'était pas valide, comme ils le pensaient, de bien vouloir l'ordonner comme s'il était encore diacre [1]. Mais Purpurius, fort de sa méchanceté habituelle, comme si Cécilien eût été lui aussi le fils de sa sœur, s'écria : « Qu'il vienne ici sous prétexte de recevoir l'imposition des mains pour la consécration épiscopale, et qu'on lui casse la tête pour sa pénitence ! » 3. En apprenant cela, l'assemblée tout entière empêcha Cécilien d'aller se livrer aux brigands. A ce moment-là, on aurait dû chasser le coupable de sa chaire ou bien rester en communion avec l'innocent [2]. L'Église était remplie de monde, la chaire de l'évêque était occupée, l'autel était à sa place, cet autel où avaient officié les évêques pacifiques de l'ancien temps, Cyprien, Carpoforius, Lucilianus et tous les

---

tores sunt qui me ordinauerunt, ipsi ueniant et ordinent me" »). Cf. E. LAMIRANDE, *BA* 32, p. 731-732, n. 6 : « Caecilianus aurait-il songé à se faire réordonner ? »

2. L'argument est repris par AVG., *Psalm. c. Don.*, 81 (*BA* 28, p. 160) : « Si cet évêque était mauvais, il eût fallu le déposer ; s'il ne pouvait se déposer, le tolérer dans le filet » (« Si malus erat sacerdos deponendus erat ante, si non poterat deponi tolerandus intra rete »).

25 Carpoforius, Lucilianus et ceteri. 4. Sic exitum est foras et
altare contra altare erectum est et ordinatio illicite celebrata
est et Maiorinus, qui lector in diaconio Caeciliani fuerat,
domesticus Lucillae, ipsa suffragante, episcopus ordinatus
est a traditoribus qui in concilio Numidiae, ut superius dixi-
30 mus, crimina sua sibi confessi sunt et indulgentiam sibi inui-
cem tribuerunt. Manifestum est ergo exisse de ecclesia et
ordinatores qui tradiderunt et Maiorinum qui ordinatus est.

20. 1. Interea de suorum criminum fonte qui apud eos
multorum flagitiorum uenis exuberauerat, unum traditionis
conuicium in ordinatorem Caeciliani deriuandum esse
putauerunt, prouidentes quod fama duas res similes uno
5 tempore loqui non posset. Vt crimina in silentium mitterent
sua, uitam infamare conati sunt alienam. Et cum possent ipsi
ab innocentibus argui, innocentes arguere studuerunt mit-
tentes ubique litteras liuore dictante conscriptas, quas inter
ceteros actus habemus in posterum. 2. Adhuc Carthagine
10 positi praecesserunt se epistulis suis, ut rumoribus falsis
cunctorum aures insererent. Mendacium sparsit fama per
populos, et dum de uno celebrata sunt falsa, supra dictorum
uerissima crimina sub silentio latuerunt. 3. Frequenter
solet erubesci de crimine, sed illo tempore non fuit cui eru-

25 Carpoforius : Carpophorius z Carpoforus G *om.* RBV ‖
Lucilianus : Lucianus G RBV z ‖ 26 illicite : inlicita PG ‖ 31 ergo :
autem G

20, 1 eos : + est et G ‖ 2 uenis : *om.* B ‖ 3 deriuandum : diriuandum
RBV ‖ 5 posset : -sent RBV   -sit P ‖ in silentium : in cilentium B ᵃᶜ ‖ 6
sua : suas B ᵃᶜ ‖ uitam : -ta GV ‖ infamare : in fauore B ᵃᶜ ‖ alienam : -na G
V ‖ 7 ab : ad P ᵃᶜ ‖ 8 liuore : liliore RBV ‖ 9 Carthagine : Cartaginem G ‖
11 aures : -ribus RBV ‖ 14 erubesceretur : -centur B ᵃᶜ

1. Augustin montre, lui aussi, que Cyprien a voulu avant tout sauvegarder l'unité, en gardant la communion avec les pécheurs (cf. *C. Parm.*,
III, ɪɪ, 9 ; III, ɪv, 25). ~ Carpoforius, évêque de Carthage, n'est connu que
par le texte d'Optat. MAIER₃ (*Épiscopat*, p. 349), pense que Lucianus fut

autres [1]. 4. Ainsi, on sortit, on dressa autel contre autel, on célébra une ordination illicite, et Majorinus, lecteur sous le diaconat de Cécilien et serviteur de Lucilla, qui appuya sa candidature, fut ordonné évêque par les traditeurs qui, au concile de Numidie, comme nous l'avons dit plus haut, se sont confessé leurs fautes et se sont accordé mutuellement le pardon. Il est donc manifeste que ces hommes sont sortis de l'Église, les ordinants, qui ont livré les Écritures, et Majorinus, qui a été ordonné [2].

Félix d'Abthugni accusé de *traditio* 20. 1. Cependant, de la source de leurs fautes d'où avaient jailli sur eux des flots d'infamies, il fallait, pensaient-ils, détourner l'unique accusation de *traditio* sur celui qui avait ordonné Cécilien. Ils prévoyaient en effet que l'opinion publique ne pourrait parler en même temps de deux faits identiques. Ainsi, pour que le silence recouvrît leurs propres fautes, ils entreprirent de calomnier un autre homme. Alors qu'ils pouvaient être dénoncés par des innocents, ils s'appliquèrent à dénoncer des innocents et ils envoyèrent partout des lettres écrites sous la dictée de la haine, que nous donnons en appendice avec les autres documents. 2. Comme ils étaient encore à Carthage, ils se firent précéder de leurs lettres afin de glisser de fausses rumeurs dans toutes les oreilles. La renommée répandit le mensonge dans les foules, et pendant qu'on propageait de faux bruits sur un seul homme, les véritables fautes de ces hommes étaient passées sous silence. 3. On a coutume, souvent, de rougir d'une faute, mais en ce temps-là, il n'y avait aucune

---

probablement le premier successeur de Cyprien sur le siège de Carthage. TURNER₂ (*Aduersaria critica*, p. 290) estime, au contraire, qu'il faut suivre le témoignage le plus ancien et le meilleur de P, qui donne : « Cyprianus, Carpoforius, Lucilianus »).

2. Sur le concile de Carthage, cf. l'Introduction, n. 2, p. 62 ; CONGAR₄, *BA* 28, p. 713-714 : « Le concile des 70 évêques ».

15 besceretur, quia praeter paucos catholicos peccauerant
uniuersi et quasi imago fuerat innocentiae inter multos nefas
admissum. Parum erat traditionis facinus quod per
Donatum Masculitanum et ceteros supradictos constabat
admissum : etiam ingens flagitium schismatis traditioni
20 iunxerunt.

21. 1. Vides ergo, frater Parmeniane, haec duo crimina
tam mala, tam grauia, traditionis et schismatis, ad tuos principes pertinere. Agnosce uel sero incurrisse te in tuos dum
insectaris alienos. Et cum priores tuos constet operatos esse
5 hoc alterum nefas, etiam uos eos sceleratis uestigiis sequi
laboratis, ut quod illi priores in titulo schismatis fecerant et
uos iamdudum fecisse et nunc facere uideamini. **2.** Illi
ruperunt suis temporibus pacem ; uos exterminatis unitatem. De parentibus uestris et de uobis merito dici potest :
10 *Caecus caecum si duxerit, utrique in foueam cadunt* ˢ.
Oculos patrum uestrorum furiosus excaecauerat liuor ;
aemulatio uestros orbauit. Schisma summum malum esse et
uos negare minime poteritis ; et tamen Dathan et Abiron et
Core ᵗ, perditos magistros uestros, sine trepidatione estis
15 imitati nec ponere ante oculos uoluistis hoc malum et uerbis Dei esse prohibitum et admissum grauiter uindicatum.
3. Deinde esse distantiam delictorum aut remissio testatur
aut poena. Denique inter cetera praecepta etiam haec tria
iussio diuina prohibuit : *Non occides* ᵘ, *non ibis post deos*

16 quasi : quod B ᵃᶜ ‖ 17 facinus : faci G
21, 1 uides : uide V ‖ frater : *om.* G ᵃᶜ RBV ‖ Parmeniane : Permeniane
B ‖ 4 insectaris : sectaris P ‖ 6 titulo : -los RBV ‖ fecerant : fuerant B ‖ 8
ruperunt : -erant B ᵃᶜ ‖ exterminatis : -astis PG ‖ 9 merito : + dictum est
uel G ‖ 10 si : *om.* P ‖ duxerit : ducens P ‖ utrique : uterque P ‖ cadunt :
-dit G ‖ 11 liuor : + et RBV ‖ 12 aemulatio : + ne B ‖ 13 Dathan : Datan
P ‖ Abiron : Abyron G R ‖ 14 Core : Chore G R ᵖᶜB Choreb R ᵃᶜV ‖ 17
distantiam : -tia G ‖ 18 denique : deinde B ‖ 19 diuina iussio G

s. Matth. 15, 14 ; Lc 6, 39　　t. Cf. Nombr. 16, 1-35　　u. Ex. 20, 13

raison de rougir car, à l'exception de quelques catholiques, tout le monde avait péché, et c'était comme un reflet de l'innocence que le crime fût partagé par beaucoup de gens. Mais c'était peu de chose que ce forfait de *traditio*, dont s'étaient rendus coupables, cela était établi, Donat de Mascula et les autres, déjà nommés : ils ajoutèrent à la *traditio* l'immense infamie du schisme.

Le schisme mérite un châtiment sévère   **21. 1.** Tu vois donc, frère Parménien, que ces deux fautes si mauvaises, si graves, la *traditio* et le schisme, concernent tes prédécesseurs. Apprends, même tard, que tu as attaqué les tiens quand tu t'acharnais contre d'autres. Et alors qu'il est établi que ceux qui t'ont précédé ont accompli cet autre crime, vous vous efforcez, vous aussi, de marcher sur les traces de ces scélérats : ce qu'ils avaient fait les premiers, en provoquant le schisme, vous l'avez fait vous aussi auparavant et vous le faites encore maintenant. **2.** Eux, ils ont rompu à leur époque la paix ; vous, vous ruinez l'unité. De vos pères et de vous-mêmes on peut dire avec raison : « Si un aveugle guide un aveugle, tous deux tombent dans un trou [s] [1]. » La haine furieuse avait ôté la vue à vos pères ; vous, la jalousie vous a aveuglés. Le schisme est le plus grave des péchés, vous-mêmes ne pourrez absolument pas le nier ; et cependant, vous avez imité sans trembler Datân, Abiram et Coré [t], vos maîtres de perdition, et vous n'avez pas voulu voir que ce péché avait été interdit par les paroles de Dieu et que, une fois commis, il avait été sévèrement puni. **3.** Et puis, le pardon ou le châtiment prouvent bien qu'il existe une différence entre les fautes. Enfin, entre autres préceptes, la volonté divine a énoncé ces trois interdictions : « Tu ne tueras pas [u], tu ne suivras pas d'autres

---

1. Cf. CYPR., *Ep.*, XLIII, V, 2 : *Caecus autem caecum ducens simul in foueam cadent.* Le texte diffère peu de celui de la Vulgate.

20 *alienos* ᵛ, et in capitibus mandatorum : *Non facies schisma* ʷ.
Videamus de his tribus quid oportuerit puniri et quid
meruerit relaxari. Parricidium principale delictum est, et
tamen Cain nec reus a Deo percutitur sed occisus insuper
uindicatur ˣ. 4. In Niniue ciuitate hominum milia centum
25 uiginti sacrilega quae deos alienos sequi uidebantur. Post
iracundiam Dei et nuntium Ionae prophetae ieiunium parui
temporis et oratio indulgentiam meruit ʸ. Videamus an aliquid tale consecuti sint hi qui populos Dei primitus ausi sint
scindere. Tot milibus filiorum Israhel quorum a ceruicibus
30 diuina prouidentia iugum seruile deiecerat, Aaron sanctum
unum praefecerat sacerdotem. 5. Sed cum ministri eius
sacerdotium non sibi debitum concupiscentes seducta parte
populi illicite inuaderent, ritum imitati sacrorum ducentos
et quod excurrit ministros secum perituros cum turibulis in
35 fronte seducti populi posuerunt. Deus, cui displicet schisma,
hoc libenter uidere non potuit. Indixerant quodammodo
Deo bellum, quasi esset alter Deus qui alterum acciperet
sacrificium. 6. Igitur Deus pro facto schismate iratus est
ira magna et quod in sacrilegos et parricidam non fecerat, in
40 schismaticos fecit. Stabat ministrorum acies et multitudo
sacrilega cum interdictis sacrificiis suis ilico peritura.
Negatum et subductum est paenitentiae tempus quia non
talis erat culpa quae ueniam mereretur. Mandata est terrae
fames ; statim fauces suas in populi diuisores aperuit et

20 et in capitibus mandatorum : *om*. P ‖ 21 oportuerit : -tuit G RBV ‖
22 meruerit : -ruit RBV ‖ 24 Niniue : Nineue P ‖ hominum : + numero
RBV ‖ centum uiginti milia RBV ‖ 25 quae : qui G ‖ 26 ieiunium : -nio
PG ‖ 27 et oratio : celebrato PG ‖ meruit : -uerunt G ‖ an : si RBV ‖ 28
sint ¹ : sunt G RBV z ‖ hi : hii P V ‖ populos : -lo V ‖ 30 Aaron : Aharon
P ‖ 31 praefecerat : -ficeret V ᵃᶜ -ficerat V ᵖᶜ ‖ ministri : -tris B ᵃᶜ ‖ 33
ritum : ritu G + imitorum V ‖ 34 quod : quot RB ‖ excurrit : -runt G ‖
secum : *om*. G ‖ turibulis : turabulis R ᵃᶜV turibilis B turabilis G ‖ 38
facto schismate : neglectis mandatis suis [suis *om*. V] RBV ‖ 39 parricidam :
-das G ‖ 44 fames : -mis P ‖ in : + necem G ‖ diuisores : -ris G

v. Deut. 6, 14   w. Cf. I Cor. 1, 10   x. Cf. Gen. 4, 15   y. Jonas 3, 4-10

dieux ᵛ » et, en tête de tous les préceptes : « Tu ne feras pas
de schisme ᵂ ¹. » Voyons de ces trois péchés lequel il a fallu
punir, lequel a mérité d'être remis. Le meurtre d'un parent
est le péché le plus grave et pourtant Caïn, coupable, n'est
pas frappé par Dieu, mais sa mort est même vengée ˣ.
4. Dans la ville de Ninive, cent vingt mille hommes sacrilèges suivaient d'autres dieux. Après la colère de Dieu et la
prédiction du prophète Jonas, l'observance d'un jeûne de
courte durée et la prière lui valurent l'indulgence ʸ. Voyons
si elle fut aussi accordée à ceux qui, les premiers, ont osé
diviser le peuple de Dieu. A la tête de tant de milliers de fils
d'Israël qu'elle avait libérés du joug de la servitude, la divine
providence avait placé un seul prêtre consacré, Aaron.
5. Mais les serviteurs de ce prêtre se mirent à convoiter ce
sacerdoce qui ne leur était pas destiné ; ils dévoyèrent une
partie du peuple et se révoltèrent de manière illicite. Imitant
le rite des sacrifices, ils placèrent devant le peuple dévoyé,
avec leurs encensoirs, plus de deux cents serviteurs destinés
à périr avec eux. Dieu, à qui le schisme déplaît, ne put supporter ce spectacle. Ils avaient pour ainsi dire déclaré la
guerre à Dieu, comme s'il existait un autre dieu pour recevoir un autre sacrifice. 6. Donc, Dieu s'irrita violemment à
cause du schisme et, ce qu'il n'avait pas fait contre les sacrilèges ni contre le meurtrier d'un membre de sa famille, il le
fit contre les schismatiques. L'armée des serviteurs qui se
tenait debout et la foule sacrilège avec ses sacrifices impies
périraient sur le champ. Il leur refusa et ne leur accorda pas
le temps du repentir, parce que la faute n'était pas de celles
qui peuvent obtenir le pardon. Il ordonna à la terre de les
dévorer ; aussitôt elle ouvrit sa bouche aux diviseurs du
peuple, et le gouffre engloutit avidement les contempteurs

---

1. TURNER₂ (*Aduersaria critica*, p. 291) note que les mots οὐ ποιήσεις
σχίσμα se trouvent dans *La Didachè*, IV, 3 et dans la *Lettre de Barnabé*,
XIX, 12.

45 contemptores mandatorum Dei auido hiatu absorbuit.
7. Intra momenti spatium ad transglutiendos praedictos
terra patuit, rapuit, clausa est. Et ne beneficium de mortis
compendio consequi uiderentur, dum non essent digni
uiuere, his nec mori concessum est ; tartareo carcere subito
50 clausi ante sunt sepulti quam mortui ᶻ. Et miramini in uos
aliquid tale aspere factum, qui schisma aut facitis aut colitis,
cum uideatis quid magistri primitiui schismatis pati merue-
runt. 8. An quia cessat talis modo uindicta ideo tibi cum
tuis uindicas innocentiam ? Deus in singulis rebus exem-
55 plorum posuit formam ut sit quod imputet imitantibus.
Prima peccata ad exemplum praesens poena compressit,
secunda iudicio reseruauit. Quid ad haec dicturi estis, qui
schisma usurpato ecclesiae nomine et occulte nutritis et
impudenter defenditis ?

22. 1. Sed quia audio aliquos de societate tua litigandi
studio cartas habere nescio quas, quaerendum est quibus sit
adcommodanda fides, quae cum ratione concordent, quae
cum ueritate confibulent. Vestrae si sunt aliquae, mendaciis
5 forte uideantur adspersae. Nostras cartas probant et conflictus causarum et contentiones partium et exitus iudiciorum
et epistulae Constantini. Nam quod de nobis dicitis : Quid

45 hiatu : ore RBV ‖ absorbuit : + et G ‖ 47 rapuit : + et P ‖ et : ut B ‖
ne *om.* RBV ‖ 50 in uos : uobis RBV ‖ 51 factum : + esse G ‖ schisma : +
usurpato ecclesie nomine G ‖ colitis aut facitis P ‖ colitis : colligitis G ‖ 52
magistri : + uestri G ‖ primitiui : -uis G   primi RBV ‖ 55 formam : -mas
P ‖ imputet : + et RBV ‖ 56 peccata : praecepta G ‖ 57 reseruauit : -uabit
G RBV z ‖ ad haec : adhuc B ‖ 58 occulte : stulte G ‖ defenditis : -dit G
22, 1 litigandi : -gandis P   -gantes G ‖ 2 et 5 cartas : carthas PG   cas-
tas RB ᵃᶜ   chartas z ‖ 4 cum : *om.* G ‖ confibulent : -fabulent G ‖ 5 probant : -bent G ‖ 6 et contentiones — iudiciorum : *om.* G ‖ contentiones :
-tentio P ‖ 7 nobis : nos G

z. Cf. Nombr. 16, 1-35

des commandements de Dieu. 7. En l'espace d'un instant, pour avaler ces hommes, la terre s'ouvrit, les ravit et se referma [1]. Mais on ne devait pas penser qu'ils avaient été gratifiés d'une mort rapide ; puisqu'ils n'étaient pas dignes de vivre, il ne leur fut pas non plus accordé de mourir ; enfermés soudain dans la prison du Tartare, ils furent ensevelis vivants [2]. Et vous vous étonnez qu'un châtiment si sévère ait été appliqué contre vous, vous qui faites ou qui nourrissez le schisme, quand vous voyez ce que les auteurs du premier schisme ont mérité de subir ! 8. Ou bien, parce qu'une telle punition cesse pour le moment, tu revendiques l'innocence pour les tiens et pour toi ! Dieu a donné un exemple de chaque faute, afin de pouvoir l'imputer à ceux qui l'imitent. Un châtiment immédiat a corrigé les premiers péchés pour servir d'exemple. Les péchés suivants ont été réservés pour le jugement dernier. Que pourrez-vous dire à cela, vous qui avez usurpé le nom de l'Église, qui nourrissez le schisme dans l'ombre et qui le défendez impudemment ?

Requête des schismatiques à Constantin 22. 1. Mais puisque j'entends dire que des gens de ton parti, par goût de la querelle, produisent je ne sais quels documents, il faut voir lesquels méritent créance, lesquels sont d'accord avec la raison, lesquels sont conformes à la vérité. En admettant que vous possédiez certains documents, en réalité ils pourraient bien être tissus de mensonges. Nos documents à nous sont garantis par les débats des causes, le conflit des parties, l'issue des procès et les lettres de Constantin. Vous dites à notre sujet : « Qu'ont de commun les chrétiens et les rois, ou les évêques et le

---

1. Cf. CYPR., *Ep.*, III, 1, 2 : « Hiatu terrae absorpti ac deuorati poenas statim sacrilegae audaciae persoluerunt. »

christianis cum regibus, aut quid episcopis cum palatio ? Si
nota est nosse reges, uos nota ista perfundit. Nam maiores
10 uestri, Lucianus, Dignus, Nasutius, Capito, Fidentius et
ceteri, imperatorem Constantinum harum rerum adhuc
ignarum his precibus rogauerunt, quarum exemplum infra
scriptum est : 2. Rogamus te, Constantine optime imperator, quoniam de genere iusto es, cuius pater inter ceteros
15 imperatores persecutionem non exercuit, et ab hoc facinore
immunis est Gallia. Nam in Africa inter nos et ceteros episcopos contentiones sunt. Petimus ut de Gallia nobis iudices
dari praecipiat pietas tua. Datae a Luciano, Digno, Nasutio,
Capitone, Fidentio et ceteris episcopis partis Donati.

23. 1. Quibus lectis Constantinus pleno liuore respondit.
In qua responsione et eorum preces prodidit dum ait :

9 nota [2] : *om.* G RBV ‖ ista : tota G RBV ‖ perfundit : + inuidia RBV z
‖ 12 ignarum adhuc G ‖ his : hiis V ‖ 13 Constantine : -nus B [ac] ‖ 14 quoniam : quo B ‖ 15 ab : ob RB ‖ 17 Gallia : Gallias G   Galilea B [ac] ‖ 18
Nasutio : Nassutio V ‖ 19 partis : -tibus V
23, 1 Constantinus : -nis B [ac] ‖ liuore : libro P   libello G

1. « nota... nosse » : Ce jeu de mots, que renforce la paronomase, est un
bon exemple des traits d'esprit dont Optat émaille son traité. Cf. *LHS*
p. 709-712.
2. « Ab hoc facinore immunis est Gallia. Nam in Africa inter nos et
ceteros episcopos contentiones sunt » : le présent *est* et l'emploi de *nam*
montrent que le mot *facinus* ne désigne pas ici la persécution mais un autre
méfait : le schisme ou la *traditio*. Cf. T. D. BARNES, « The Beginnings of
Donatism », *JThS* 26 (1975), p. 20-22 ; A. C. DE VEER, *REAug.* 22 (1976),
p. 355.
3. Sur cette requête, cf. l'Introduction, n. 4, p. 62 Après le verdict de
Rome, Lucianus s'est rendu en Gaule, à l'occasion du concile d'Arles (août
314), en compagnie de Capito, Fidentius et Nasutius. Cf. MANDOUZE[3],
Prosop., p. 645-646, « Lucianus 1 » (et p. 188, 277-278, 452-453, 771). ~ Le
nom de Donat apparaît ici pour la première fois dans le texte d'Optat (*pars
Donati*). L'évêque de Milève ne nous donne aucune précision sur les circonstances de son élection, mais le récit qui suit montre qu'il le considère,
dès cette date, comme le successeur de Majorinus et comme le rival de
l'évêque catholique Cécilien pour le siège de Carthage. ~ Les textes d'AUG.
(*Ep.*, LXXXVIII, 2 ; *Breu. coll.*, III, XII, 24) et des *Actes de la conférence*

palais ? » Mais si c'est une infamie que de connaître [1] les rois,
alors c'est vous que cette infamie recouvre. Car vos prédécesseurs, Lucianus, Dignus, Nasutius, Capito, Fidentius et
les autres ont adressé à l'empereur Constantin, qui ignorait
jusqu'alors ces faits, une requête dont voici la copie : 2.
« Nous t'adressons une requête, ô Constantin, excellent
empereur, car tu es d'une race juste, toi dont le père, seul
parmi les empereurs, n'a pas déchaîné la persécution et a mis
la Gaule à l'abri de cette criminelle entreprise [2]. En effet, en
Afrique, il y a conflit entre nous et les autre évêques. Nous
demandons à Ta Piété de nous faire donner des juges de
Gaule. Donnée par Lucianus, Dignus, Nasutius, Capito,
Fidentius et les autres évêques du parti de Donat [3]. »

Le concile de Rome   **23. 1.** A la lecture de cette requête,
Constantin répondit par un mouvement
d'impatience. Dans sa réponse, il a également

---

de Carthage en 411 (*Capit.*, III, 315, *SC* 195, p. 507) associent le nom de
Majorinus à cette requête, ce qui pourrait signifier qu'il était encore évêque
de Carthage à cette date. Ce qui est certain, c'est que Donat était présent
à Rome lors de la séance d'ouverture du concile, le 30 septembre 313 et
qu'il s'est présenté en accusateur de Cécilien (cf. AvG., *Ep.*, XLIII, II, 4 ;
Ad donat. post coll., XVII, 21). ~ AvG. (*Breu. coll.*, III, XII, 24, *BA* 32,
p. 189) apporte un témoignage troublant, à propos de cette première séance
du concile de Rome « où Donat de Casae Nigrae fut convaincu aussi, étant
présent, d'avoir fomenté un schisme à Carthage, à l'époque où Cécilien
était encore diacre » (« ubi etiam Donatus a Casis Nigris in praesenti
conuictus est adhuc diacono Caeciliano schisma fecisse Carthagine »).
Augustin admet ici pour la première fois la distinction des deux Donat que
soutenaient les donatistes à la conférence de Carthage. Jusqu'en 411, il ne
connaissait, comme Optat, qu'un seul Donat. ~ L'identification de Donat
de Casae Nigrae et de Donat de Carthage est communément admise. Cf.
cependant, J. S. ALEXANDER, « The motive for a distinction between
Donatus of Carthage and Donatus of Casae Nigrae », *JThS* 31 (1980),
p. 540-547 ; A. MANDOUZE, « Le mystère Donat », *Bulletin de la Société
nationale des Antiquaires de France*, Paris 1982, p. 98-104 (le recours à la
méthode prosopographique permet de préciser quelques repères chronolo-
giques, mais le mystère Donat demeure) ; cf. MANDOUZE, *Prosop.*, p. 292-
303 : « Donatus 5 ».

Petitis a me in saeculo iudicium cum ego ipse Christi iudicium expectem. Et tamen dati sunt iudices, Maternus ex
5 Agrippina ciuitate, Reticius ab Augustoduno ciuitate,
Marinus Arelatensis. Ad urbem Romam uentum est ab his
tribus Gallis et ab aliis quindecim Italis. 2. Conuenerunt
in domum Faustae in Laterano, Constantino quater et
Licinio ter consulibus sexto Nonas Octobris die, sexta feria,
10 cum consedissent Miltiades episcopus urbis Romae et
Reticius et Maternus et Marinus episcopi Gallicani et
Merocles a Mediolano, Florianus a Sinna, Zoticus a
Quintiano, Stennius ab Arimino, Felix a Florentia
Tuscorum, Gaudentius a Pisis, Constantius a Fauentia,
15 Proterius a Capua, Theophilus a Beneuento, Sabinus a
Terracena, Secundinus a Praeneste, Felix a Tribus Tabernis,
Maximus ab Ostiis, Euandrus ab Vrsino, Donatianus a Foro
Claudii.

24. 1. His decim et nouem consedentibus episcopis causa
Donati et Caeciliani in medium missa est. A singulis in
Donatum sunt hae sententiae latae, quod confessus sit se
rebaptizasse et episcopis lapsis manum imposuisse, quod ab
5 ecclesia alienum est. Testes inducti a Donato confessi

3 in saeculo : episcopi PG ‖ cum : + et P ‖ Christi iudicium : iuditium
Christi G ‖ 4 iudices : principes G ‖ 5 Reticius : Reticus RBV ‖
Augustoduno : Augustuduno G   Agustinoduno R   Agustinoduno B ᵃᶜ ‖ 6
Arelatensis : Arillatensis P ‖ Romam : romanam P ‖ 7 tribus : trebus P ‖
ab : om. G ‖ Italis : Italicis G ‖ 8 Laterano scripsi cum z : Laterani codd. ‖
quater : quarto G ‖ 9 ter consulibus : om. G ᵃᶜ sexto : -tum P ‖ Octobris :
-bres P ‖ 10 Miltiades : Militiades P   multi adest G ‖ 11 Reticius : -ticus
RBV ‖ 12 Merocles : -rodes B ‖ Zoticus : Zoncus PG ‖ 13 Arimino : -ni P
‖ 14 Pisis : Picis B ‖ 15 Theophilus : -filus P   -filius G ‖ Sabinus : Sauinus
RV   Suinus B ᵃᶜ ‖ 16 Terracena : -cina G z ‖ Secundinus : -dus G z ‖
Praeneste : praesente P ‖ 17 ab Ostiis : ab hostis RBV   a tribus ostis G   ab
Ostia z ‖ 18 Claudii : -di PG   + uel foro iulii G
24, 1 decim codd. : -cem z ‖ consedentibus : -sidentibus P ‖ 2 medium :
-dio G ‖ 3 sunt hae sententiae latae : sunt dictae sententiae P   dicte sunt
sententie G ‖ se : fere G ‖ 4 rebaptizasse : -zare RB

révélé le contenu de leur supplique quand il a dit : « Vous me demandez un jugement dans ce monde, alors que moi-même j'attends le jugement du Christ. » Et cependant, il leur donna des juges : Maternus de la ville de Cologne, Reticius d'Autun et Marinus d'Arles. Ces trois évêques gaulois vinrent à Rome, ainsi que quinze autres évêques italiens ; ils se réunirent dans le palais de Fausta, au Latran [1], sous le quatrième consulat de Constantin et le troisième consulat de Licinius, le sixième jour des nones d'octobre, un vendredi. 2. Assistaient à ce concile : Miltiade, évêque de Rome, Reticius, Maternus et Marinus, les évêques gaulois, ainsi que Merocles de Milan, Florianus de Sienne, Zoticus de Quintianum, Stennius de Rimini, Félix de Florence, Gaudentius de Pise, Constantius de Faventia, Proterius de Capoue, Théophile de Bénévent, Sabinus de Terracina, Secundinus de Préneste, Félix de Tres Tabernae, Maximus d'Ostie, Évandre d'Ursinum, Donatianus de Forum Claudii.

24. 1. Devant ces dix-neuf évêques, on engagea le procès entre Donat et Cécilien. Chaque juge vota contre Donat : il avait avoué avoir rebaptisé et avoir imposé les mains à des évêques qui avaient failli, ce qui est contraire à la discipline de l'Église. Les témoins présentés par Donat avouèrent

---

1. A propos de la basilique du Latran, cf. C. PIETRI, *Roma christiana,* Paris 1976, p. 5-7 : « On a voulu serrer de plus près la chronologie en invoquant le témoignage d'Optat qui place *in domum Faustae in Laterano* le synode de 313 (Miltiade). Dès cette époque, Constantin aurait accordé une résidence officielle à l'évêque romain [...]. Mais l'analyse minutieuse des découvertes anciennes et des recherches plus récentes contredisent l'hypothèse... Fausta avait accueilli Miltiade, mais l'épisode ne peut servir à dater, comme on l'espérait, la construction du Latran. » ~ Sur le concile de Rome et Miltiade, cf. l'Introduction, n. 1, p. 63 ; CONGAR[4], *BA* 28, p. 725-726, n. 16 : « Le rôle du pape Miltiade au concile de Rome » ; GRASMÜCK[3], *Coercitio,* p. 26-48 ; MANDOUZE[3], *Prosop.,* p. 294-295. La première séance s'ouvre à Rome le 30 septembre 313. Le jugement final est proclamé le 2 octobre 313, lors de la troisième séance.

sunt se non habere quod in Caecilianum dicerent. 2. Caecilianus omnium supra memoratorum sententiis innocens est pronuntiatus, etiam Miltiadis sententia qua iudicium clausum est his uerbis : Cum constiterit
10 Caecilianum ab his qui cum Donato uenerunt iuxta professionem suam non accusari nec a Donato conuictum esse in aliqua parte constiterit, suae communioni ecclesiasticae integro statu retinendum merito esse censeo.

25. 1. Sufficit ergo et Donatum tot sententiis esse percussum et Caecilianum tanto iudicio esse purgatum. Et tamen Donatus appellandum esse credidit. **2.** Ad quam appellationem Constantinus imperator sic respondit : O
5 rabida furoris audacia ! Sicut in causis gentilium fieri solet, appellandum episcopus credidit et reliqua.

26. 1. Eodem tempore idem Donatus petiit ut ei reuerti licuisset nec ad Carthaginem accederet. Tunc a Filumino

6 in Caecilianum quod dicerent G ‖ 8 innocens : + sit G ‖ Miltiadis — his : multis a dissentia quia iuditium coagulatum est his etiam G ‖ Miltiadis : Militiadis P Melciadis RB ‖ 10 uenerunt : -erant G ‖ 11 accusari : -re RBV ‖ 12 parte : professione PG ‖ 13 merito *om.* P

25, 1 percussum esse G ‖ 3 esse : + episcopus RBV ‖ credidit : + et reliqua RBV ‖ 4 O rabida : orbida V ‖ 5 solet : assolet G ‖ 6 appellandum — reliqua : *om.* RBV ‖ appellandum : + esse G ‖ reliqua : cetera G

26, 1 petiit : -tit PG ‖ ut — accederet : ut ei [rei B ᵃᶜ] reuertenti ad Kartaginem [Carthaginem V] contingeret RBV ‖ 2 licuisset : + et G ‖ Filumino : Fulimino B ᵃᶜ

1. Après le jugement en faveur de Cécilien, les donatistes accusèrent Miltiade d'avoir livré les Écritures. Cf. AVG., *C. Parm.*, I, v, 10. Augustin évoque la sagesse de Miltiade qui, après la condamnation de Donat, se déclara prêt à envoyer des lettres de communion même aux évêques ordonnés par Majorinus (cf. *Ep.*, XLIII, 7 et 16). Cf. CONGAR„ *BA* 28, p. 726 ; Sur le pape Miltiade, cf. L. DUCHESNE, *Le Liber Pontificalis*, t. 1, Paris 1981, p. 168-169.

qu'ils n'avaient rien à dire contre Cécilien. 2. Cécilien fut proclamé innocent à l'unanimité par les évêques susnommés, ainsi que par Miltiade dont le vote clôtura le procès en ces termes : « Attendu qu'il a été établi que Cécilien n'est pas accusé par les témoins venus avec Donat, conformément à leur propre déclaration, et qu'il n'a été convaincu par Donat d'aucune faute, je pense que Cécilien doit être intégralement maintenu, comme il est juste, dans son statut épiscopal, au sein de sa communauté ecclésiastique [1]. »

Appel des dissidents   25. 1. Il suffit donc que Donat ait été frappé par tant de sentences et que Cécilien ait été disculpé dans un tel procès. Et pourtant, Donat a pensé qu'il devait faire appel. 2. A cet appel, l'empereur Constantin a répondu ainsi : « O audace furieuse de la folie ! Comme il arrive d'habitude dans les procès des païens, lui, un évêque, il a pensé qu'il devait faire appel », etc. [2]

Enquête d'Eunomius et d'Olympius à Carthage   26. 1. A la même époque, le même Donat demanda l'autorisation de s'en retourner et on ne lui permit pas d'aller à Carthage.

2. Cf. Constantin, *Epistula ad episcopos catholicos, CSEL* 26, p. 209 ; Maier₃, *Dossier,* p. 167 s. ; l'Introduction, p. 63. ~ La responsabilité de Donat dans cet appel n'est attestée que par Optat (le texte du *Psalm. c. Don.,* 100-101 d'Augustin étant dépendant de celui-ci). Les autres témoignages laissent plutôt penser qu'il s'agissait d'une entreprise collective des évêques dissidents (cf. Constantin, *Epistula ad Aelafium, CSEL* 26, p. 205 ; Maier₃, *Dossier,* p. 153 s. ; Avg., *C. Petil.,* II, xcii, 205 ; *Un. bapt.,* XVI, 28). ~ Sur ce premier appel interjeté par les donatistes et qui eut pour effet la convocation du concile d'Arles, cf. Grasmück₃, *Coercitio,* p. 48. Optat ignore le concile d'Arles ; Augustin lui-même ne l'a connu qu'en 398 (*C. Parm.,* I, vi, 11). Le concile fut convoqué par Constantin à Arles le 1ᵉʳ août 314. Cécilien y fut acquitté et Donat condamné (cf. Avg., *Breu. coll.,* III, xix, 37). Les donatistes n'acceptèrent pas davantage les décisions de ce concile (cf. Avg., *C. Petil.,* II, xcii, 205).

suffragatore eius imperatori suggestum est ut bono pacis
Caecilianus Brixiae retineretur. Et factum est. Tunc duo epi-
5 scopi ad Africam missi sunt, Eunomius et Olympius, ut
remotis binis singulos ordinarent. Venerunt et apud
Carthaginem fuerunt per dies quadraginta ut pronuntiarent
ubi esset catholica. Hoc seditiosa pars Donati fieri passa non
est. 2. De studio partium strepitus cotidiani sunt habiti.
10 Nouissima sententia eorumdem episcoporum Eunomii et
Olympii talis legitur ut dicerent illam esse catholicam quae
esset in toto orbe terrarum diffusa et sententiam decem et

---

3 suggestum : sugestum V ‖ 4 Brixiae *scripsi cum* z : Brixe G RBV
Bryxe P ‖ 5 ad Africam : ab Africa G ‖ Olympius : Olimpius B   Olympus
P ‖ ut — ordinarent : *om.* G ‖ 6 binis : duobus RBV ‖ singulos : unum
RBV ‖ 6 et : *om.* RBV ‖ 7 quadraginta : quinquaginta G ‖ pronuntiarent :
-retur P ‖ 8 seditiosa : studiosa G ‖ 10 eorumdem : eorum unde RBV ‖
Eunomii : Eunomi P V ‖ 11 Olympii : Olimpii R ^{pc}B   Olympi P   Olimpi
R ^{ac}V ‖ esse : *om.* B ‖ 12 terrarum orbe G ‖ decem : -cim P RB

---

1. « Eodem tempore idem Donatus petit (petiit P) ut ei reuerti licuisset
et nec ad Carthaginem accederet » : telle est la lecture que ZIWSA (*CSEL*
26, p. 28) et TURNER₂ (*Aduersaria critica*, p. 292) font de PG (nous voyons
qu'elle est erronée pour P). Turner, qui retient cette leçon, propose de comprendre : Donat demande à regagner son évêché et que Cécilien soit retenu
(« ut ei reuerti licuisset et ne C[aecilianus] ad Carthaginem accederet »). ～
Augustin cite le texte d'Optat lu à la conférence de Carthage en 411 (*Breu.
coll*, III, XX, 38 : « Eodem tempore idem Donatus petiit ut ei reuerti licuisset et ad Carthaginem accedere », *BA* 32, p. 230, mais *PL* donne : « et nec
ad Carthaginem accederet »). ～ GRASMÜCK₃, *Coercitio*, suggère cette interprétation : Donat demande à l'empereur de revenir à Carthage ; cela ne lui
est pas accordé. Il en résulte la proposition faite par Philomenus
(Filuminus) de retenir aussi Cécilien à Brescia : ce dernier accepte de rester en Italie « pour le bien de la paix ». ～ Nous constatons que l'interprétation de Grasmück est appuyée par le *Petropolitanus* (P), qui donne en
réalité : « reuerti licuisset *nec* ad Carthaginem accederet » (on peut comprendre : « nec licuit ad Carthaginem accederet »), et par la *Lettre de
Constantin à Aelafius* (*CSEL* 26, p. 205) : « ut istud post iudicium habitum
Africam ipsos remeasse prohiberent ». Cf. cependant MANDOUZE₃, *Prosop.*,
p. 295, qui retient la leçon « perhiberent » et qui rejette cette interprétation,
et S. LANCEL, *SC* 194 (t. 1), p. 99 : « Quoi que dise P. MONCEAUX₃ (*Hist.*

Alors Filuminus, son défenseur, suggéra à l'empereur l'idée de retenir Cécilien à Brescia, pour le bien de la paix [1], et il le fit. Alors, il envoya en Afrique deux évêques, Eunomius et Olympius, afin de régler le sort de chacun des deux évêques tenus éloignés [2]. Ils vinrent à Carthage et y séjournèrent pendant quarante jours, pour décider où était l'Église catholique. Mais cela, le parti séditieux de Donat ne put le supporter. 2. Par suite de leur esprit de parti, il y eut chaque jour des manifestations bruyantes. Dans la dernière sentence rendue, les évêques Eunomius et Olympius affirmaient, comme on peut le lire, que l'Église catholique était celle qui était répandue dans tout l'univers et que la sentence

litt., IV, p. 24), ni le texte d'Optat ni le texte d'Augustin ne permettent d'établir que Donat y fut aussi astreint ». ~ Les donatistes trouvaient dans le séjour de Cécilien à Brescia une preuve de sa culpabilité. Le texte d'Optat a sans doute été très tôt altéré ; en l'absence d'autre témoignage, il est bien difficile d'établir la vérité sur ce point. Mais il est certain que le récit de l'évêque de Milève ne pouvait être, quant à lui, que favorable à Cécilien.

2. Quelle était exactement la mission des évêques Eunomius et Olympius, envoyés à Carthage ? GRASMÜCK₃ (*Coercitio*, p. 81), pense que Cécilien a renoncé à son siège pour sauvegarder l'unité et qu'Eunomius et Olympius avaient pour mission de consacrer un nouvel évêque à Carthage (il choisit la leçon de RBV : « ut remotis *duobus unum* ordinarent » : afin d'ordonner un seul évêque, les deux autres ayant été retenus). ~ TURNER₂ (*Aduersaria critica*, p. 292) préfère la leçon de P : « ut remotis *binis singulos* ordinarent », mais il propose de remplacer *singulos* par *singula* (qui ne figure dans aucun de nos manuscrits) ; il pense qu'Eunomius et Olympius n'ont pas été envoyés pour consacrer un nouvel évêque mais pour décider lequel des deux était l'évêque catholique véritable. Ils devaient « régler les affaires » de chacun, en l'absence des deux plaignants (« ut remotis *binis singula* ordinarent »). ~ Comme Turner, nous pensons que la mission des évêques Eunomius et Olympius ne pouvait être de consacrer un nouvel évêque de Carthage, mais d'enquêter sur place et de recueillir les témoignages qui permettraient de « régler le sort » de chacun des deux plaignants. On espérait ainsi que ceux-ci, tenus à l'écart, ne pourraient pas influencer les témoins. C'est pourquoi nous croyons qu'il faut accepter la leçon de P dans son intégralité : « ut remotis *binis singulos* ordinarent ». ~ Optat est le seul auteur qui parle de l'enquête d'Eunomius et d'Olympius à Carthage. Sur la date probable, cf. l'Introduction, p. 64, n. 3.

nouem episcoporum iamdudum datam dissolui non posse.
Sic communicauerunt clero Caeciliani et reuersi sunt.
15 3. De his rebus habemus uolumen actorum ; quod si quis
uoluerit in nouissimis partibus legat. Cum haec fierent,
Donatus ultro prior ad Carthaginem redit. Quo audito
Caecilianus ad suam plebem properauit. Hoc modo iterum
renouellatae sunt partes. Constat tamen et Donatum tot sen-
20 tentiis esse percussum et Caecilianum innocentem totidem
sententiis pronuntiatum.

27. 1. Sed quia in ipsa causa iamdudum in catholica duorum uidebantur laborare personae, et ordinati et ordinatoris, postquam ordinatus in urbe purgatus est, purgandus
adhuc remanserat ordinator. Tunc Constantinus ad
5 Aelianum proconsulem scripsit ut remotis necessitatibus
publicis de uita Felicis Autumnitani publice quaereretur.
2. Sedit cui erat iniunctum. Inducti sunt Claudius
Saturianus curator reipublicae qui fuit tempore persecutionis in ciuitate Felicis, et curator praesentis tunc temporis,
10 quando causa flagitabatur, Callidius Gratianus, et magistratus Alfius Caecilianus ; sed et Superius stationarius perduc-
tus et Ingentius scriba publicus pependit sub metu immi-
nentium tormentorum. 3. Responsis omnium nihil tale

15 rebus his B ‖ uolumen : -mina RBV ‖ quis : qui G R acV ‖ 16 cum
haec fierent : inter haec PG ‖ 17 redit : -diit G ‖ quo : hoc RBV ‖ 19 et :
om. RBV
27, 3 urbe : -bem G ‖ est : + et z ‖ 5 Aelianum : Helianum G
Cecilianum RBV ‖ 7 sedit : sed et RBV + id G ‖ inducti : indicti B ‖ 8
Saturianus : Satorianus P ‖ 10 causa : -sam R acV ‖ Callidius : Calidius PG
‖ magistratus et G ‖ 11 Alfius : Alfilius P Alfidius G ‖ Caecilianus : +
magistratus G ‖ Superius : exsuperius G ‖ stationarius : rationarius RB ‖
12 pependit : + et P

1. Aelianus, proconsul d'Afrique préside le 15 février 314 l'audience qui
clôture le procès de Félix d'Abthugni (*Acta Purgationis Felicis episcopi
Autumnitani, CSEL* 26, p. 198-204 ; Maier₃, *Dossier,* p. 171 s.). C'est en
réalité Aelius Paulinus qui fut chargé de l'enquête par Constantin (cf. *Acta*

rendue auparavant par les dix-neuf évêques ne pouvait être
cassée. Ainsi, ils se déclarèrent en communion avec le clergé
de Cécilien et ils s'en retournèrent. 3. Là dessus nous avons
un volume d'actes ; que celui qui le désire les lise à la fin de
l'ouvrage. Pendant que cela se passait, Donat, de sa propre
initiative, revint le premier à Carthage. En apprenant cela,
Cécilien se hâta vers son peuple. De cette façon, pour la
deuxième fois, les partis furent renouvelés. Il est clair cependant que Donat a été frappé par tant de sentences et que
Cécilien a été déclaré innocent par le même nombre de sentences.

Félix d'Abthugni proclamé innocent 27. 1. Mais puisque dans cette
affaire depuis longtemps, dans l'É-
glise catholique, on mettait en cause
deux personnes, l'ordonné et l'ordinant, après avoir disculpé
à Rome l'évêque ordonné, il fallait maintenant disculper
l'ordinant. Alors Constantin écrivit au proconsul Aelianus [1]
pour lui demander, toutes affaires cessantes, de faire une
enquête sur la vie de Félix d'Abthugni. 2. Il siégea, comme
il en avait reçu la mission. Furent appelés à comparaître :
Claudius Saturianus, qui était curateur de la cité dans la ville
de Félix au moment de la persécution ; Callidius Gratianus,
le curateur de l'époque, au moment de l'instruction, ainsi
que le magistrat Alfius Caecilianus ; l'officier de police
Superius comparut lui aussi et le greffier Ingentius fut livré
à la crainte des tortures dont on le menaçait [2]. 3. Dans les

---

Purg., *CSEL* 26, p. 197). ~ Sur Aelianus, cf. JONES..., *PLRE*, Cambridge
1971, p. 17 ; MANDOUZE₃, *Prosop.*, p. 44.

2. Claudius Saturianus (Saturninus, AVG., *Ep.*, LXXXVIII, 4) était en
fonction à *Abthugni* en 303 lors de la persécution de Dioclétien. Cf.
Cl. LEPELLEY, *Les cités de l'Afrique romaine au Bas-Empire*, t. I, Paris 1979,
p. 162. Sa déposition ne figure pas dans les *Acta purgationis Felicis* tels
qu'ils nous sont parvenus (MANDOUZE₃, *Prosop.*, p. 1033) ; Sur le nom
Saturianus, peu répandu, cf. I. KAJANTO, *The Latin Cognomina*, Helsinki
1965, p. 155 et 233. ~ Callidius Gratianus était en fonction au moment du

inuentum est quod uitam Felicis episcopi sordidare potuis-
15 set. Habetur uolumen actorum in quo continentur praesentium nomina qui fuerant in causa Claudii Saturiani curato-
ris et Caeciliani magistratus et Superii stationarii et scribae
Ingentii et Solonis officialis publici ipsius temporis. 4. Post
quorum responsa a supra memorato proconsule haec pars
20 sententiae dicta est : Felicem autem religiosum episcopum
liberum esse ab exustione instrumentorum deificorum
manifestum est, cum nemo in eum aliquid probare potuerit
quod religiosissimas scripturas prodiderit uel exusserit.
Omnium enim interrogatio suprascriptorum manifesta est
25 nullas scripturas deificas uel inuentas uel corruptas uel
incensas fuisse. 5. Hoc actis continetur quod Felix episcopus religiosus illis temporibus neque praesens fuerit neque
conscientiam accommodauerit neque aliquid tale fieri iusse-
rit. Vnde repulsa atque extersa infamia cum ingenti laude de
30 illo iudicio recessit. 6. Iamdudum opinionis incertae et
inter caligines quas liuor et inuidia exalauerat latere ueritas
uidebatur. Sed iam omnis scriptura memorata et actorum

---

14 uitam : -ta G ‖ episcopi : -pis P ᵃᶜG ‖ sordidare : ordinare G RBV +
non G ‖ 15 habetur : -bentur RBV ‖ uolumen : -mina RBV ‖ 16 fuerant :
-erunt PG ‖ causa : + id est PG ‖ Claudii : -di PG ‖ Saturiani : Satoriani P
‖ 17 Caeciliani : Cecilianus B ‖ Superii : exsuperi G   super RBV ‖ 18
Ingentii : -ti RBV ‖ Solonis : + et R ‖ ipsius : illius G ‖ 21 esse liberum [+
se] episcopum G ‖ liberum : librum B ‖ exustione : + ne G ‖ instrumentorum : strumentorum P z ‖ 22 nemo : neno B ‖ potuerit : -tuit V ‖ 23
scripturas : -turaras B ‖ 23-25 prodiderit — scripturas : om. V ‖ prodiderit : tradiderit G ‖ uel exusserit : om. RB ‖ 24 interrogatio : -gantium RB
‖ suprascriptorum : super scribtorum P ‖ 25 corruptas : -reptas B ‖ 26
continetur : -nentur RBV ‖ quod : quo P ‖ 28 conscientiam : constien am
B ‖ tale : + aliquid P ‖ 29 repulsa : pulsa RBV ‖ atque : adque P ‖ de : om.
RBV ‖ 31 liuor : liuore P ‖ 32 iam : etiam RBV z ‖ memorata : suprame-
morata PG

---

procès de Félix ; sa déposition ne figure pas dans les *Acta purgationis Felicis*
(Mandouze₃, *Prosop.*, p. 544). Sur le *curator rei publicae*, cf. Cl. Lepelley,
op. cit., p. 168-193. ~ Alfius Caecilianus, duumvir à *Abthugni*, en fonction
en 303, exécuta l'ordre de saisie des Livres saints et des biens de l'Église.

réponses de tous ces hommes, on ne trouva rien qui eût pu entacher la vie de l'évêque Félix. Il existe un volume d'actes, dans lequel figurent les noms de ceux qui ont participé au procès : le curateur Claudius Saturianus, le magistrat Caecilianus, l'officier de police Superius, le greffier Ingentius et l'esclave public de cette époque, Solon. 4. Après l'interrogatoire de ces hommes, le proconsul susnommé prononça cette sentence : Il est manifeste que le vénérable évêque Félix n'est pas coupable d'avoir brûlé les livres de Dieu, puisque personne n'a rien pu prouver contre lui, ni qu'il ait livré les très saintes Écritures, ni qu'il les ait brûlées. L'interrogatoire de tous les témoins susnommés démontre clairement qu'aucun livre saint n'a été ni trouvé ni détruit ni brûlé. 5. Cela est contenu dans les actes : le vénérable évêque Félix n'était pas présent à ce moment-là, il n'a pas donné son accord, il n'a pas donné d'ordre de ce genre. C'est ainsi que l'infamie fut repoussée et effacée et qu'avec une gloire immense Félix sortit vainqueur de ce procès [1]. 6. Auparavant, des bruits incertains couraient et, au milieu des ténèbres que l'envie et la haine avaient répandues, la vérité était cachée. Mais à présent elle a été révélée tout

---

Cf. *Acta purgationis Felicis*, p. 197-204 (MANDOUZE₃, *Prosop.*, p. 175-176). ~ Superius, centurion, détaché comme *stationarius* (officier de police) à *Abthugni*, était en fonction en 303. Sa déposition ne figure pas dans les *Acta purgationis* (MANDOUZE₃, *Prosop.*, p. 1096). ~ Ingentius, secrétaire d'Augentius à *Abthugni* en 303, fut mêlé à l'exécution de l'ordre de saisie. Cf. *Acta purgationis Felicis*, p. 199-204 (MANDOUZE₃, *Prosop.*, p. 599-600). ~ Solon était esclave à *Abthugni* en 303. Sa déposition ne figure pas dans les *Acta purgationis* (MANDOUZE₃, *Prosop.*, p. 1088-1089).

1. L'enquête sur la vie de Félix d'Abthugni, commencée le 19 janvier 314, se termine devant le proconsul Aelianus le 15 février 314 (A. Mandouze pense qu'il faut maintenir cette date donnée par Augustin ; cf. *Prosop.*, p. 409 et 44). Cf. AVG., *Ep.*, LXXXVIII, 4 ; *C. Cresc.*, III, LXX, 80 ; *Breu. coll.*, III, XXIV, 42 ; *Ad donatistas post coll.*, XXX, III, 56 : « Aelianus pro consule causam Felicis audiuit Volusiano et Anniano consulibus XV Kal. Martias. » Sur les actes du procès de Félix d'Abthugni, cf. Cl. LEPELLEY, *op. cit.*, p. 338-343.

uoluminibus et epistulis commemoratis aut lectis reuelata
est.

28. 1. Vides te, frater Parmeniane, in catholicos traditorum nomine falso obiecto frustra esse inuectum, mutans
uidelicet personas et transferens merita. Clausisti oculos ne
parentes tuos reos agnosceres. Aperuisti eos ut innocentes
5 et indignos criminose pulsares. Omnia pro tempore, nihil
pro ueritate, ut et de te dixerit beatissimus apostolus Paulus :
Quidam autem conuersi sunt in uaniloquium uolentes se esse
legis doctores, non intellegentes quae dicunt neque de qui-
bus adfirmant [a]. 2. Paulo ante docuimus uestros parentes
10 fuisse schismaticos et traditores. Et tu ipsorum heres nec
schismaticis nec traditoribus parcere uoluisti. Iam igitur
documentis supra memoratis omnia tela quae falso in alienos iactare uoluisti ueritatis clipeo repulsa in tuos parentes
reciproco ictu uertuntur. 3. Omnia igitur quae a te in tra-
15 ditores et schismaticos dici potuerunt uestra sunt. Nam nostra non sunt qui et in radice manemus et in toto orbe terrarum cum omnibus sumus.

33 reuelata : -latum G   renouata B [ac]
28, 1 te : *om.* RBV ‖ 2 falso : -se G ‖ inuectum : -uentum G RBV ‖ 3
transferens : -rans G ‖ 4 agnosceres : -sceris P ‖ eos : os G ‖ 5 indignos criminose : criminosos indignos G   indignos crimini RBV ‖ pulsares : copu-
lares RBV ‖ 6 beatissimus : baptissimus ‖ 7 se : *om.* G ‖ 9 ante : + enim
RBV ‖ parentes : patres RBV ‖ 10 traditores et schismaticos G z ‖ heres :
+ fuisse RB ‖ 11 parcere : parere RBV ‖ 12 alienos : -no RBV ‖ 16 qui :
quia RBV ‖ et [1] : *om.* RBV ‖ 17 sumus : + amen RBV ‖ Explicit Liber primus Sancti Optati G   EXPLICIT LIBER PRIMUS P R   Explicit liber primus BV

entière par le récit que j'ai rapporté, par les volumes d'actes et les lettres mentionnés ou lus.

Les véritables coupables   **28.** 1. Tu vois donc, frère Parménien, que c'est en vain que tu as attaqué les catholiques en leur jetant calomnieusement à la face le nom de traditeurs, en changeant, évidemment, les personnes et en transposant les responsabilités. Tu as fermé les yeux pour ne pas reconnaître la culpabilité de tes pères. Mais tu les as ouverts pour attaquer et calomnier des innocents qui ne méritaient pas tes reproches. Tout pour l'opportunité, rien pour la vérité, comme l'a dit aussi à ton sujet le très bienheureux apôtre Paul : « Certains se sont fourvoyés dans un vain bavardage, ils ont la prétention d'être des docteurs de la Loi, alors qu'ils ne savent ni ce qu'ils disent ni de quoi ils se font les champions [a]. » 2. Nous avons montré peu auparavant que vos pères ont été des traditeurs et des schismatiques. Et toi, leur héritier, tu n'as voulu épargner ni les schismatiques ni les traditeurs. Dès lors, par les preuves que je viens de donner, tous les traits que tu as voulu lancer à tort contre d'autres, renvoyés par le bouclier de la vérité, retombent sur tes propres pères, par un choc en retour. 3. Ainsi, tout ce que tu as pu dire contre les traditeurs et contre les schismatiques vous concerne. En effet, cela ne nous concerne pas, nous qui restons attachés à la racine et qui sommes en communion avec tous, dans tout l'univers.

a. I Tim. 1, 6-7

LIBER SECVNDVS

1. 1. Quoniam et qui fuerint traditores ostensum est et schismatis origo ita monstrata est ut paene oculis perspecta uideatur, etiam haeresis ab schismate quid distet ostendimus, illud demonstrare iam proximum est, quod nos pro-
5 misimus secundo loco esse dicturos, quae sit una ecclesia, quam columbam et sponsam suam Christus appellat[a].
2. Ergo ecclesia una est, cuius sanctitas de sacramentis colligitur, non de personarum superbia ponderatur. Ergo hanc unam columbam et dilectam sponsam suam Christus appel-
10 lat. Haec apud omnes haereticos et schismaticos esse non potest. Restat ut uno loco sit. **3.** Eam tu, frater Parmeniane, apud uos solos esse dixisti, nisi forte quia uobis specialem sanctitatem de superbia uindicare contenditis, ut ubi uultis, ibi sit ecclesia et non sit ubi non uultis. Ergo ut
15 in particula Africae, in angulo paruae regionis apud uos esse possit, apud nos in alia parte Africae non erit ? In Hispaniis, in Gallia, in Italia, ubi uos non estis, non erit ? Si apud uos

PG RBV z
Titulus : Incipit liber secundus PG B   INCIPIT LIBER SECUNDUS R

1, 1 quoniam : quo B ‖ et [1] : *om.* RB ‖ qui : *om.* P ‖ et [2] : *om.* G ‖ 2 perspecta : praespecta R   prespecta BV ‖ 3 uideatur : -eantur V ‖ etiam : + et P ‖ haeresis : hereses RB ‖ distet : discet B ‖ 4 proximum : -mo G ‖ 7 colligitur : -legitur R ‖ 8 superbia personarum RBV ‖ 9 dilectam : delictam R ‖ 13 contenditis : -distis P [ac] ‖ 14 ibi : ubi V ‖ 15 angulo : anigulo B ‖ 17 Italia : + parte affrice non erit in hispaniis in gallia in italia parte affrice non erit V ‖ erit : + in hispaniis in gallia in italia parte africae non erit RB

LIVRE II

I. Problèmes ecclésiologiques

1. Unité et universalité de l'Église

1. 1. Puisque j'ai démontré quels hommes ont été traditeurs, puisque j'ai révélé l'origine du schisme au point qu'elle saute aux yeux, ou peu s'en faut, puisque j'ai également démontré en quoi l'hérésie diffère du schisme, il me reste à présent à montrer, comme j'avais promis de le faire en second lieu, quelle est l'Église unique, que le Christ appelle sa colombe et son épouse [a]. **2.** Il existe donc une seule Église, dont la sainteté découle des sacrements et ne saurait être mesurée d'après l'orgueil des individus. C'est cette Église que le Christ appelle sa colombe unique et son épouse bien-aimée. Elle ne peut se trouver chez aucun des hérétiques et des schismatiques. Il reste qu'elle doit se trouver en un seul lieu. **3.** Toi, frère Parménien, tu as dit qu'elle se trouvait chez vous seuls, mais c'est sans doute parce que vous prétendez, dans votre orgueil, revendiquer une sainteté particulière ; ainsi l'Église serait là où vous voulez et ne serait pas là où vous ne voulez pas ! Donc, pour que l'Église puisse se trouver chez vous, dans un recoin de l'Afrique, au fin fond d'une région minuscule, elle ne sera pas chez nous, dans une autre partie de l'Afrique ? Dans les Espagnes, en Gaule, en Italie, où vous n'êtes pas, il n'y aura pas d'Église ?

a. Cf. Cant. 6, 8

tantummodo esse uultis, in tribus Pannoniis, in Dacia,
Mysia, Thracia, Achaia, Macedonia et in tota Graecia, ubi
20 uos non estis, non erit ?   4. Vt apud uos esse possit, in
Ponto, Galatia, Cappadocia, Pamphilia, Phrygia, Cilicia et
in tribus Syriis et in duabus Armeniis et in tota Aegypto et
in Mesopotamia, ubi uos non estis, non erit ? Et per tot
innumerabiles insulas et ceteras prouincias quae numerari
25 uix possunt, ubi uos non estis, non erit ? Vbi ergo erit proprietas catholici nominis, cum inde dicta sit catholica quod
sit rationabilis et ubique diffusa ?   5. Nam si sic pro uoluntate uestra in angustum coartatis ecclesiam, si uniuersas sub-
ducitis gentes, ubi erit illud quod filius Dei meruit ? Vbi
30 quod libenter ei largitus est pater in secundo psalmo dicens :
Dabo tibi gentes hereditatem tuam et possessionem tuam ter-
minos terrae [b] ? Vt quid tale infringitis promissum ut a uobis
mittatur quasi in quemdam carcerem latitudo regnorum ?
6. Quid tantae pietati obstare contenditis ? Quid contra
35 saluatoris merita militatis ? Permittite filium possidere
concessa ; permittite patri promissa complere. Cur ponitis
metas ? Cur figitis terminos ? Cum a Deo patre saluatori
tota terra promissa sit, non est quicquam in aliqua parte terrarum quod a possessione eius uideatur exceptum.   7. Tota
40 est donata terra cum gentibus, totus orbis Christo una possessio est. Hoc probat Deus qui ait : *Dabo tibi gentes here-*

---

18 modo : *om.* PG ‖ tribus : trebus P ‖ 19 Mysia : Misia BV   Moesia z
‖ Thracia : Tracia *codd.* ‖ Graecia : Grecia RBV ‖ 21 Galatia : -acia B ‖
Cappadocia : -dotia G ‖ Pamphilia : -fylia P   Pampifilia RB ‖ Phrygia :
Frygia P   Frigia G RBV ‖ Cilicia : Cicilia V   Cycilia + et P ‖ 22 tribus :
trebus P ‖ Aegypto : Egypto G   Egipto BV ‖ 23 Mesopotamia : -phota-
mia G [ac] ‖ 24 numerari : enumerari P ‖ 25 erit [2] : *om.* G ‖ 26 dicta : *om.* B
‖ 28 coartatis : cohastatis RB ‖ 32 tale : talem RBV ‖ 33 in : *om.* V ‖ quemdam : quadam B ‖ 37 terminos : limites RBV ‖ 39 exceptum : excerptum P
exeptum B ‖ 40 terra donata B ‖ orbis : + terrae P ‖ est possessio G ‖ 41
Deus : + pater G ‖ gentes : + in G

Si vous voulez qu'elle soit seulement chez vous, dans les trois Pannonies, en Dacie, Mysie, Thrace, Achaïe, Macédoine et dans toute la Grèce, où vous n'êtes pas, il n'y aura pas d'Église ? 4. Pour qu'elle puisse être chez vous, dans le Pont, en Galatie, Cappadoce, Pamphilie, Phrygie, Cilicie, dans les trois Syries, dans les deux Arménies, dans toute l'Égypte et en Mésopotamie, où vous n'êtes pas, il n'y aura pas d'Église ? Dans toutes ces îles innombrables et dans toutes les autres provinces, qu'on peut à peine dénombrer, où vous n'êtes pas, il n'y aura pas d'Église ? Mais où retrou-vera-t-on alors le sens propre du mot *catholique*, puisque l'Église a été nommée catholique parce qu'elle est conforme à la raison et répandue dans tout l'univers [1] ? 5. Car si, selon votre propre volonté, vous enfermez l'Église à l'étroit, si vous excluez toutes les nations, où sera ce que le Fils de Dieu a obtenu ? Où sera la récompense que son père lui a généreusement accordée, comme il l'a dit dans le Psaume 2 : « Je te donnerai les nations pour héritage et pour domaine les extrémités de la terre [b]. » Pourquoi brisez-vous une telle promesse, en réduisant à une sorte de prison l'éten-due des royaumes ? 6. Pourquoi désirez-vous faire obstacle à une si grande bonté ? Pourquoi luttez-vous contre la récompense du Sauveur ? Laissez le Fils posséder ce que lui a accordé le Père ; laissez le Père remplir ses promesses. Pourquoi placez-vous des bornes ? Pourquoi fixez-vous des limites ? Puisque Dieu le Père a promis au Sauveur le monde entier, rien, dans quelque coin du monde que ce soit, ne sau-rait être retranché de son domaine. 7. On lui a donné la terre tout entière, avec les nations ; le monde entier, sans exception, appartient au Christ. Cela, Dieu le prouve en disant : « Je te donnerai les nations pour héritage et pour

b. Ps. 2, 8

1. Cf. l'Introduction, p. 102-107 et n. 1, p. 105.

ditatem tuam et possessionem tuam terminos terrae c. Et in
septuagesimo primo psalmo de ipso saluatore sic scriptum
est : *Dominabitur a mari usque ad mare et a fluminibus*
45 *usque ad terminos orbis terrae* d. 8. Pater dum donat nihil
excipit. Vos ut concedatis unciam, totam libram auferre
conamini. Et adhuc nitimini suadere hominibus apud uos
solos esse ecclesiam auferentes meritum Christo, negantes
praestitutum a Deo. O uestra ingrata et stulta praesumptio !
50 Christus uos cum ceteris in societatem regni caelestis inui-
tat et ut coheredes sitis hortatur, et uos eum in hereditate
sibi a patre concessa fraudare laboratis, dum Africae partem
conceditis et totum terrarum orbem qui ei a patre donatus
est denegatis. 9. Quid mendacem uideri uultis spiritum
55 sanctum qui in quadragesimo nono psalmo omnipotentis
Dei beniuolentiam narrat, dum dicit : *Deus deorum domi-*
nus locutus est et uocauit terram ab ortu solis usque ad occa-
sum e ? Vocata est ergo terra ut caro fieret, et sicut legitur,
facta est, et debet laudes creatori suo. Denique commemo-
60 ratur spiritu sancto hortante et dicente in centesimo duode-
cimo psalmo dum dicit : *Laudandum nomen domini ab ortu*
solis usque ad occasum f, et iterum in nonagesimo et quinto
psalmo : *Cantate domino canticum nouum* g. 10. Si hunc
uersum solum diceret, possetis dicere quia uos solos horta-

43 septuagesimo : -ginsimo P ‖ 44 est : + et PG ‖ 45 orbis terrae : terre
orbis B ‖ 46 excipit : excepit P ‖ concedatis : -ditis G ‖ unciam : untiam R
‖ 47 nitimini : nitemini P ‖ suadere : + omnibus B ac ‖ 48 auferentes : auf-
ferentes V ‖ 49 praestitutum : -stitum P ‖ a : *om.* P RBV ‖ 50 ceteris : ter-
ris RBV ‖ societatem : -tate G ‖ 51 ut *codd.* : *om.* z ‖ in : de G ‖ 52 fraudare laboratis : laboratis excludere G ‖ 53 a : *om.* V ‖ 55 quadragesimo :
-ginsimo P ‖ nono : octauo V ‖ 58 sicut : sicuti G ‖ 59 laudes : + deo P ‖
denique : deinde B ‖ 63-65 si — ostenderet : *haec repetuntur in* B ‖ 64 uersum : uerbum G ‖ diceret : + cantate domino canticum nouum G ‖ possetis : potuissetis G

c. Ps. 2, 8   d. Ps. 71, 8   e. Ps. 49, 1   f. Ps. 112, 3   g. Ps. 95, 1

domaine les extrémités de la terre [c]. » Et c'est précisément à
propos du Sauveur qu'il est écrit dans le Psaume 71 : « Il
dominera de la mer à la mer et des fleuves jusqu'aux extrémités du monde [d] [1]. » 8. Quand le Père donne, il ne
retranche rien. Vous, quand vous accordez une once, vous
essayez d'enlever toute la livre. En outre, vous vous efforcez de convaincre les hommes que l'Église se trouve chez
vous seuls, enlevant au Christ son salaire, lui refusant ce que
Dieu lui a assigné. Que vous montrez d'ingratitude, de sottise et d'impudence ! Le Christ vous invite avec tous les
autres à participer au royaume céleste et il vous demande
d'être ses cohéritiers, et vous, vous travaillez à le frustrer de
l'héritage que lui a laissé son Père, en lui accordant une partie de l'Afrique et en lui refusant le monde entier, qui lui a
été donné par son Père. 9. Pourquoi voulez-vous faire du
Saint-Esprit un menteur, lui qui, dans le Psaume 49, parle
de la bonté du Dieu tout puissant, lorsqu'il dit : « Le Dieu
des dieux, le Seigneur, a parlé et il a appelé la terre du levant
jusqu'au couchant[e]. » Il a donc appelé la terre à devenir chair
et, comme on le lit, elle l'est devenue et elle doit des
louanges à son créateur. Enfin, le Saint-Esprit rappelle cela
dans ses exhortations, lorsqu'il dit dans le Psaume 112 :
« Loué soit le nom du Seigneur du levant jusqu'au couchant [f] », et encore dans le Psaume 95 : « Chantez au
Seigneur un chant nouveau [g] [2]. » 10. S'il n'y avait que ce
verset, vous pourriez dire que le Saint-Esprit n'a adressé ses

---

1. Cf. Avg., *Epist. ad catholicos*, VIII, 20 : *Dabo tibi gentes hereditatem
tuam et possessionem tuam fines terrae*, et 22 (*BA* 28, p. 557 s.) : « Il règnera
en maître d'une mer à l'autre et du fleuve jusqu'aux confins de la terre. Le
fleuve, c'est le lieu où l'Esprit-Saint, sous forme de colombe, et la voix du
ciel le manifestèrent » (« *Dominabitur, inquit, a mari usque ad mare et a
flumine usque ad terminos orbis terrae, a flumine utique, ubi eum spiritus
sanctus in columbae specie et uox de caelo manifestauit* »).

2. Avg. (*C. Parm.*, III, IV, 24, *BA* 28, p. 457) cite ce *Ps.* 95, 1 pour
condamner les donatistes ; Cf. l'Introduction, p. 107.

65 tus est spiritus sanctus. Sed ut ostenderet quia non ad uos
solos dictum est sed ad ecclesiam quae ubique est, secutus
est dicens : *Cantate domino omnis terra, pronuntiate inter
gentes gloriam ipsius, in omnibus populis mirabilia eius* [h].
Pronuntiate, inquit, *inter gentes*. Non dixit in particula
70 Africae, ubi uos estis. 11. *Pronuntiate*, inquit, *in omnibus
populis*. Qui *omnes populos* dixit neminem excepit, et uos
solos ab omnibus populis, de quibus hoc mandatum est,
separatos esse gratulamini. Et uultis uos solos esse totum,
qui in omni toto non estis. *Laudandum*, inquit, *nomen
75 domini et a tota terra et ab ortu solis usque ad occasum* [i].
12. Numquid pagani extralegales possunt aut cantare Deo
aut laudare nomen domini, et non sola ecclesia quae in lege
est ? Quam si apud uos tantummodo esse dicitis, fraudatis
aures Dei. Si uos soli laudatis, totus tacebit orbis, qui est ab
80 ortu solis usque ad occasum. Clausistis ora omnium chris-
tianarum gentium, indixistis silentium populis uniuersis
Deum per momenta laudare cupientibus. 13. Igitur si et
Deus debitas sibi laudes expectat, et ut sonent spiritus sanctus hortatur et totus orbis quod debet Deo paratus est red-
85 dere, ne fraudetur Deus, etiam uos ipsi laudate cum omnibus aut quia noluistis esse cum omnibus soli conticiscite.

65 quia : qui B ‖ 67 domino : deo G ‖ inter gentes : in gentibus RBV ‖
68 eius : ipsius G ‖ 69 inquit : inquid PV [*sic et postea*] ‖ inter : in RBV ‖
71 neminem : niminem P ‖ 72 de : e P ‖ 73 separatos : + uos RBV ‖ solos
uos G ‖ 74 in omni : omnino in G ‖ laudandum : -dendum B ‖ inquit : *post*
domini *transp.* B ‖ 75 ad : in G ‖ 76 extralegales : extra leges G ‖ aut : *om.*
RBV ‖ 77 domini : dei P RV ‖ 79 soli : sibi B ‖ orbis tacebit B ‖ 80 chris-
tianarum : -norum G RBV ‖ 82 Deum : dominum G ‖ et : *om.* PG ‖ 83
debitas : -ta B ‖ 85 fraudetur : -deretur B ‖ laudate : -dare B ‖ 86 noluistis : -isti B ‖ esse : + esse B ‖ conticiscite : -tiscicite G -ticescite z

h. Ps. 95, 1-3 i. Ps. 112, 3

exhortations qu'à vous ; mais pour montrer que cela ne
s'adresse pas seulement à vous mais à l'Église, qui est partout, il a poursuivi en disant : « Chantez au Seigneur toute
la terre ; racontez sa gloire parmi les nations, ses merveilles
à tous les peuples [h] ! » Il a dit : « Racontez parmi les
nations. » Il n'a pas dit : « Dans un recoin de l'Afrique où
vous êtes. » 11. Il a dit : « Racontez à tous les peuples. »
Celui qui a dit : « à tous les peuples » n'a exclu personne ;
et vous, seuls, vous vous félicitez d'être séparés de tous les
peuples pour qui cet ordre a été donné. Vous, à vous seuls,
vous voulez être le tout, alors que vous n'êtes pas dans le
tout. « Loué soit, dit-il, le nom du Seigneur par toute la
terre, du levant jusqu'au couchant [i]. » 12. Est-ce que par
hasard les païens, qui ignorent la Loi [1], peuvent chanter
Dieu ou louer le nom du Seigneur ? L'Église, qui respecte
la Loi, n'est-elle pas la seule à pouvoir le faire ? Et si vous
dites qu'elle est seulement chez vous, vous frustrez les
oreilles de Dieu. Si vous seuls adressez des louanges, toute
la terre se taira, du levant jusqu'au couchant. Vous avez
fermé la bouche de toutes les nations chrétiennes, vous avez
réduit au silence tous les peuples qui désiraient louer Dieu
à chaque instant. 13. Ainsi, si Dieu attend les louanges qui
lui sont dues, si le Saint-Esprit demande qu'elles résonnent
et si le monde entier est prêt à rendre à Dieu ce qu'il lui doit,
alors, pour que Dieu ne soit pas frustré, mêlez, vous aussi,
vos louanges à celles de tous les autres, ou bien, puisque
vous n'avez pas voulu vous joindre à tous les autres, gardez,
seuls, le silence.

---

1. « Extralegales » : D'après *TLL s.u.* col. 2070, 4-8, ce terme n'est
attesté que chez Optat. On le rencontre deux fois : ici, et en VII, 1, 34
(« extralegalibus »), dans un passage que seul le *Tilianus*, aujourd'hui perdu,
nous a transmis, ce qui constitue un argument supplémentaire en faveur de
l'authenticité du texte. Cf. l'Introduction, p. 40 s.

2. 1. Ergo quia probauimus eam esse ecclesiam catholicam quae sit in toto terrarum orbe diffusa, eius iam com-
memoranda sunt ornamenta et uidendum ubi sint quinque
dotes quas tu sex esse dixisti, inter quas cathedra est prima,
5 ubi nisi sederit episcopus, coniungi altera dos non potest,
qui est angelus. Videndum est quis et ubi prior cathedram
sederit. Si ignoras, disce ; si nosti, erubesce ! Ignorantia tibi
adscribi non potest, restat ergo ut noueris. 2. Scientem
errare peccatum est. Nam ignorantibus nonnumquam solet
10 ignosci. Igitur negare non potes scire te in urbe Roma Petro
primo cathedram episcopalem esse collatam, in qua sederit
omnium apostolorum caput Petrus, unde et Cephas est
appellatus, in qua una cathedra unitas ab omnibus seruare-
tur ne ceteri apostoli singulas sibi quisque defenderent ut
15 iam schismaticus et peccator esset qui contra singularem
cathedram alteram collocaret.

3. 1. Ergo cathedram unicam quae est prima de dotibus
sedit prior Petrus cui successit Linus ; Lino successit
Clemens, Clementi Anacletus, Anacleto Euaristus, Euaristo
Xystus, Xysto Telesphorus, Telesphoro Hyginus, Hygino
5 Anicetus, Aniceto Pius, Pio Soter, Soteri Alexander,
Alexandro Victor, Victori Zephyrinus, Zephyrino Callistus,
Callisto Vrbanus, Vrbano Pontianus, Pontiano Antheros,

2, 4 est : esse RBV ‖ 5 potest : -terit V ‖ 6-7 qui — sederit : om. V ‖ 6
qui : quis G ‖ angelus : an/ulus R angulus B ‖ quis : qui P RB ‖ prior :
om. P ‖ cathedram : -dra P RB ‖ 7 si nosti erubesce : om. V ‖ 8 adscribi :
ascribi G ‖ 8-10 restat — potes : om. V ‖ 9 nam : non B ‖ 10 scire te : sci-
rite V ‖ Roma : romana G ‖ 11 collatam : conlocatam P ‖ sederit : -eret P
‖ 12 Cephas : Caefas P Chefas RBV ‖ appellatus est G RBV ‖ 13 qua :
quo RBV ‖ una : + una P ‖ 14 ne : nec PV ‖ quisque : quique P ‖ 15 iam :
etiam P ‖ esset : post schismaticus transp. G
3, 1 cathedram : -ra RBV ‖ unicam : -ca RBV ‖ est : om. B ‖ prima : -
mo B ‖ 2 sedit : -det P sed ut V ‖ cui : cum V.‖ Linus : Lynus V ‖ 3
Anacletus : Anicletus codd. ‖ Euaristus : Eucharistus RBV ‖ 4 Xystus :

2. Les dons de l'Église

**La chaire
de Pierre**

2. 1. Donc, puisque j'ai prouvé que l'Église
catholique est celle qui est répandue dans le
monde entier, il me faut maintenant rappeler
ses ornements et voir où se trouvent les cinq dons qui,
d'après toi, sont au nombre de six, parmi lesquels se trouve,
en premier lieu, la chaire, et si un évêque n'y a pas siégé, on
ne peut lui adjoindre le deuxième don, qui est l'ange. Il faut
voir qui, le premier, a occupé la chaire et à quel endroit. Si
tu l'ignores, apprends-le ; si tu le sais, rougis de honte ! On
ne peut te tenir pour ignorant, il reste donc que tu le sais.
2. Qui se trompe sciemment commet un péché. Aux ignorants, en effet, on a coutume de pardonner parfois. Ainsi, tu
ne peux le nier, tu sais bien que c'est dans la ville de Rome
et pour Pierre que la chaire épiscopale a été d'abord établie,
qu'il y a siégé, lui, Pierre, le chef de tous les apôtres, d'où
le nom de Céphas qu'il a reçu, pour que, en cette seule
chaire, l'unité fût préservée par tous et pour empêcher les
autres apôtres de revendiquer chacun la sienne ; et déjà il
aurait été schismatique et pécheur, celui qui aurait dressé en
face de la chaire unique une autre chaire.
3. 1. Il y a donc une chaire unique, qui est le premier des
dons, où siégea d'abord Pierre, à qui succéda Lin ; à Lin succéda Clément, à Clément Anaclet, à Anaclet Évariste, à Évariste Sixte, à Sixte Télesphore, à Télesphore Hygin, à Hygin
Anicet, à Anicet Pie, à Pie Soter, à Soter Victor, à Victor
Zéphyrin, à Zéphyrin Calixte, à Calixte Urbain, à Urbain
Pontien, à Pontien Antère, à Antère Fabien, à Fabien

Sixtus G RBV ‖ Telesphorus : Thelesforus G Telesfor P Thelesporus
RBV ‖ Hyginus : Higinus G Iginus RBV Haesignus P ‖ 5 Anicetus : -
cletus RB -cleteus V ‖ Soteri : -ro P RBV ‖ 6 Zephyrinus : Zefyrinus G
Zyfirinus P Zeferinus RBV ‖ Callistus : Calistus RBV Calixtus G ‖ 7
Vrbanus : Vranius P Vrnanius G ‖ Pontiano : *om.* V ‖ Antheros : -teres P
-therus G -theres V

Anthero Fabianus, Fabiano Cornelius, Cornelio Lucius,
Lucio Stephanus, Stephano Xystus, Xysto Dionysius,
10 Dionysio Felix, Felici Marcellinus, Marcellino Eusebius,
Eusebio Miltiades, Miltiadi Siluester, Siluestro Marcus,
Marco Iulius, Iulio Liberius, Liberio Damasus, Damaso
Siricius, hodie qui noster est socius. 2. Cum quo nobis
totus orbis commercio formatarum in una communionis
15 societate concordat. Vestrae cathedrae uos originem reddite
qui uobis uultis sanctam ecclesiam uindicare.

4. 1. Sed et habere uos in urbe Roma partem aliquam
dicitis ; ramus est uestri erroris, protentus de mendacio, non
de radice ueritatis. Denique si Macrobio dicatur ubi illic
sedeat, numquid potest dicere in cathedra Petri ? Quam nes-
5 cio si uel oculis nouit, et ad cuius memoriam non accedit
quasi schismaticus contra apostolum faciens, qui ait : *memoriis sanctorum communicantes* ʲ. 2. Ecce praesentes sunt ibi
duorum memoriae apostolorum. Dicite si ad has ingredi
potuit aut obtulit illic ubi sanctorum memorias esse constat.
10 Ergo restat ut fateatur socius uester Macrobius se ibi sedere
ubi aliquando sedit Encolpius. Si et ipse Encolpius interrogari posset, diceret se ibi sedere ubi ante sedit Bonifatius
Vallitanus. 3. Deinde si et ipse interrogari posset, diceret
ubi sedit Victor Garbensis a uestris iamdudum de Africa ad
15 paucos erraticos missus. Quid est hoc quod pars uestra in

8 Fabianus : Fauianus P RBV ‖ Cornelius : -nilius P ‖ 9 Stephanus : -
fanus P ‖ Xystus : Sixtus G RBV ‖ Dionysius : -nisius P RBV ‖ 11
Miltiades : Militiades P   Meltiades G ‖ 13 Siricius : Syricius P   Siricus G
‖ qui hodie PG ‖ nobis : nobiscum G ‖ 15 concordat : -dant RBV ‖ 16 uultis : + causam B ᵃᶜ

4, 1 uos : *om.* V ‖ 2 ramus : ramulus G ‖ uestri est B ‖ 7 ibi : tibi G ‖
9 potuit aut : populi ita ut R ᵃᶜV   potu ‖ ita ut R ᵖᶜB ‖ memorias : -ria PG
‖ 11 Encolpius : -clopius G ‖ et ipse Encolpius : *om.* P ‖ 12 posset : potuit
G ‖ 13 Vallitanus : Ballitanus RBV   Bellitanus G ‖ interrogari : -gare G ‖
posset : potuisset P RBV ‖ 15 erraticos : ceraticos V

Corneille, à Corneille Lucius, à Lucius Étienne, à Étienne
Sixte, à Sixte Denis, à Denis Félix, à Félix Marcellin, à
Marcellin Eusèbe, à Eusèbe Miltiade, à Miltiade Silvestre, à
Silvestre Marc, à Marc Jules, à Jules Libère, à Libère
Damase, à Damase Sirice, qui est aujourd'hui notre collègue [1]. 2. Pour nous, c'est avec lui que, par l'échange de
lettres officielles, le monde entier vit dans une parfaite communion. A votre tour, expliquez l'origine de votre chaire,
vous qui voulez revendiquer pour vous l'Église sainte.

4. 1. Mais vous dites que vous avez, vous aussi, un parti
à Rome ; c'est une ramification de votre erreur, qui a poussé
du mensonge et non des racines de la vérité. Ainsi, par
exemple, si on demandait à Macrobe où il siège là-bas, pour-
rait-il répondre qu'il siège dans la chaire de Pierre ? J'ignore
s'il l'a même vue ! Et il ne fréquente pas le tombeau de
Pierre, agissant en schismatique, contrairement à la parole
de l'Apôtre qui dit : « en communion avec les tombeaux des
saints [j] [2] ». 2. Voici que se trouvent là les tombeaux des
deux apôtres. Dites-nous s'il a pu y avoir accès ou officier
là où se trouvent — cela est établi — les tombeaux des saints.
Il ne reste donc à votre collègue Macrobe qu'à avouer qu'il
siège là où siégea un jour Encolpius. Si l'on pouvait aussi
interroger Encolpius, il dirait qu'il siégeait là où siégea avant
lui Bonifatius de Vallis. 3. Si on pouvait ensuite interroger
aussi ce dernier, il dirait : « Là où siégea Victor de Garbe »,
envoyé d'Afrique par les vôtres, longtemps auparavant,

j. Rom. 12, 13

---

1. Cf. Appendice II, p. 308-309.
2. Le texte d'Optat (*memoriis sanctorum communicantes*) diffère de
celui de la Vulgate (*necessitatibus sanctorum communicantes*). La leçon
memoriis est cependant attestée par deux manuscrits (AS) : cf. *Biblia sacra
iuxta vulgatam*, éd. R. Weber, Stuttgart 1983, p. 1764. Le témoignage
d'Optat est d'autant plus précieux que ni Tertullien ni Cyprien ne citent
ce verset.

urbe Roma episcopum ciuem habere non potuit ? Quid est
quod toti Afri et peregrini in illa ciuitate sibi successisse
noscuntur ? Non apparet dolus, non factio, quae mater est
schismatis ? 4. Interea ut Victor Garbensis hinc prior mit-
20 teretur – non dico lapis in fontem, quia nec ualuit puritatem
catholicae multitudinis perturbare sed quia quibusdam Afris
urbica placuerat commoratio et hinc a uobis profecti uidebantur –, ipsi petierunt ut aliquis hinc qui illos colligeret
mitteretur. Missus est igitur Victor ; erat ibi filius sine patre,
25 tiro sine principe, discipulus sine magistro, sequens sine
antecedente, inquilinus sine domo, hospes sine hospitio,
pastor sine grege, episcopus sine populo. 5. Non enim grex
aut populus appellandi fuerant pauci qui inter quadraginta
et quod excurrit basilicas locum ubi colligerent non habe-
30 bant. Sic speluncam quamdam foris a ciuitate cratibus saepserunt, ubi ipso tempore conuenticulum habere potuissent,
unde Montenses appellati sunt. Igitur quia Claudianus
Luciano, Lucianus Macrobio, Macrobius Encolpio,
Encolpius Bonifatio, Bonifatius Victori successisse uiden-
35 tur, si Victori diceretur ubi sederet, nec ante se aliquem illic
fuisse monstraret nec cathedram aliquam nisi pestilentiae
ostenderet. 6. Pestilentia enim morbis extinctos homines

---

16 est : + toti B ‖ 17 Afri et : Africe V ‖ 19 schismatis : -ticis B ‖ ut :
post Garbensis *transp.* RBV ‖ hinc : hic P   hunc B ‖ 20 fontem : -te G ‖
23 petierunt : petiuerunt P   perierunt B ‖ aliquis : -qui P ‖ 25 tiro : tyro
G RV   t*ros B ‖ 29 excurrit : -runt G ‖ 30 foris : -ras G ‖ cratibus : gra-
dibus RBV ‖ saepserunt : serpserunt RBV ‖ 32 unde : + et PG ‖ 32-33
Claudianus — Macrobio : *om.* P ‖ 33 Lucianus Macrobio : *om.* G ‖ 34
Encolpius : -clopius G ‖ uidentur : -detur P ‖ 35 sederet : -erat RBV ‖ 36
cathedram : + sibi P ‖ nisi : *om.* P

---

1. « Ubi potuissent » : Optat utilise couramment le plus-que-parfait au
lieu de l'imparfait. Cf. I, 28, 1 : « ut licuisset ». Cet usage, déjà attesté chez
Tertullien, tend à se répandre dans la langue tardive ; cf. *LHS* p. 321-322.

2. Le terme de *Montenses,* pour désigner les donatistes de Rome, est
attesté par AVG., *C. Pet.*, II, CVIII, 247 ; *Ep.*, LIII, I, 2 ; *Epist. ad catholicos*,
III, 6. Cf. MONCEAUX₃, *Hist. litt.*, t. 5, p. 151 s.

auprès d'un petit nombre d'égarés. Comment se fait-il qu'à
Rome votre parti n'ait pas pu avoir comme évêque un
citoyen de cette ville ? Comment se fait-il que tous ceux qui
se sont succédé dans cette ville soient notoirement des
Africains et des étrangers ? N'apparaît-elle pas, la ruse, la
cabale qui a engendré le schisme ? 4. Cependant, pour que
Victor de Garbe fût, le premier, envoyé d'ici (je ne dis pas
que ce fut une pierre dans l'eau car il n'a pas pu troubler la
pureté de la foule des catholiques, mais certains Africains
avaient choisi de séjourner à Rome, et, partis d'ici, ils étaient
vos disciples), ils demandèrent que quelqu'un leur fût
envoyé d'ici, afin de les rassembler. On envoya donc
Victor ; là, il était comme un fils sans père, une jeune recrue
sans chef, un élève sans maître, un second sans premier, un
locataire sans maison, un hôte sans gîte, un berger sans troupeau, un évêque sans peuple. 5. Car on ne pouvait pas
appeler troupeau ou peuple un petit nombre d'hommes qui,
au milieu de plus de quarante basiliques, n'avaient pas un
lieu où se rassembler. C'est ainsi qu'ils entourèrent de claies
une grotte située à l'extérieur de la ville, afin de pouvoir, en
ce temps-là, y tenir leurs réunions [1]. De là leur nom de mon-
tagnards [2]. Ainsi Claudianus a bien succédé à Lucianus,
Lucianus à Macrobe, Macrobe à Encolpius, Encolpius à
Bonifatius, Bonifatius à Victor. Si on demandait à Victor où
il siégeait, il expliquerait qu'avant lui, là-bas, il n'y a eu personne et il ne pourrait montrer d'autre chaire que celle de
la pestilence [3]. 6. La pestilence, en effet, envoie aux Enfers

---

3. Claudianus, évêque donatiste de Rome depuis 375, fut chassé de cette
ville et rentra en Afrique où il se sépara de Parménien avec quelques parti-
sans. Cf. MONCEAUX₃, *Hist. litt.*, t. 5, p. 151-164 ; MANDOUZE₃, *Prosop.*,
p. 210. ∼ Macrobe se trouve à Rome au moment où l'évêque de Milève écrit
son traité. Nous ne savons sur ce personnage que ce que nous en dit Optat.
Cf. MANDOUZE₃, *Prosop.*, p. 662. ∼ Encolpius et Bonifatius de Vallis (en
Proconsulaire = Henchir Ballich, en Tunisie) ne nous sont connus que par
Optat. Cf. MANDOUZE₃, *Prosop.*, p. 146-147. Sur Victor de Garbe, cf. n. 16
du livre I. Cf. A. C. DE VEER, *BA* 31, p. 847 : « Un siège épiscopal à Rome ».

ad inferos mittit. Qui inferi portas suas habere noscuntur,
contra quas portas claues salutares accepisse legimus
40 Petrum, principem scilicet nostrum, cui a Christo dictum
est : *Tibi dabo claues regni caelorum et portae inferorum non
uincent eas* [k].

5. 1. Vnde est ergo quod claues regni caelorum uobis
usurpare contenditis, qui contra cathedram Petri uestris
praesumptionibus et audaci sacrilegio militatis, beatitudi-
nem repudiantes qua laudari meruit, qui *non abiit in consi-*
5 *lio impiorum et in uia peccatorum non stetit et in cathedra*
pestilentiae non sedit [1] ? In consilio impietatis itum est a
maioribus uestris, ut diuideretur ecclesia. **2.** Inierunt etiam
peccatorum uiam, dum Christum partiri conati sunt, cuius
Iudaei nec uestimenta scindere uoluerunt, cum apostolus
10 Paulus clamet et dicat : *Numquid diuisus est Christus* [m] ? Et
utinam, si iam malam uiam intrauerant, agnito peccato super
se reuerterentur, id est emendarent quod errauerant, reuo-
carent quam fugauerant pacem. Hoc erat de uia reuerti.
3. In uia enim ambulatur, non statur. Sed quia parentes ues-
15 tri reuerti noluerunt, ipsos constat in uia peccatorum stetisse. Quorum gressus impulerat furor, retentos ligauit pigra
discordia, et ne regredi ad meliora potuissent, ipsi sibi schismatis compedes posuerunt ut in errore suo pertinaciter sta-
rent ne ad pacem, quam deseruerant, reuerti potuissent. Nec
20 audierunt spiritum sanctum dicentem in psalmo tricesimo

39 salutares : -ris RB ‖ 41 inferorum : infernorum B
5, 1 caelorum : *om.* RBV ‖ 3 audaci : -ciis RBV ‖ 4 consilio : concilio
G ‖ 6 pestilentiae : -tium G ‖ consilio : -lium P ‖ 7 etiam : et a B ‖ 9 scindere : -derunt G ‖ uoluerunt : *om.* G ‖ 10 Paulus : *om.* PG ‖ Christus : +
in uobis P ‖ 11 si iam : suam B ‖ agnito : -tio G ‖ 12 reuerterentur : -terent
G ‖ 14 uestri : *om.* V ‖ 15 uia : -am RBV ‖ stetisse : fecisse B ‖ 16 impulerat : -pullerat G   -pluerat V ‖ ligauit : legauit PB ‖ 17 discordia : -da P ‖
schismatis : scismaticis V ‖ 18 compedes : terminum G ‖ posuerunt : -erant
P ‖ 18 suo : *om.* PG ‖ 19 ne : nec G

des hommes morts de maladie. Ces Enfers possèdent des portes, on le sait, et nous lisons que contre ces portes Pierre, c'est-à-dire notre chef, a reçu les clefs salvatrices, lui à qui le Christ a dit : « Je te donnerai les clefs du royaume des cieux et les portes des Enfers ne prévaudront pas contre elles [k]. »

La chaire de pestilence   **5. 1.** Mais d'où vient que vous prétendez usurper les clefs du royaume des cieux, vous qui luttez contre la chaire de Pierre avec vos impudences et votre audace sacrilège, en niant la béatitude dont il a mérité d'être loué, lui « qui n'est pas allé au conseil des impies, qui ne s'est pas arrêté dans la voie des pécheurs et qui n'a pas siégé dans la chaire de pestilence [l] » ? Ce sont vos prédécesseurs qui sont allés au conseil de l'impiété pour diviser l'Église. **2.** Ils se sont aussi engagés dans la voie des pécheurs, quand ils se sont efforcés de partager le Christ, dont les juifs n'ont même pas voulu déchirer les vêtements, alors que l'apôtre Paul proclame et dit : « Le Christ est-il divisé [m] ? » Si seulement ils avaient pu, une fois engagés dans la mauvaise voie, reconnaître leur péché, faire retour sur eux-mêmes, c'est-à-dire corriger leur erreur et ramener la paix qu'ils avaient fait fuir ! C'était là revenir en arrière. **3.** En effet, sur une voie on marche, on ne s'arrête pas. Mais puisque vos pères n'ont pas voulu revenir en arrière, il est évident qu'ils se sont arrêtés dans la voie des pécheurs. La folie les avait poussés, la discorde stérile les a retenus et enchaînés, et pour qu'il leur fût impossible de retourner vers des lieux meilleurs, ils se sont mis à eux-mêmes les entraves du schisme, pour rester obstinément dans l'erreur et pour qu'il leur fût impossible de revenir à la paix, qu'ils avaient abandonnée. Et ils n'ont pas écouté le Saint-Esprit qui dit dans le Psaume 33 : « Évite le mal et fais

k. Matth. 16, 18-19   l. Ps. 1, 1   m. I Cor. 1, 13

tertio : *Diuerte a malo et fac bonum ; inquire pacem et per-*
sequere eam [n]. 4. Sed steterunt in uia peccatorum suorum.
Sederunt etiam in cathedra pestilentiae quae, ut supra diximus, seductos mittit ad mortem. Sed dum et uos parentum
25 errorem colentes studiose defenditis, heredes sceleris esse
uoluistis, cum filii pacis uel sero esse possetis, cum in
Ezechiele propheta scriptum sit : *Extolle uocem tuam super*
filium peccatoris, ne uestigia patris sui sequatur, quoniam
anima patris mea est et anima filii mea est. Anima quae pec-
30 *cat sola punietur* [o]. 5. Si displiceret uobis quod parentes
uestri peccauerunt, de admissu suo soli redderent rationem.
Hoc modo uel uos beati esse possetis et laudem de ore prophetae percipere qui ait in psalmo primo : *Beatus uir qui non*
abiit in consilio impiorum et in uia peccatorum non stetit et
35 *in cathedra pestilentiae non sedit, sed in lege domini fuit*
uoluntas eius [p]. 6. Quid est aliud in lege habere uoluntatem nisi diuina praecepta et religiose discere et cum timore
complere ? In qua lege scriptum est : *Pax hominibus in terra*
bonae uoluntatis [q], et alio loco, in Esaia propheta : *Ponam*
40 *fundamenta pacis in Sion* [r], et alio loco : *Videamus quid*
loquitur dominus quoniam loquetur pacem in plebem
suam [s], et alio loco : *Venit filius Dei et factus est in pace locus*

---

21 diuerte : deuerte P ‖ persequere : sequere P   consequeris G ‖ 23
etiam : autem G ‖ in : *om.* PG ‖ cathedra : -ram PG ‖ diximus : -xi P ‖ 24
ad : in RB ‖ et : *post* sed *transp.* RBV ‖ 25 colentes : collentes G ‖ studiose :
-sae R ‖ defenditis : + error P [ac] ‖ sceleris : celeris B   *om.* P ‖ 26 possetis :
-sitis P ‖ in : ne B ‖ 27 Ezechiele : -lo P RV   Zechielo B ‖ sit : est V ‖ 28
uestigia : uestia B ‖ quoniam : quo B ‖ 29 filii : -li P ‖ 30 punietur : -nitur
V ‖ displiceret : -cerat RBV ‖ 31 peccauerunt : -erant P ‖ admissu : -so P
ammissu G ‖ 32 possetis : -sitis P ‖ 33 percipere : -cipe B ‖ non : + et cetera
G ‖ 34 abiit — stetit : *om.* G ‖ 35 fuit : *om.* G ‖ 38 est : + in euangelio G
‖ 39 in Esaia propheta : *om.* RBV ‖ Esaia : Eseia P ‖ propheta : -feta P ‖
40 Sion : Syon G ‖ loco : + et in psalmo octogesimo quarto PG ‖ 41 loquitur *codd.* : -quatur z ‖ quoniam : quia P   quo B ‖ plebem : plibem P ‖ 42-
43 et alio — eius : *om.* P ‖ 42 alio loco : in euangelio G

le bien ; recherche la paix et poursuis-la [n]. » 4. Mais ils se
sont arrêtés dans la voie de leur propre péché. Ils ont aussi
siégé dans la chaire de pestilence qui, comme je l'ai dit plus
haut, conduit à la mort ceux qui se sont laissé séduire. Mais
en honorant et en défendant ardemment vous aussi l'erreur
de vos pères, vous avez voulu être les héritiers d'un crime,
alors que vous pourriez être, même tard, les fils de la paix,
puisqu'il est écrit chez le prophète Ézéchiel : « Crie au fils
du pécheur de ne pas suivre les traces de son père, car la vie
du père est à moi et la vie du fils est à moi. Celui qui pèche
sera seul puni [o] [1]. » 5. Si vous désapprouviez les péchés de
vos pères, eux seuls auraient des comptes à rendre pour leur
crime. De cette façon, vous, du moins, vous pourriez être
bienheureux et recevoir de la bouche du prophète la louange
qu'il proclame dans le Psaume 1 : « Heureux celui qui n'est
pas allé au conseil des impies, qui ne s'est pas arrêté dans la
voie du péché et qui n'a pas siégé dans la chaire de pestilence, mais qui a appliqué sa volonté à la loi du
Seigneur [p]. » 6. Appliquer sa volonté à la loi du Seigneur,
qu'est-ce d'autre sinon apprendre scrupuleusement les préceptes divins et les observer avec crainte ? Il est écrit dans
cette loi : « Paix sur la terre aux hommes de bonne
volonté [q] », et ailleurs, chez le prophète Isaïe : « J'établirai
les fondements de la paix dans Sion [r] », et ailleurs : « Écou-
tons ce que dit le Seigneur, car il dira des paroles de paix
pour son peuple [s] », et ailleurs : « Il est venu, le Fils de Dieu,

---

n. Ps. 33, 15   o. Éz. 18, 4   p. Ps. 1, 1-2   q. Lc 2, 14   r. Is. 60, 17   s. Ps.
84, 9

---

1. La première partie de cette citation semble être plutôt un résumé du
chapitre 18 d'Ezéchiel (et particulièrement des versets 14-20). Optat cite
ensuite avec plus de précision *Éz.*, 18, 4 (Vulgate : *ut anima patris ita et
anima filii mea est, anima quae peccauit ipsa morietur*).

eius [t], et in psalmo septuagesimo primo : *Suscipiant montes*
pacem populo et colles iustititam [u], et in euangelio : *Pacem*
45 *meam do uobis, pacem meam relinquo uobis* [v]. 7. Et Paulus
ait : *Qui pacem serit, pacem et metet* [w], et in omnibus epistulis suis : *Pax uobis abundet in nomine patris et filii et spi-*
ritus sancti [x], et in psalmo tricesimo tertio : *Quaere pacem*
et consequeris eam [y]. Fugata recesserat pax a patribus ues-
50 tris. Vos eam, sicuti a Deo mandatum est, quaerere deberetis, quam nec ultro uoluistis quaerere nec oblatam libenter
accipere. 8. Quis enim in tot prouinciis quia nati estis
audiuit ? Et si aliquis audiuit, quis non uestrum miretur
errorem, quis non uestrum facinus damnet ? Igitur cum
55 manifestum sit et ipsa luce sit clarius nos cum tot innume-
rabilibus populis esse et tot prouincias nobiscum, iam uide-
tis uos in parte unius regionis positos et ab ecclesia uestris
erroribus esse separatos, frustra uobis solis hoc nomen
ecclesiae cum suis dotibus uindicare, quae magis apud nos
60 sunt quam apud uos. 9. Quas constat ita sibi conexas et
indiuiduas esse ut intellegatur unam ab altera separari non
posse. Etenim numerantur in nomine sed uno intellectu suo
iunguntur in corpore ut in manu digiti, quos interuallis singulos uidemus esse distinctos. Vnde qui tenet unum, totos
65 teneat necesse est. Cum unusquisque a paribus separari non
possit, adde quod non unam solam sed omnes proprie pos-
sidemus.

43 in psalmo septuagesimo primo : alio loco RBV ‖ 44 populo : + tuo
G ‖ iustitiam : + et iterum G ‖ 46-47 qui — suis : *om.* P ‖ 47-48 in nomine
— sancti : *om.* G ‖ 48 in psalmo tricesimo tertio : alio loco RBV ‖ quaere :
inquire G ‖ 50 sicuti : si uti RB ‖ Deo : domino P ‖ mandatum : man tum
B ‖ quaerere : quaereretis P quereretis RB queritis V ‖ deberetis : *om.*
RBV ‖ 52 quia : quibus RBV z ‖ 53 et — audiuit [2] : *om.* G ‖ 56 tot : *om.*
P ‖ 57 uos : + suos B ‖ regionis : + esse G ‖ uestris : ueris P ‖ 58 esse : *om.*
PG ‖ 59 uindicare : -catis G ‖ quae magis : et agis P [ac] ‖ 61 unam : una PG
V ‖ separari : -rati B ‖ 63 iunguntur : -gitur G ‖ corpore : + suo V ‖ ut : et
P ‖ quos : quod B ‖ singulos : -lis G ‖ 64 tenet : -neat G ‖ 66 quod non :
quod [n *sup.l.*] R quo dum B ‖ 66 proprie : propiae R

et il a établi sa demeure dans la paix [t] », et dans le Psaume 71 : « Que les montagnes apportent la paix au peuple, et les collines la justice [u] », et dans l'Évangile : « Je vous donne ma paix, je vous laisse ma paix [v] » 7. Et Paul dit : « Celui qui sème la paix récoltera aussi la paix [w] », et dans toutes ses épîtres : « Que la paix abonde pour vous, au nom du Père, du Fils et du Saint-Esprit [x] », et dans le Psaume 33 : « Recherche la paix et poursuis-la [y]. » Chassée par vos pères, la paix s'est éloignée d'eux. Cette paix, comme l'a demandé Dieu, vous devriez la rechercher, mais vous n'avez voulu ni la rechercher de vous-mêmes, ni la recevoir de bon gré quand on vous l'a offerte. 8. Qui, d'autre part, dans tant de provinces, a entendu dire que vous existiez ? Et même si quelqu'un l'a entendu dire, qui ne s'étonnerait de votre erreur ? qui ne condamnerait votre crime ? Il est donc manifeste et plus clair que la lumière même que nous sommes en union avec tant de peuples innombrables et que tant de provinces sont en union avec nous ; ainsi, vous le voyez bien : vous êtes situés dans le recoin d'une seule région ; par vos erreurs, vous vous êtes séparés de l'Église, et c'est en vain que vous revendiquez pour vous seuls ce nom d'Église ainsi que tous les dons qui y sont attachés et qui se trouvent plutôt chez nous que chez vous. 9. Et il est établi qu'ils sont unis et indivisibles, si bien qu'on ne peut les penser séparément l'un de l'autre. En effet, on les énumère par leur nom, mais dans la pensée ils forment un seul corps comme les doigts de la main que nous voyons séparés les uns des autres par des intervalles. C'est pourquoi qui en possède un les possède nécessairement tous. Et puisque aucun ne peut être séparé de ses semblables, ajoute que ce n'est pas un seul mais tous que nous possédons en propre.

t. Ps. 75, 3   u. Ps. 71, 3   v. Jn 14, 27   w. II Cor. 9, 6   x. Rom. 1, 7   y. Ps. 33, 15

6. 1. Igitur de dotibus supradictis cathedra est, ut diximus, prima, quam probauimus per Petrum nostram esse. Quae ducit ad se angelum, nisi forte eum uobis uindicantes habetis in loculis clausum. Mittite illum, si potestis, exclu-
5 dat septem angelos qui sunt apud socios nostros in Asia, ad quorum ecclesias scribit Iohannes apostolus ᶻ, cum quibus ecclesiis nullum communionis probamini habere consortium. **2.** Vnde uobis angelum, qui apud uos possit fontem mouere aut inter ceteras dotes ecclesiae numerari ? Extra
10 septem ecclesias quicquid foris est alienum est. Aut si inde habetis aliquem unum, per unum communicatis et ceteris angelis et per angelos supra memoratis ecclesiis et per ipsas ecclesias nobis. Si ita est litigium perdidistis.

7. 1. Ecce iam apud uos omnes dotes esse non possunt. Non enim spiritum Dei soli uobis uindicare poteritis aut includere quod intellegitur et non uidetur. Sic enim in euangelio scriptum est : *Nam spiritus Deus est et ubi uult aspirat*
5 *et uocem eius audis et nescis unde ueniat et quo eat* ᵃ. Permittite Deum unde uelit ire et quo uelit accedere habeat libertatem qui audiri potest et uideri non potest. **2.** Et tamen studio criminandi libenter blasphemare uoluisti ut diceres : Nam in illa ecclesia qui spiritus esse potest nisi qui
10 pariat filios gehennae ? Vomuisti de pectore tuo conuicium

---

6, 1 supradictis : suprascriptis PG ‖ ut : + supra V ‖ 2 probauimus : approbauimus B· ‖ 3 quae : qua B ‖ ducit : dicit R ᵃᶜ ‖ 4 loculis : oculis B ‖ 5 septem : -tim P ‖ 6 Iohannes : -nis P ‖ 9 dotes ceteras G ‖ 10 septem : -tim P ‖ 11 communicatis : -castis PG ‖ 12 memoratis : -tos G ‖ 13 nobis : + que V

7, 1 omnes : *om.* RB ‖ 2 poteritis : -terites P -testis RBV ‖ 3 enim : + legitur G ‖ 4 scriptum est : *om.* G ‖ Deus spiritus P ‖ aspirat : spirat G ‖ 5 et² : sed RBV ‖ et³ : aut G ‖ eat : uadat G ‖ 6 Deum : dominum PG ‖ ire — uelit² : *om.* V ‖ 7 qui : quia G ‖ 9 qui¹ : quis V z ‖ 10 gehennae : iohenne B ‖ pectore : peccatore B

---

z. Cf. Apoc. 1, 4   a. Jn 3, 8

L'ange **6.** 1. Ainsi, parmi les dons nommés plus haut, la chaire vient, comme nous l'avons dit, en premier, et nous avons prouvé que nous la possédions par l'intermédiaire de Pierre. Elle entraîne avec elle l'ange, à moins que vous ne le revendiquiez pour vous et que vous ne le gardiez enfermé dans une cassette ! Envoyez-le, si vous le pouvez, chasser les sept anges qui sont chez nos collègues d'Asie ; c'est à leurs Églises que s'adresse l'apôtre Jean ᶻ, ces Églises avec lesquelles vous n'avez, nous l'avons prouvé, aucun lien de communion.   2. Où trouver chez vous un ange qui puisse agiter l'eau ou être compté parmi les autres dons de l'Église ? Tout ce qui est en dehors des sept Églises est étranger. Mais si vous en possédez un, par ce seul ange vous êtes en communion avec tous les autres, et par les anges avec les Églises susnommées, et par ces Églises avec nous. S'il en est ainsi, vous avez perdu votre procès [1] !

L'Esprit **7.** 1. Voici donc que l'ensemble des dons ne peut se trouver chez vous. En effet, vous ne pourrez pas revendiquer pour vous seuls l'Esprit de Dieu ni enfermer ce que l'on conçoit et que l'on ne voit pas. Car il est écrit dans l'Évangile : « Car Dieu est Esprit et il souffle où il veut, et tu entends sa voix mais tu ne sais pas d'où il vient ni où il va ᵃ. » Laissez Dieu venir d'où il veut, et qu'il soit libre d'aller où il veut, lui que l'on peut entendre et que l'on ne peut pas voir.   2. Et cependant, dans ton désir de nous calomnier, tu as manifesté ta volonté de blasphémer en disant : « Car quel esprit peut-il y avoir dans cette église-là, sinon celui qui engendre les fils de la Géhenne ? » Ton cœur a vomi une invective, et tu as pensé qu'il fallait y ajouter le

---

1. Cf. l'Introduction, p. 111 ; Cf. TURNER₂, *Aduersaria critica*, p. 294 : nous avons ici une allusion claire au texte interpolé de *Jn* 5, 4, sur la mise en mouvement de l'eau par l'ange. On doit ajouter Optat à tous les Pères qui citent l'interpolation. Cf. TERT., *Bapt.*, IV, 5 ; V, 5 ; V, 11 ; R. F. REFOULÉ, *SC* 35, p. 71, n. 3.

et putasti adiungendum esse de euangelio testimonium ubi
lectum est : *Vae uobis, hypocritae, qui circuitis maria et ter-*
ras ut faciatis unum proselytum et cum inueneritis facitis
eum filium gehennae dupliciter quam uos estis [b]. 3. Si hoc
15 conuicium faciendum erat – quod non licet –, quamuis
sine causa fiat, utinam aliquis alter ex uestro numero hoc
fecisset ! Te tamen hoc dixisse satis admiror, id falso in alterum dicere ex quo si ordinationem tuam consideres, possis
et erubescere. Commemorasti enim lectum esse in euange-
20 lio : *Vae uobis, hypocritae, qui circuitis maria et terras ut*
faciatis unum proselytum [c], hoc est ut mutetis alicuius sec-
tam. 4. Tu quidem cuius sectae fueris nescio, tamen impor-
tune a te hoc dictum esse aestimo quod te iam forte huius
dicti paeniteat. Numquid nos aliquas peragrauimus terras ?
25 Numquid nos aliqua circumiuimus maria ? Numquid nos ad
peregrinos accessimus portus ? Numquid nos aliquem
adduximus Hispanum aut Gallum aut nos ordinauimus
ignorantibus peregrinum ?

8. 1. Nam et fontem constat unam esse de dotibus unde
haeretici non possunt uel ipsi bibere uel alios potare quia
soli sigillum integrum, id est symbolum catholicum, non
habentes ad fontem uerum aperire non possunt. Nam cum
5 in canticis canticorum scriptum sit : *umbilicus tuus ut crater*
tornatilis [d], umbilicum altare adfirmare conatus es. 2. Si
umbilicus membrum est in corpore, inter dotes esse non

---

11 adiungendum : aduncendum P ‖ 12 hypocritae : hipocrite B ypo-
crite GV [*sic et postea*] ‖ 13 ut : *del.* R *om.* B ‖ proselytum : -selitum G
RBV -sylitum P [*sic et postea*] ‖ facitis : -cietis G ‖ 16 alter : *om.* RBV ‖
17 fecisset : dixisset + et G RBV ‖ te : *post* hoc *transp.* G RBV ‖ falso : -
sum B ‖ alterum : + te z ‖ 20 uobis : + scribae et pharisei P ‖ 21 faciatis :
-ciates P ‖ 23 esse : est PG ‖ te [2] : *om.* B ‖ forte : *om.* G ‖ 24 aliquas : -quid
G ‖ peragrauimus : circuimus G ‖ 25 aliqua — nos [2] : *om.* G ‖ circumiuimus : -ibimus R [ac]V ‖ 25-26 ad — nos : *om.* B ‖ 27 Hispanum : Hiispanum
V

témoignage de l'Évangile, où on lit : « Malheur à vous, hypocrites, qui parcourez les mers et les terres pour faire un seul prosélyte, et quand vous l'avez trouvé, vous faites de lui un fils de la Géhenne deux fois pire que vous [b] ! » 3. Si cette invective devait être proférée — et elle ne doit pas l'être — bien qu'elle soit sans fondement, il aurait fallu du moins que ce fût par un autre d'entre vous ! Mais c'est toi, et je m'en étonne assez, qui as décidé de porter à tort contre un autre une accusation dont tu pourrais toi aussi rougir, si tu considérais ton ordination. En effet, tu as rappelé qu'on peut lire dans l'Évangile : « Malheur à vous, hypocrites, qui parcourez les mers et les terres pour faire un seul prosélyte [c] », c'est-à-dire pour convertir quelqu'un à une autre religion. 4. Pour toi, certes, je ne sais à quelle religion tu as appartenu, mais je pense que tes paroles ont été inopportunes, et peut-être t'en repens-tu maintenant ! Avons-nous parcouru des terres ? Avons-nous sillonné des mers ? Avons-nous abordé dans des ports étrangers ? Avons-nous attiré un espagnol ou un gaulois ? Avons-nous ordonné un étranger pour des gens qui ne le connaissaient pas ?

Les autres dons   8. 1. Il est également établi que, parmi les dons, se trouve la source unique, où les hérétiques ne peuvent ni boire eux-mêmes ni abreuver les autres, puisque, seuls, ils ne possèdent pas le sceau entier, c'est-à-dire le symbole catholique, et qu'ils ne peuvent ouvrir l'accès à la vraie source. D'autre part, comme il est écrit dans le Cantique des Cantiques : « Ton nombril est comme une coupe parfaite [d] », tu t'es efforcé d'affirmer que le nombril représentait l'autel. 2. Si le nombril est un

---

8, 1 constat unam : constantinum G ‖ 2 bibere : uiuere R [ac]BV ‖ potare : portare R [ac]B ‖ 5 sit : est G   est + sic V ‖ umbilicus : umblicus B ‖ 6 tornatilis : tornatus G   ornatus P ‖ es : est R ‖ 7 est : *om.* G

---

b. Matth. 23, 15   c. Matth. 23, 15   d. Cant. 7, 2

potest quod membrum est ; si ornamentum est, pars corporis non est.

9. 1. Restat iam ut dotes quinque esse uideatur ; quae
dotes cum sint ecclesiae catholicae quae est in tot prouinciis
supra memoratis, etiam apud nos hic in Africa deesse non
possunt. Intellegite uel sero uos esse filios impios, uos esse
5   fractos ramos ab arbore, uos esse abscisos palmites a uite,
uos riuum concisum a fonte. **2.** Non enim potest origo
esse riuus qui paruus est et non de se nascitur, aut arbor a
ramo concidi, cum arbor fundata suis radicibus gaudeat et
ramus si fuerit exsectus arescat. Iamne uides, frater
10   Parmeniane, iamne sentis, iamne intellegis te argumentis tuis
contra te militasse, cum probatum est nos esse in ecclesia
sancta catholica, apud quos et symbolum trinitatis est, et per
cathedram Petri quae nostra est, per ipsam et ceteras dotes
apud nos esse ? **3.** Etiam sacerdotium quod in nobis adnul-
15   lare uisus es in excusatione erroris et liuoris uestri, dum post
nos rebaptizatis et post socios uestros in peccato detectos
hoc non facitis. Dixisti enim quod si sacerdos in peccato sit,
solae possint dotes operari. **4.** Igitur quia docuimus et quid
sit haeresis et quid sit schisma et quid sit sancta ecclesia, et
20   huius sanctae ecclesiae est constituta persona et hanc esse

---

8 est ¹ : + et G
9, 3 deesse : esse G ‖ 4 uel : *om.* G ‖ sero uos : uos seruos G ‖ 5 ramos
fractos RBV ‖ uite : -tae R ‖ 6 a fonte concisum B ‖ 7 qui : quia V ‖ a :
om. G ‖ 8 ramo : -mus G ‖ concidi : -cidum B -cisus G ‖ 9 iamne ¹ : iam
G RBV ‖ 10 te : *om.* G ‖ 11 cum probatum : comprobatum G ‖ 12 catholica sancta B ‖ symbolum : simbolum V ‖ 14 nobis : uobis P ‖ adnullare
uisus es : ad nulla reuissus est V ‖ 15 excusatione : execucione B ‖ 16 rebaptizatis : baptizatis G ‖ 18 operari : opereri V ‖ 19 haeresis : hereses R ᵃᶜ ‖
19 sit ² : *om.* V ‖ ecclesia sancta PG ‖ 20 hanc : + sanctam B

---

1. Cf. Avg., *Psalm. c. Don.*, 217-219 (*BA* 28, p. 181) : « Vous chassez de
la communion vos évêques qui sont tombés, / et pourtant personne après
eux n'osa jamais rebaptiser ; / avec vous sont en communion aujourd'hui

élément du corps, il ne peut se trouver parmi les dons puisqu'il est un élément du corps ; s'il est un ornement, il n'est
pas une partie du corps !

L'Église catholique
possède tous les dons

9. 1. Il reste donc que les dons
apparaissent au nombre de cinq ; et
puisque ces dons appartiennent à
l'Église catholique, qui se trouve dans tant de provinces rap-
pelées plus haut, ils ne peuvent pas faire défaut chez nous,
ici, en Afrique. Comprenez, même tard, que vous êtes des
fils impies, que vous êtes des rameaux cassés de l'arbre, que
vous êtes des sarments retranchés de la vigne, un ruisseau
coupé de sa source. **2.** En effet le ruisseau ne peut pas être
l'origine, car il est petit et ne naît pas de lui-même ; et l'arbre
ne peut pas être coupé du rameau, puisque l'arbre, solide-
ment enraciné, prospère, et que le rameau, une fois coupé,
se dessèche. Ne vois-tu pas maintenant, frère Parménien, ne
t'aperçois-tu pas, ne comprends-tu pas que, par tes arguments, tu as lutté contre toi-même, puisque la preuve est
faite que nous sommes dans la sainte Église catholique, nous
qui possédons le symbole de la Trinité, et que, par la chaire
de Pierre, qui est à nous, par ce don même, nous possédons
aussi tous les autres dons ? **3.** Nous possédons également
le pouvoir sacerdotal, que tu as voulu réduire à néant chez
nous, pour justifier votre erreur et votre haine, puisque vous
rebaptisez après nous et que vous ne le faites pas après ceux
de vos collègues qui sont convaincus de péché. Tu as dit en
effet que si un prêtre se trouvait dans le péché les dons à eux
seuls pourraient opérer [1]. **4.** Donc, puisque j'ai expliqué ce
qu'est l'hérésie, ce qu'est le schisme, et ce qu'est l'Église
sainte, le caractère de cette Église sainte a été clairement

tous leurs baptisés » (« Lapsos sacerdotes uestros pellitis a communione /
et nemo tamen post illos ausus est rebaptizare / et quoscumque baptiza-
runt uobis communicant hodie »).

catholicam quae sit in toto terrarum orbe diffusa, cuius
membra et nos inter alios sumus, cuius dotes apud illam
ubique sunt. Deinde in primo libro probauimus ad nos non
pertinere traditionis inuidiam et hoc crimen etiam a nobis
25 esse damnatum.

10. 1. Iam illud mihi uolo respondeas : cur de solis ecclesiae dotibus loqui uoluisti et de sanctis eius membris ac uisceribus tacuisti quae sunt procul dubio in sacramentis et in
nominibus trinitatis ? Cui concurrit fides credentium et pro-
5 fessio quae apud acta conficitur angelorum, ubi miscentur
caelestia et spiritalia semina, ut sancto germine noua possit
renascentium indoles procreari, ut, dum trinitas cum fide
concordat, qui natus fuerat saeculo renascatur spiritaliter
Deo. **2.** Sic fit hominum pater Deus, sancta sic fit mater
10 ecclesia. Haec omnia intellego a te ideo non esse nominata
ne in his omnibus ratio baptismatis agnosceretur, ubi nihil
sibi operarius qui homo est uindicet – quod uos facitis.
Ideoque ad solas dotes te conferre uoluisti quas uelut manu
apprehensas aut arca conclusas catholicis denegans uobis
15 solis eas frustra uindicare conatus es. **3.** Cum agatur de
regeneratione, cum agatur de homine innouando, nulla a te
credentium fides, nulla professio nominata est. Dum uis de
solis dotibus loqui, haec omnia sine quibus spiritalis illa
natiuitas reparari non potest, in silentio remisisti. Et cum

21 orbe terrarum G
10, 1 uolo mihi P ‖ 8 fuerat : -erit G ‖ renascatur : -scitur V ‖ 9 sic [1] :
+ de B ᵃᶜ ‖ Deus pater hominum P ‖ sancta : *post* mater *transp.* G ‖ 10 ideo :
+ a te B ᵃᶜ ‖ 11 his : hiis V ‖ nihil : in his B ‖ 12 sibi : ibi G ‖ quod : quo
G ᵃᶜ ‖ uos : duos G ᵃᶜ ‖ 13 conferre : -ferire G ‖ uelut : + arma P ‖ 14 arca :
archa P   aqua RBV ‖ 15-16 de — agatur : *om.* G ‖ 17 professio : promis-
sio G ‖ 18 omnia haec P ‖ 19 reparari : -rare P ‖ potest : possit G ‖ remisisti : dimisti P

défini, et j'ai montré aussi que l'Église catholique est celle qui est répandue dans tout l'univers, celle dont nous sommes les membres parmi d'autres, et dont les dons se trouvent partout où elle est. Ensuite, dans le premier livre, j'ai prouvé que la haine qu'inspire la *traditio* ne nous concerne pas et que nous avons nous aussi condamné ces forfaits.

3. Reproches adressés à Parménien et aux donatistes

Les dons et la foi 10. 1. Je veux à présent que tu me répondes sur ce point : Pourquoi as-tu voulu parler seulement des dons de l'Église et pourquoi as-tu gardé le silence sur ses membres saints et sa substance, qui se trouvent incontestablement dans les sacrements et dans les personnes de la Trinité ? Vers elle convergent la foi des croyants et la profession de foi qui est accomplie dans les actes des anges, où se mêlent les semences célestes et spirituelles : ainsi, par ce germe saint la nature des nouveaux baptisés peut être régénérée et, lorsqu'il y a union de la Trinité et de la foi, celui qui était né au siècle renaît à Dieu selon l'Esprit. 2. Ainsi Dieu devient-il le père des hommes, ainsi l'Église devient-elle notre sainte mère. Tout cela, je le comprends, tu ne l'as pas mentionné afin de ne pas reconnaître, dans tous ces éléments, la doctrine du baptême selon laquelle le ministre, qui est un homme, ne revendique rien pour lui — ce que vous faites, vous. C'est pourquoi tu as voulu te référer seulement aux dons. Tu les as en quelque sorte saisis dans tes mains ou enfermés dans un coffre et, les refusant aux catholiques, tu t'es efforcé en vain de les revendiquer pour vous seuls. 3. Alors qu'il s'agit de la régénération, alors qu'il s'agit de la rénovation de l'homme, tu n'as pas dit un mot de la foi des croyants ni de la profession de foi. Désireux de parler seulement des dons, tu as passé sous silence tous ces éléments sans lesquels cette renaissance spi-

20 dotes ad sponsam non sponsa ad dotes pertineat, sic ordi-
    nasti dotes quasi ipsae uideantur generare, non uiscera quae
    intelleguntur plus posita in sacramentis quam in ornamentis.

11. 1. Nec illud praetereo quod ore tuo et sensu nostro
ecclesiam paradisum esse dixisti, quae res sine dubio uera
est. In quo horto Deus plantat arbusculas. Et tamen Deo
diuitias suas denegastis, cuius hortum in angustias cogitis,
5 dum uobis solis immerito omnia uindicatis. Vtique plantationes Dei sunt diuersa semina per diuersa praecepta ; iusti,
continentes, misericordes et uirgines spiritalia sunt semina.
2. Harum rerum arbusculas in paradiso Deus plantat.
Concedite Deo ut hortus eius sit longe lateque diffusus.
10 Quid illi negatis orientis et septentrionis, etiam occidentis
prouinciarum omnium et innumerabilium insularum populos christianos, contra quos uos soli, pauci, rebelles estis et
cum quibus nullum communionis consortium possidetis ?

12. 1. Iam et mendacium uestrum hoc loco iuste damnari
potest, quo cotidie a uobis sacrificia condiuntur, nam quis
dubitet uos illud legitimum in sacramentorum mysterio
praeterire non posse ? Offerre uos Deo dicitis pro ecclesia
5 quae una est. Hoc ipsum mendacii pars est, unam te uocare
de qua feceris duas. **2.** Et offerre uos dicitis pro una eccle-

20 sponsam : sponiam P ᵃᶜ ‖ pertineat : -teneat P ‖ 22 posita plus RB ‖
in ¹ : *om.* P
   11, 2 paradisum : -dysum P ‖ 3 est : *om.* RB ‖ horto : orto V osto RB
‖ 4 denegastis : -gatis P ‖ cuius : cum + sanctum V ‖ cogitis : ponitis G ‖
5 uindicatis : -castis G ‖ plantationes : -nis G ‖ 6 sunt : sun B ‖ 8 paradiso :
-disso P -dysum R -disum BV ‖ 9 diffusus : -sas G ‖ 10 et : *om.* PG ‖
12 quos : *post* soli *transp.* B + paucos G ‖ 13 communionis : communi G
   12, 1 damnari : damari V ‖ 2 quo : quod RV ‖ cotidie : decotidie B ‖
condiuntur : condunantur V ‖ 3 dubitet : + et B ‖ illud : illum G ‖ mysterio : misterio V ‖ 5 unam : una + in V ‖ 6 feceris : faceris B ‖ dicitis : + deo
PG z

rituelle ne peut avoir lieu. Et, alors que les dons appartiennent à l'Épouse, et non l'Épouse aux dons, tu as présenté les
dons comme si la régénération venait d'eux et non de la substance qui, on le comprend bien, réside plus dans les sacrements que dans les ornements.

Le jardin de Dieu **11.** 1. Je n'oublie pas non plus cette phrase,
que tu as prononcée et que nous approuvons :
tu as dit que l'Église était un jardin, ce qui est
vrai, sans aucun doute. Dans ce jardin, Dieu plante de jeunes
arbres. Et cependant vous avez refusé à Dieu ses richesses
et vous mettez son jardin à l'étroit, puisque, à tort, vous
revendiquez tout pour vous seuls. Assurément les planta-
tions de Dieu sont des semences diverses correspondant à
des préceptes divers ; les justes, les continents, les miséricordieux et les vierges sont des semences spirituelles.
2. Voilà d'où proviennent les jeunes arbres que Dieu plante
dans son jardin. Permettez à Dieu de posséder un jardin
étendu en longueur et en largeur. Pourquoi lui refusez-vous
les peuples chrétiens de toutes les provinces et de toutes les
îles innombrables de l'Orient, du Nord et même de
l'Occident, contre lesquels vous seuls, qui êtes peu nombreux, vous vous rebellez, et avec lesquels vous n'avez
aucun lien de communion ?

Le sacrifice pour l'Église universelle **12.** 1. Voici encore un mensonge
que l'on peut vous reprocher ici à
juste titre : chaque jour vous célébrez
le sacrifice et vous ne pouvez omettre — qui en douterait ?
— cette prière canonique, dans le mystère des sacrements :
vous dites que vous offrez le sacrifice à Dieu pour l'Église,
qui est unique. C'est précisément une part de ton mensonge
que d'appeler unique celle que tu as partagée en deux !
2. Vous dites aussi que vous offrez le sacrifice pour l'Église

sia, quae sit in toto terrarum orbe diffusa. Quid ? Si uni-
cuique uestrum dicat Deus : quid offers pro tota qui non es
in tota ? Si nos uobis displicemus, quid uobis fecit Antiochia
10 ciuitas, quid Arabia prouincia, unde probamus uenientes a
uobis esse rebaptizatos ?

13. 1. In uno tibi solo, Parmeniane frater, ingrati esse
non possumus, quod ecclesiam nostram, id est catholicam,
quae continetur toto orbe terrarum, quamuis ab ea sis alienus, laudare uoluisti in numerando dotes, in quarum
5 numero satis errasti et in dicendo quia ipsa est hortus
conclusus et fons signatus et unica sponsa. Hoc nos de nostro dicimus, nam tu de alieno locutus es. Quicquid de lau-
dibus ecclesiae dicere potuisti, et nos priores eadem loqui-
mur.   2. Traditores uobiscum et ipsi damnamus, eos
10 uidelicet quos, si meministi, in primo libro demonstauimus.
Et cum sit nobis cum uniuerso terrarum orbe communio et
uniuersis prouinciis nobiscum, sic iamdudum duas ecclesias
comparare uoluisti, quasi sola habeat Africa populos christianos, in qua uitio uestro duae uidentur partes effectae.
15 3. Et dum immemor factus es Christi dicentis unam esse
sponsam suam, tu in Africa non dixisti duas esse partes sed
duas ecclesias. Certe una est quae ex uoce Christi meruit
indicari qui ait : *Vna est columba mea, una est sponsa mea* [e].

---

8 offers : -feres P   -ferris V ‖ 9 Antiochia : -thiocia P   -tiohia G   -thi-
cia V

13, 1 frater Parmeniane G ‖ 3 terrarum orbe G ‖ sis alienus : si sale-
mus V ‖ 4 uoluisti : -istis G ‖ in : *om.* V ‖ numerando : merando B ‖ 5 et :
om. P ‖ ipsa : ipse B ‖ 7 dicimus : didicimus P ‖ locutus : + locutus B ‖ 8
et : *om.* RBV ‖ priores : + omnes P ‖ eadem : eandem RV   andem B ‖ 9
damnamus : clamnamus B ‖ 10 quos : quod RBV ‖ meministi : neminis
R ᵃᶜV   meminis R ᵖᶜB ‖ primo : + modo G ‖ demonstrauimus libro G ‖ 11
et ² : ex RBV ‖ 15 es : *om.* G ‖ 17 duas : partes G ‖ ecclesias : ecclesisias B
‖ quae : qui G ᵃᶜ ‖ 18 columba : sponsa G ‖ mea : *om.* V ‖ sponsa : columba
G

unique qui est répandue dans tout l'univers. Mais quoi ? Si
Dieu disait à chacun de vous : Pourquoi offres-tu le sacrifice pour toute l'Église, toi qui n'est pas en elle ? Si nous,
nous vous déplaisons, que vous a fait la ville d'Antioche ?
Que vous a fait la province d'Arabie ? Car vous rebaptisez,
nous en avons la preuve, ceux qui en viennent.

L'Église universelle et le schisme africain   **13. 1.** Sur ce seul point, frère Parménien, je ne peux être ingrat envers toi : notre Église, c'est-à-dire l'Église catholique qui est contenue dans tout l'univers, bien que tu sois étranger à elle, tu as voulu la louer en énu-
mérant ses dons — et tu t'es passablement trompé sur leur
nombre — et en disant qu'elle est le jardin clos, la source
scellée, l'épouse unique. Cela, nous le disons, nous, à notre
sujet, mais toi, tu as parlé d'autrui ! Quelles que soient les
louanges que tu aies pu faire de l'Église, nous, les premiers,
nous faisons les mêmes. **2.** Avec vous, nous aussi, nous
condamnons les traditeurs, ceux, bien sûr, que j'ai dénoncés, si tu t'en souviens, dans le premier livre. Et, alors que
nous sommes en communion avec tout l'univers, et que
toutes les provinces du monde le sont avec nous, tu as voulu
auparavant opposer deux Églises, comme si l'Afrique, où
l'on voit par votre faute deux partis en présence, était la
seule à posséder des peuples chrétiens. **3.** Et, oubliant les
paroles du Christ qui dit que son épouse est unique, toi, tu
n'as pas dit qu'il y avait en Afrique deux partis, mais deux
Églises. Assurément il n'y a qu'une Église, celle qui a mérité
d'être désignée par cette parole du Christ : « Unique est ma
colombe, unique est mon épouse [e]. »

e. Cant. 6, 8

14. 1. Et tu huius uocis oblitus ad inuidiam catholicis
faciendam his locutus es uerbis : Neque enim illa ecclesia
dici potest quae cruentis morsibus pascitur et sanctorum
sanguine et carnibus opimatur. Certa membra sua habet
5 ecclesia episcopos, presbyteros, diaconos, ministros et turbam fidelium. **2.** Dicite cui generi hominum in ecclesia
nostra hoc possit adscribi quod obicere uoluisti. Specialiter
nomina aliquem ministrum, ostende aliquem diaconum
nomine suo, indica hoc ab aliquo factum esse presbytero,
10 proba hoc episcopos admisisse, doce aliquem nostrum cui-
quam insidiatum esse ! Quis nostrum quemquam persecu-
tus est ? Quem a nobis persecutum esse aut dicere poteris
aut probare ? **3.** Quia tibi unitas displicet, hoc si crimen
putas, argue nos Thessalonicensibus, Corinthiis, Galatis,
15 septem ecclesiis, quae sunt in Asia, communicasse ! Si nefas
tibi uidetur aut si reatum putas memoriis apostolorum et
sanctorum omnium communicasse, hoc nos fecisse non
solum non negamus sed etiam gloriamur.

15. 1. Sed ut ostendam partem uestram, ut dixisti, cruentis morsibus pastam, christianorum sanguine et carnibus
opimatam, a principio suo uester iam rabidus commemo-
randus est furor, iam uestra retexenda impietas, iam stulti-
5 tia demonstranda. In quo prius est ostendere erubescendam

14, 1 et : *om.* PG ǁ tu : + in B ǁ 2 es : est B ǁ ecclesia illa RBV ǁ 3 dici :
deci B ǁ potest : potuit G ǁ quae : qua B ǁ cruentis : eruentis B ǁ 4 opimatur : opinatur B ǁ 5 diaconos : dyaconos GV + et P ǁ turbam : -ba RBV
ǁ 6 generi : -re R ^ac ǁ ecclesia : -am V ǁ 7 nostra : -am V ǁ obicere : abicere
RB ǁ 8 ostende : + in RBV ǁ 9 presbytero : -ros B ǁ 10 aliquem : -quam B
ǁ nostrum : -trorum P ǁ 11 quemquam : + aliquando G ǁ 12 poteris : -eri-
tis G ǁ 13 si hoc B ǁ 14 Thessalonicensibus : Thesalonicensibus G
Tesalonicensibus R ^acBV ^pc ǁ Corinthiis : Corinthis R ^acBV Chorinthiis P
ǁ Galatis : -this P -tiis G ǁ 15 septem : -tim P ǁ Asia : Asya V ǁ tibi nefas
G ǁ 18 negamus : -gasse B

15, 1 partem : parentem P ǁ dixisti : dixi RBV ǁ 2 et carnibus : *om.* RBV
ǁ 3 rabidus : sabidus P ^ac ǁ 4 stultitia : stultia V

II. Les actes de violence

1. Les catholiques ne sont pas coupables

14. 1. Et toi, ayant oublié cette parole, pour susciter la haine contre les catholiques, tu as parlé ainsi : « En effet, elle ne peut être appelée Église, elle qui se repaît de morsures sanglantes et qui se nourrit du sang et de la chair des martyrs. » L'Église possède comme membres qui lui sont propres les évêques, les prêtres, les diacres, les servants et la foule des fidèles. **2.** Dites-nous à quelle catégorie d'hommes, dans notre Église, pourrait s'appliquer ce que tu as voulu nous reprocher. Nomme un servant en particulier, désigne un diacre par son nom, révèle que cela a été accompli par un prêtre, prouve que cela a été commis par des évêques, montre que l'un d'entre nous a tendu un piège à quelqu'un ! Lequel d'entre nous a persécuté quelqu'un ? Au sujet de qui pourras-tu dire ou prouver que nous l'avons persécuté ? **3.** Puisque l'unité te déplaît, si tu juges que c'est un crime, accuse-nous d'avoir été en communion avec les Thessaloniciens, les Corinthiens, les Galates et les sept Églises d'Asie ! Si cela te paraît impie ou si tu juges qu'il est condamnable d'avoir été en communion avec les tombeaux des apôtres et de tous les martyrs, nous, de notre côté, non seulement nous ne nions pas l'avoir fait, mais encore nous nous en glorifions.

2. Violences des donatistes

Paix et unité de l'Église   **15. 1.** Mais pour montrer que c'est votre parti qui, comme tu l'as dit, s'est repu de morsures sanglantes et s'est nourri du sang et de la chair des chrétiens, il me faut rappeler à présent, depuis le début, votre folie furieuse, il me faut retracer à présent votre impiété, il me faut révéler à présent votre sottise. Pour cela, il faut d'abord montrer votre allé-

laetitiam uestram et gaudia criminosa, quod uobis ad pris-
tini erroris libertatem redisse contigerit. 2. Recensete tempora, discutite rationem rerum, dissimilia uota et personas
diuersas adtendite. Redeat in memoriam Constantinus
10 imperator christianus quem famulatum exhibuerit Deo,
quae habuerit uota, ut remotis schismatibus intermortua
omni dissensione sub toto caelo filios suos gaudens in uno
uideret sancta mater ecclesia. Reddiderat una communione
maritis uxores, parentibus filios, fratribus fratres. Quibus
15 rebus Deus se laetari testatur, dum dicit : *Ecce quam bonum
et quam iucundum habitare fratres in unum* [f]. 3. Etenim
cum Africanos populos et orientales et ceteros transmarinos
pax una coniungeret et ipsa unitas repraesentatis omnibus
membris corpus ecclesiae coagularet, dolebat hoc diabolus,
20 qui semper de fratrum pace torquetur. Illo tempore sub
imperatore christiano desertus in idolis tamquam inclusus
latebat in templis. 4. Hoc eodem tempore duces et principes uestros merita relegauerant sua, in ecclesia nulla fuerant schismata nec paganis licebat exercere sacrilegia. Pax
25 Deo placita apud omnes christianos populos habitabat ; diabolus maerebat in templis, uos in regionibus alienis.

16. 1. Deinde, ut omnibus notum est, secutus alius imperator, uobiscum uota sinistra concipiens ; ex famulo Dei factus est minister inimici, apostatam se edictis suis testatus est.

---

7 redisse contigerit : factam esse constitit RBV   redire datum esse
constiterit z ‖ recensete : -site R ^{ac}BV ‖ 8 discutite : -cute V ‖ 9 memoriam :
-ria RBV ‖ 10 christianus : *om.* G ‖ 11 quae : quas V ‖ habuerit : + deo B ^{ac}
‖ intermortua : in terra mortua P   interim mortua G ‖ 13 una : unam RBV
‖ communione : -nem RBV ‖ 15 dum : cum G ‖ dicit : + in psalmo centesimo tricensimo secundo G ‖ ecce : *om.* RBV ‖ 17 Africanos : Africa nos
RBV ‖ et [1] : *om.* P ‖ 19 diabolus : dyabolus V ‖ 20 illo : + in G ‖ 21 desertus : decestus B ‖ 22 latebat : iacebat RBV ‖ 23 relegauerant : religauerant
G RV ‖ 24 exercere : + sacra PG B ^{ac} ‖ sacrilegia : -ga PG ‖ pax : + a RBV
‖ 25 placita : -cata V ‖ christianos : *om.* G ‖ diabolus : zabolus P
   16, 1 deinde : + alter PG ‖ secutus : + est PG ‖ alius : *om.* PG ‖

gresse honteuse et votre joie criminelle lorsqu'il vous fut accordé de retourner librement à votre ancienne erreur. 2. Rappelez-vous l'époque, examinez l'économie des faits, prêtez attention à la différence des désirs et à l'opposition des personnes. Que vous revienne en mémoire le souvenir de l'empereur chrétien Constantin, quelle dévotion il montra à Dieu, combien il désira que, une fois les schismes écartés et toute discorde éteinte, la sainte mère, l'Église, vît, dans la joie, ses fils réunis sous la voûte céleste. Dans une même communion il avait rendu les femmes à leur mari, les enfants à leurs parents, les frères à leurs frères. Et Dieu témoigne qu'il se réjouit de cela quand il dit : « Qu'il est bon et qu'il est agréable d'habiter en frères, tous ensemble [f] ! » 3. Et en effet, une même paix unissait alors les peuples d'Afrique et d'Orient et tous les autres peuples d'outre-mer, et l'unité elle-même maintenait la cohésion du corps de l'Église, une fois tous ses membres réunis. Le diable en souffrait, lui que la paix entre frères torture toujours. En ce temps-là, sous un empereur chrétien, il était abandonné et, s'étant pour ainsi dire retiré chez les idoles, il se cachait dans les temples. 4. A cette même époque, vos chefs et vos guides avaient renoncé à leurs crimes, il n'y avait aucun schisme dans l'Église, et les païens n'avaient pas le droit d'accomplir leurs sacrifices sacrilèges. La paix, agréable à Dieu, habitait chez tous les peuples chrétiens ; le diable gémissait dans les temples, et vous dans des pays étrangers.

L'empereur apostat 16. 1. Puis, comme tout le monde le sait, vint un autre empereur qui conçut avec vous des désirs mauvais ; de serviteur de Dieu il devint ministre de l'Ennemi et il prouva par ses édits

---

3 inimici : inimicia V ‖ apostatam : apostatem B postatam V ‖ est [+ ubique] testatus PG

---

f. Ps. 132, 1

Quem precibus rogastis ut reuerti possetis, quas preces si
5 uos negatis misisse, nos legimus. 2. Nec difficultatem prae-
buit quem rogastis : ire praecepit pro uoto suo quos intel-
lexerat ad disturbandam pacem cum furore esse uenturos.
Erubescite, si ullus est pudor : eadem uoce uobis libertas est
reddita, qua uoce idolorum patefieri iussa sunt templa.

17. 1. Isdem paene momentis uester furor in Africam
reuertitur quibus diabolus de suis carceribus relaxatur. Et
non erubescitis, qui uno tempore cum inimico communia
gaudia possidetis ! Venistis rabidi, uenistis irati membra
5 laniantes ecclesiae, subtiles in seductionibus, in caedibus
immanes, filios pacis ad bella prouocantes. 2. De sedibus
suis multos fecistis extorres, cum conducta manu uenientes
basilicas inuasistis. Multi ex numero uestro per loca plurima
quae sub nominibus dicere longum est, cruentas operati sunt
10 caedes et tam atroces ut de talibus factis ab illius temporis
iudicibus relatio mitteretur. 3. Sed interuenit et occurrit
iudicium Dei ut ille qui uos iamdudum redire iusserat, imperator profanus et sacrilegus moreretur, qui persecutionem
uobis prouocantibus iam miserat aut mittere disponebat.

---

4 possetis : -sitis P ‖ preces : praeces R ‖ 6 ire : irae R   ira B ‖ quos :
quo V ‖ 7 disturbandam : hiis turbandam V ‖ uenturos : -turus P ‖ 8 erubescite : erusbescites P ᵃᶜ ‖ uoce : -cem P ‖ libertas : -tatus G ᵃᶜ ‖ 9 idolorum : dolorum G
17, 1 isdem : hisdem P   eisdem V ‖ paene : poene R ‖ 2 reuertitur : -
tetur P ‖ diabolus : dyabolus V ‖ 4 rabidi : rapidi P ᵃᶜG ‖ membra : membre
R ᵃᶜ   menbre B ‖ 5 caedibus : pedibus V ‖ 8 per *sup. l.* P ‖ 10 ab : *om.* RBV
‖ illius : eiusdem PG ‖ 11 relatio : redatio G ᵃᶜ ‖ 12 redire : redisse G ‖ 13
sacrilegus : -gos R ᵃᶜB ‖ moreretur : moretur R ᵃᶜV

---

1. « Subtiles in seductionibus, in caedibus immanes » : L'emploi du
chiasme est fréquent dans le traité d'Opt. (cf. II, 25, 7 : « intentatis terrores,
maledicta praetenditis » ; IV, 8, 2 : « in carne natum... et passum in carne » ;

qu'il était apostat. Vous l'avez prié, supplié de vous permettre de revenir, et si vous, vous niez avoir envoyé ces supplications, nous, nous pouvons les lire. 2. Il n'a fait aucune difficulté, celui que vous avez supplié : il a donné très volontiers l'ordre de revenir à des hommes qui, il l'avait compris, allaient, avec leur folie, détruire la paix. Rougissez de honte, si vous avez quelque pudeur : cette même voix qui vous rendit la liberté, cette voix ordonna que l'on ouvrît les temples aux idoles.

Retour des donatistes   17. 1. A peu près au même moment, vous revenez en Afrique avec votre folie, et le diable est relâché de ses prisons. Et vous ne rougissez pas de honte, vous qui avez des joies communes avec l'Ennemi, en même temps que lui ! Vous êtes arrivés, pleins de rage, vous êtes arrivés, pleins de colère, déchirant les membres de l'Église, séduisant avec habileté, massacrant avec cruauté [1], provoquant les fils de la paix à la guerre. 2. Vous avez chassé bon nombre d'évêques de leur siège en envahissant les basiliques avec des bandes mercenaires. Bien des vôtres, et en bien des endroits, qu'il serait trop long d'énumérer, ont commis des meurtres sanglants si atroces que les juges de cette époque ont envoyé un rapport sur de tels agissements. 3. Mais la justice de Dieu intervint et se manifesta si bien que celui qui vous avait permis auparavant de revenir, l'empereur profane et sacrilège, mourut, lui qui, à votre appel, avait déjà déclenché la persécution ou se disposait à le faire [2].

V, 1, 5 : « alteram meliorem, peiorem alteram »). Cette figure de style, souvent associée à l'antithèse, vient rompre la monotonie des parallélismes et des balancements périodiques que la rhétorique chrétienne affectionne particulièrement.

2. Cf. l'Introduction, p. 15-16 ; CONGAR,, *BA* 28, p. 730 : « Julien l'Apostat et le donatisme », et p. 797-799, n. 20.

18. 1. Operata est apud loca supradicta in catholicos tru-
cidatio. Memoramini per loca singula qui fuerint uestri dis-
cursus. Nonne de numero uestro fuerunt Felix Zabensis et
Ianuarius Flumenpiscensis et ceteri qui tota celeritate
5 concurrerunt ad castellum Lemellefense ? Vbi cum contra
importunitatem suam uiderent basilicam clausam, praesentes iusserunt comites suos ut ascenderent culmina, nuda-
rent tecta, iactarent tegulas. Imperia eorum sine mora completa sunt. Et cum altare defenderent diaconi catholici,
10 tegulis plurimi cruentati sunt, duo occisi sunt, Primus, filius
Ianuarii, et Donatus, filius Nini, urgentibus et praesentibus
coepiscopis uestris supra memoratis, ut sine dubio de uobis
dictum sit : *Veloces pedes eorum ad effundendum sanguinem* g. **2.** De qua re Primosus episcopus catholicus loci
15 supra memorati in concilio uestro apud Theuestinam ciuitatem questus est et querelas eius dissimulanter audistis.
Ecce a uobis factum est quod dixisti ecclesiam non esse quae
cruentis morsibus pascitur, et : Aliud sunt milites missi,
aliud episcopi ordinati. Quod contra nos inuidiose loqui-
20 mini, ab aliis factum est, non a nobis. Quod dicitis non
debuisse fieri, uos fecistis. **3.** Commemorasti et beatissi-
mum apostolum Paulum dixisse *sine ruga et sine sorde eccle-*

18, 2 qui : quid RBV ‖ 3 Felix : Victor P ‖ Zabensis : diabensis RBV ‖
et : *om.* PG ‖ 4-5 celeritate — contra : *om.* B ‖ 5 concurrerunt : cucurrerunt PG ‖ Lemellefense *scripsi cum* z : Lemellensi RBV Lemellefi P
Lemellesi G ‖ cum : *om.* G ‖ 8 imperia : -riora B ‖ completa : -plecta B ‖
9 defenderent : deffenderent B ‖ diaconi : -nes P ‖ 11 Ianuarii : Ianuari P
‖ 13 sit : + in psalmo tercio decimo PG ‖ 15 Theuestinam : Teuestinam P
Thebestinam G Thenestinam z ‖ 16 dissimulanter : -antur B ‖ 17 a : ex P
‖ esse : est P ᵃᶜ ‖ 18 pascitur : pastitur V ‖ 21 debuisse : -bere B ‖ beatissi-
mum : beatum G ‖ 22 apostolum : *om.* G ‖ sorde : -dibus G ‖ debere ecclesiam esse G

---

g. Ps. 13, 3

---

1. Les évêques donatistes Felix de *Zabi* (en Maurétanie Sitifienne =
Bechilga, en Algérie) et Ianuarius de *Flumen Piscense* (siège de Maurétanie

Violences contre les catholiques

18. 1. Dans les lieux mentionnés plus haut, des massacres eurent lieu contre les catholiques. Rappelez-vous, dans chaque lieu, quelles furent vos incursions. N'étaient-ils pas des vôtres Félix de Zabi, Ianuarius de Flumen Piscense et tous les autres, qui gagnèrent en toute hâte le village de Lemellef [1] ? Là, ils trouvèrent, faisant obstacle à leur violence, la basilique fermée. Alors, ils donnèrent personnellement l'ordre à leurs compagnons de monter sur le toit, de dégarnir la toiture et de jeter les tuiles par terre. Sans retard, on exécuta leurs ordres, et comme des diacres catholiques protégeaient l'autel, un très grand nombre d'entre eux furent blessés par des tuiles, deux furent tués, Primus, le fils de Ianuarius et Donat, le fils de Ninus, à l'instigation et en présence de vos collègues, que j'ai nommés plus haut. Et sans aucun doute, c'est de vous qu'il est dit : « Leurs pieds se hâtent pour répandre le sang [g]. » **2.** De cela, Primosus, l'évêque catholique du lieu mentionné plus haut, s'est plaint lors de votre concile de Théveste, et vous avez écouté ses plaintes avec indifférence [2]. Voilà que vous avez accompli ce que tu as dit : « Elle n'est pas l'Église, elle qui se repaît des morsures sanglantes » et : « Envoyer des soldats est une chose, ordonner des évêques en est une autre ! » Ce que vous nous reprochez haineusement, d'autres l'ont fait, mais pas nous. Ce qui, d'après vous, n'aurait pas dû être fait, vous l'avez fait. **3.** Tu as rappelé aussi que le bienheureux apôtre Paul avait dit que l'Église devait être « sans ride et sans

Sitifienne non identifié, peut-être Kherbet-ced-bel-Abbas, en Algérie) ne nous sont connus que par le récit d'Optat. *Lemellef* = Bordj-Rhedir, en Algérie. Cf. MANDOUZE₃, *Prosop.*, p. 415 et 583 ; S. LANCEL, *SC* 373 (t. 4), p. 1530-1531 et 1377.

2. *Primus, Januarius, Donatus et Ninus* : nous ne savons d'eux que ce que nous en dit ici Optat. ~ Il en est de même pour *Primosus*, évêque catholique de Lemellef (début 362). Cf. MANDOUZE₃, *Prosop.*, p. 915. Sur l'emploi du suffixe *osus-osa*, caractéristique de l'onomastique de l'Afrique chrétienne, cf. I. KAJANTO, *The Latin Cognomina*, p. 122-123.

siam esse debere [h]. Episcopis uestris iubentibus et praesentibus supra altare catholici diaconi occisi sunt ; similiter et
25 apud Carpos. Non tibi uidentur inexpiabiles sordes ? In
Mauritaniae ciuitatibus uobis intrantibus quassatio populi
facta est, mortui sunt in uteris matrum, qui fuerant nasci-
turi. Non tibi uidetur ruga, quae non possit ullis satisfac-
tionibus tendi aut explanari ? 4. Quid tale a nobis admis-
30 sum est ? Nos expectamus uindicem Deum, et inuidiam
facitis Macario qui, si aliquid aspere fecit pro unitate, leue
esse uideri poterit, dum uos pro dissensione tanta mala,
acerba, cruenta et hostilia feceritis. Quid commemorem
Tipasam Caesariensis Mauritaniae ciuitatem, ad quam de
35 Numidia Vrbanus Formensis et Felix Idicrensis, duae facu-
lae incensae liuoribus, cucurrerunt quietorum et in pace
positorum animos perturbantes ? 5. Nonnullorum officia-
lium et fauore et furore iuuante et Athenio praeside praesente cum signis catholica frequentia exturbata et cruentata
40 de sedibus suis expulsa est : lacerati sunt uiri, tractae sunt
matronae, infantes necati sunt, abacti sunt partus. Ecce uestra ecclesia episcopis ducibus cruentis morsibus pasta est.
Post hoc etiam illud addidisti : Quantum uult consumat
edacitas uulturum, tamen maior est numerus columbarum.

---

24 supra : super PG ǁ diaconi : -nes P ǁ 25 tibi : *om.* RB te V ǁ uiden-
tur : diuidentur RB ǁ 26 intrantibus : instantibus PG ǁ 27 in uteris : inuteres
B ǁ 28 uidetur : uide B ǁ 29 tendi : extendi P ǁ aut : uel PG ǁ tale a : talia
G ǁ 31 Macario : Macharo P   mcaris V ǁ qui : quid RBV ǁ 32 esse : *om.*
P ǁ poterit uideri B ǁ mala : + et G ǁ 33 acerba : -rua RBV ǁ hostilia : inuti-
lia G ǁ quid : qui RBV ǁ 34 Tipasam : Thipasam RV   Thpasam B ǁ quam :
quem RBV ǁ 35 Numidia : Numedia P ǁ Formensis : Forensis P ǁ et : *om.*
RBV ǁ Idicrensis : Dicrensis P   Edierensis RV   Edirensis B ǁ 36 quietorum : qui et horum RBV ǁ et : *om.* PV ǁ 38 furore : fauore B ǁ iuuante :
riuante RBV ǁ 39 cum signis praesente G ǁ signis : -gnos P ǁ exturbata :
perturbata G ǁ cruentata : cruenta B ǁ 41 sunt [1] : *om.* P ǁ abacti : abaddicti
RB   abadicti V ǁ 43 hoc : haec P ǁ 44 edacitas : aedacitas P

---

h. Éphés. 5, 27

tache [h] ». Sur l'ordre et en présence de vos évêques, des diacres catholiques ont été tués sur l'autel ; il en fut de même à Carpi [1]. Ne vois-tu pas là des taches inexpiables ? Quand vous êtes entrés dans les villes de Maurétanie, le peuple a été persécuté, des enfants prêts à naître sont morts dans le ventre de leur mère. Ne vois-tu pas là une ride qui ne saurait être supprimée ni effacée par aucune pénitence ?   4. Qu'avons-nous commis de tel ? Nous, nous attendons le châtiment de Dieu, et vous, vous excitez la haine contre Macaire ; mais, s'il a agi avec quelque rudesse pour l'unité, cela pourra passer pour peu de chose en comparaison de tant d'actes mauvais, cruels, sanglants et funestes, que vous avez commis pour la division. A quoi bon rappeler Tipasa, cité de Maurétanie Césarienne, où Urbanus de Forma et Félix d'Idicra, venus de Numidie [2], deux torches enflammées par l'envie, ont accouru pour jeter le trouble dans les esprits de ceux qui vivaient dans le calme et dans la paix ?   5. Aidés par la complicité et la folie de quelques fonctionnaires, en présence du gouverneur Athenius [3] avec ses insignes, ils ont chassé, blessé et expulsé de leur église la foule des catholiques : ils ont massacré des hommes, ils ont violé des femmes, ils ont tué des enfants, ils ont arraché des fœtus. Voilà que votre église, sous la conduite de ses évêques, s'est repue de morsures sanglantes ! Après cela, tu as même ajouté : « Les vautours voraces dévorent tout ce qu'ils veulent mais plus nombreuses sont les colombes. »   6. Que fais-

1. *Carpi*, en Proconsualire = Mraïssa, en Tunisie. Cf. MANDOUZE₃, *Prosop.*, p. 75.

2. Urbanus de Forma (siège non identifié de Numidie, sans doute proche d'Idicra) et Félix d'Idicra (entre Cirta et Sétif, au sud de Milève = Aziz ben Tellis, en Algérie), ne sont connus que par ce témoignage. Tipasa, en Maurétanie Césarienne = Tipasa, près de Cherchel, en Algérie. Cf. MANDOUZE₃, *Prosop.*, p. 1229 et 415 ; S. LANCEL, *SC* 373 (t. 4), p. 1377-1378 et 1397.

3. Athenius, gouverneur de Maurétanie Césarienne n'est connu que par ce texte d'Optat. Cf. MANDOUZE₃, *Prosop.*, p. 99.

45 6. Vbi est quod uulgo dicitur memoriam custodem debere
esse mendacis ? Oblitus es quia paulo ante dixisti ecclesiam
unam columbam Christi in canticis canticorum dictam ^i. Si
una est apud uos ecclesia, una est columba. Si una est
columba, quid est quod dicere uoluisti : Numerus maior est
50 columbarum ?

19. 1. Et quod uobis leue uidetur, facinus immane commissum est ut omnia sacrosancta supra memorati uestri episcopi uiolarent. Iusserunt eucharistiam canibus fundi, non
sine signo diuini iudicii. Nam idem canes accensi rabie ipsos
5 dominos suos quasi latrones, sancti corporis reos, dente
uindice tamquam ignotos et inimicos laniauerunt.
2. Ampullam quoque chrismatis per fenestram ut frangerent iactauerunt, et cum casum adiuuaret abiectio, non
defuit manus angelica quae ampullam spiritali subuectione
10 deduceret : proiecta casum sentire non potuit, Deo
muniente illaesa inter saxa consedit. Et possent ista non fieri
si mandata Christi in memoria haberetis qui ait : *Ne dede-*
ritis sanctum canibus neque miseritis margaritas uestras ante
porcos, ne inculcent eas pedibus suis et conuersi elidant uos ^j.
15 3. Quid tale ab operariis unitatis fieri potuit, unde nobis
catholicis uanam inuidiam facere laboratis ? Inde reuertentes
Vrbanus Formensis et Felix Idicrensis inuenerunt matres
quas de castimonialibus fecerant mulieres. Ecce quales, fra-

45 debere : habere RBV z ‖ 46 mendacis : -ciis G -cem RBV ‖ quia :
quid RBV ‖ 47 columbam : catholicam RB ‖ 48 est² : + et P ‖ si una est
columba : *om.* G ‖ 49 maior est numerus G
19, 1 facinus : faci B ‖ 2 episcopi uestri ‖ 3 iusserunt eucharistiam : ius-
ter intheucaristiam G ‖ fundi : -dere G ‖ 4 canes : canis P ‖ accensi : + qui
G ^ac ‖ rabie : -iae P ‖ 6 inimicos : dimicos V ‖ 7 chrismatis : crismatis *codd.*
‖ ut frangerent per fenestram G ‖ 8 casum : casu RBV ‖ 9 spiritali : -lis G
‖ subuectione : subiectione P ‖ 10 deduceret : + et P ‖ 16 laboratis : uoluisti
G ‖ reuertentes : -tente V ‖ 17 Vrbanus : -nis B ‖ Idicrensis : Dicrensis P
‖ 18 fecerant : -erunt RBV ‖ quales : qualis es G

i. Cf. Cant. 6, 8   j. Matth. 7, 6

tu de ce proverbe qui dit qu'avoir de la mémoire est la protection du menteur ? Tu as oublié que, peu auparavant, tu
as affirmé que l'Église était appelée la colombe unique du
Christ dans le Cantique des Cantiques ⁱ. Si l'Église, chez
vous, est unique, unique est la colombe. Si la colombe est
unique, pourquoi as-tu dit : « plus nombreuses sont les
colombes » ?

Actes sacrilèges **19.** 1. Et, faute qui vous paraît légère,
ce crime abominable a été commis : vos
évêques, nommés plus haut, ont violé tout ce qui existe de
plus saint. Ils ont fait jeter aux chiens l'Eucharistie, non sans
provoquer un signe de la justice divine. Car ces mêmes
chiens, enflammés par la rage, ont mis en pièces leurs
propres maîtres d'un croc vengeur, les prenant pour des brigands, coupables à l'égard du corps saint, comme s'ils
étaient des inconnus et des ennemis.   2. Ils ont également
jeté l'ampoule du saint chrême par la fenêtre pour la briser,
et, alors que la projection accélérait la chute, il se trouva un
ange pour accompagner de sa main l'ampoule et lui apporter un secours surnaturel : jetée à terre, elle ne put sentir le
choc mais, protégée par Dieu, elle se posa sans se briser au
milieu des pierres. Cela aurait pu ne pas arriver si vous aviez
eu en mémoire les commandements du Christ qui a dit :
« Ne donnez pas aux chiens ce qui est saint et ne jetez pas
vos perles devant les pourceaux, de peur qu'ils ne les piéti-
nent et ne se retournent contre vous pour les déchirer ʲ. »
3. Quel acte semblable ont pu commettre les artisans de
l'unité pour justifier votre ardeur à exciter contre nous,
catholiques, une haine sans fondement ? A leur retour,
Urbanus de Forma et Félix d'Idicra retrouvèrent mères les
religieuses ¹ dont ils avaient fait des femmes. Voici quels

---

1. « Castimonialibus » : L'emploi du substantif est attesté pour la première fois chez Optat, ici. *TLL s.v.* col. 538, 67-69 ne mentionne qu'une
deuxième occurrence (AVG., *In psalm.*, 75, 16 (opp. « nuptae »).

ter Parmeniane, episcopos celas ! Et cum pro tuis erubescere
20 debueras, catholicos innocentes accusas.   4. Interea Felix
supra memoratus inter crimina sua et facinora nefanda ab eo
comprehensa puella cui mitram ipse imposuerat, a qua paulo
ante pater uocabatur, nefarie incestare minime dubitauit. Et
quasi de peccato sanctior fieret, Tysedim uelociter prope-
25 rauit. Sic Donatum annorum septuaginta episcopum, hominem innocentem, spoliare ausus est episcopali nomine et
officio et honore.   5. Venit schismaticus ad episcopum
catholicum, ad innocentem reus, ad Dei sacerdotem sacrilegus, incestus ad castum, ad episcopum iam non episcopus.
30 Sed de placito et de coniuratione uestra securus uestris legi-
bus et decretis armatus, manus quas paulo ante peccata
grauauerant capiti innocentis iniecit et de illa lingua ausus
est ferre sententiam quae iam nec ad paenitentiam agendam
uel idonea uidebatur. Ecce quales, frater Parmeniane, defen-
35 dis, ecce pro qualibus iamdudum dotes operari dixisti.

20. 1. Etiam uos ipsis, qui sancti et innocentes uideri ab
hominibus uultis, dicite : unde est ista sanctitas quam uobis
licentius usurpatis ? Quam Iohannes apostolus profiteri non
audet, qui ait : *Si dixerimus quia peccatum non habemus, nos*
5 *ipsos decipimus et ueritas in nobis non est* [k]. Hoc qui dixit
sapienter se ad Dei gratiam reseruauit.   **2.** Est enim christiani hominis quod bonum est uelle et in eo quod bene
uoluerit currere ; sed homini non est datum perficere ut post

19 Parmeniane : -nine B ‖ Parmeniane frater G ‖ 20 debueras : -beas G
‖ 21 supra memoratus Felix RBV ‖ 22 comprehensa : conpressa P ‖ ipse :
ipsam B ‖ imposuerat : posuerat B ‖ 23 pater : *om.* P ‖ 24 Tysedim : Tisedi
P   Tysedi G   Sedi RBV ‖ 25 septuaginta annorum G ‖ episcopum : *om.* P
‖ 30 placito : -tu G ‖ de [2] : *om.* PG ‖ 30 — 20, 37 securus — propter eos :
om. P ‖ 32 grauauerant : crassauerant RBV ‖ 34 uel : *om.* G ‖ quales : *om.*
B ‖ 35 pro qualibus : propinqualibus G [ac] ‖ dotes iamdudum G

20, 1 etiam : + et G ‖ qui : + quasi G ‖ 2 ista : ipsa G ‖ 5 in nobis ueritas G ‖ 6 reseruauit :-uabit : G R [ac]V ‖ 7 eo : deo RBV

évêques tu caches, frère Parménien ! Et alors que tu aurais
dû rougir pour les tiens, tu accuses les catholiques, qui sont
innocents. 4. Cependant Félix, dont je viens de parler, entre
autres méfaits et crimes monstrueux, se saisit d'une vierge
sur la tête de laquelle il avait lui-même posé le voile et qui
l'appelait père peu auparavant, et il n'hésita pas à commettre
un inceste monstrueux. Et comme sanctifié par ce péché, il
se hâta de gagner Tysedi [1]. Là, il eut l'audace de dépouiller
du titre, de la charge et de la dignité épiscopale l'évêque
Donat, âgé de soixante-dix ans, un homme innocent. 5. Le
schismatique vint auprès de l'évêque catholique, le coupable
auprès de l'innocent, le sacrilège auprès du prêtre de Dieu,
l'impur auprès du pur, celui qui n'était plus évêque auprès
de l'évêque. Mais, sûr de votre accord et de votre complicité, armé de vos lois et de vos décrets, il mit ses mains, que
le péché venait de rendre plus pesantes, sur la tête d'un innocent et il osa prononcer une sentence de cette bouche qui ne
semblait plus capable de se repentir. Voilà quels hommes tu
défends, frère Parménien, voilà pour quels hommes tu as dit,
auparavant, que les dons étaient efficaces !

Une sainteté usurpée　　20. 1. Mais vous-mêmes, qui voulez
paraître saints et innocents aux hommes,
dites-nous : d'où vous vient cette sainteté
que vous usurpez effrontément ? L'apôtre Jean n'ose pas la
proclamer, lui qui dit : « Si nous disons que nous n'avons
pas de péché, nous nous abusons nous-mêmes, et la vérité
n'est pas en nous [k]. » Celui qui a prononcé ces paroles s'en
est remis avec sagesse à la miséricorde divine. 2. C'est le
propre d'un chrétien, en effet, de vouloir le bien et de courir vers ce bien qu'il a voulu ; mais il n'a pas été donné à

---

k. I Jn 1, 8

1. *Tysedi* (?) = siège de Numidie, proche d'*Idicra,* connu seulement par
le témoignage d'Optat : cf. MANDOUZE₃, *Prosop.*, p. 305.

spatia quae debet homo implere restet aliquid Deo ubi defi-
10 cienti succurrat, quia ipse solus est perfectio et perfectus
solus Dei filius Christus. Ceteri omnes semiperfecti sumus,
quia nostrum est uelle, nostrum est currere, Dei perficere.
Vnde beatissimus apostolus Paulus ait : *Neque uolentis
neque currentis sed ad Dei gratiam pertinentis*[1]. 3. Nam et
15 a Christo saluatore nostro perfecta sanctitas non est data sed
promissa. Denique sic ait : *Sancti eritis quia ergo sanctus
sum*[m]. Solus est ergo perfectus et sanctus. Denique non
dixit : sancti estis, sed dixit : *sancti eritis*. Vnde est ergo quod
uobis perfectam sanctitatem de superbia uindicatis ? Nisi ut
20 appareat quia uos ipsos decipitis et ueritas in uobis non est.
In Iohannis[n] scola esse noluistis. 4. Cum enim seducitis
aliquos, promittitis uos indulgentiam peccatorum esse datu-
ros, et cum uultis donare peccata, uestram profitemini innocentiam et remissionem peccatorum sic datis, quasi nullum
25 habeatis ipsi peccatum ! Non est ista praesumptio sed
deceptio, nec ueritas sed mendacium. 5. Etenim inter
uicina momenta dum manus imponitis et delicta donatis,
mox ad altare conuersi dominicam orationem praetermittere
non potestis et utique dicitis : *Pater noster qui es in caelis,
30 dimitte nobis debita et peccata nostra*[o]. Quid uocaris dum
peccata confiteris tua ? Si sanctus es dum dimittis aliena ?
Hoc modo et uos ipsos decipitis et ueritas in uobis non est.
6. Sed ut apparet hoc uobis dictat nutrix uestra superbia,

---

11 semiperfecti sumus : semi perfectissimus B   imperfecti G ‖ 13 beatissimus : beatus G ‖ Paulus : + qui RB ‖ uolentis : -ti G ‖ 14 currentis : -
ti G ‖ pertinentis : -ti G ‖ 15 Christo : deo B ‖ saluatore : salutare RBV ‖
16 quia : quoniam G   + et GV ‖ 17 ergo : *om.* RBV ‖ 21 in : *om.* GV ‖
scola : socii G ‖ noluistis : non uultis G   uoluistis V ‖ 22 uos : *om.* B ‖ 24
quasi : que si B ‖ nullum : *om.* G ‖ 30 nostra et peccata ‖ uocaris : uocita-
ris G ‖ 31 si sanctus : sic sanctus G   scis an tu V ‖ es : *om.* G ‖ dimittis :
-ttitis G RV ‖ 33 dictat : dicta G

---

l. Rom. 9, 16   m. Lév. 11, 45   n. Cf. I Jn 1, 8   o. Matth. 6, 9.12

l'homme de l'accomplir parfaitement, afin que, une fois par-
courue la distance qui incombe à l'homme, Dieu ait l'occasion de le secourir quand il faiblit. Car lui seul est perfec-
tion, seul est parfait le Fils de Dieu, le Christ. Nous tous,
nous sommes imparfaits car il nous appartient de vouloir, il
nous appartient de courir, mais il appartient à Dieu d'accomplir parfaitement. C'est pourquoi le bienheureux apôtre
Paul a dit : « Il n'est pas question de celui qui veut ou qui
court mais de celui qui obtient la bienveillance de Dieu [1]. »
3. Car le Christ, notre Sauveur, ne nous a pas donné la sainteté parfaite mais il nous l'a promise. Ainsi, il a dit : « Vous
serez saints parce que je suis saint [m]. » Lui seul est donc parfait et saint. Ainsi, il n'a pas dit : « Vous êtes saints », mais
il a dit : « Vous serez saints. » D'où vient alors que vous
revendiquez, dans votre orgueil, la sainteté parfaite ? A
moins qu'il ne soit clair que vous vous abusez vous-mêmes
et que la vérité n'est pas en vous ! Vous n'avez pas voulu
être à l'école de Jean [n]. 4. En effet, lorsque vous séduisez
quelqu'un, vous lui promettez de lui accorder le pardon des
péchés, et lorsque vous voulez remettre les péchés, vous
proclamez votre innocence et vous accordez la rémission
des péchés comme si vous-mêmes n'aviez aucun péché ! Ce
n'est pas de l'impudence, c'est une tromperie, ce n'est pas la
vérité mais un mensonge.   5. En effet, successivement, vous
imposez les mains, vous remettez les fautes, puis tournés
vers l'autel, vous ne pouvez omettre la prière du Seigneur
et, naturellement, vous dites : « Notre Père qui es aux cieux,
remets-nous nos dettes et nos péchés [o] [1]. » Comment t'ap-
pelles-tu quand tu confesses tes péchés ? Es-tu saint quand
tu remets les péchés d'autrui ? Ainsi, vous vous abusez
vous-mêmes, et la vérité n'est pas en vous.   6. Mais, cela est
clair, c'est l'orgueil qui vous dicte cette conduite, cet orgueil

---

1. On trouve la même argumentation chez AvG., *C. Parm.*, II, X, 20.

quam Christus in euangelio testificatur, quia etsi nomina
35 uestra non dixit, per similitudinem tamen uestros mores
ostendit. Sic enim scriptum est : *Dicebat Iesus hanc simili-*
tudinem propter eos, qui se sanctos putant et contemnunt
ceteros [p]. 7. Hoc de uobis dictum esse ipsa res euidenter
ostendit dum uos quasi sanctos extollitis et nos manifeste
40 aperteque contemnitis : *Duo*, inquit, *ascenderunt in tem-*
plum adorare, unus pharisaeus et alter publicanus [q].
Pharisaeus tumidus, superbus, inflatus, talis quales et uos
uidemus, non humiliato corpore, non inclinata ceruice sed
erecta facie et tumenti pectore, *gratias*, inquit, *tibi, Deus,*
45 *quia nihil peccaui* [r]. Hoc est dicere Deo : Non in me habeo
quod ignoscas ! 8. O insanus furor, o punienda et dam-
nanda superbia ! Deus paratus est ignoscere et reus festinat
indulgentiam recusare ! Publicanus humilis hominem se esse
cognoscens sic rogauit dicens : *Propitius esto, domine, mihi*
50 *peccatori* [s]. Sic iustificari meruit humilitas, sic superbia in
pharisaeo, magistro uestro, de templo damnata descendit.
9. Meliora inuenta sunt peccata cum humilitate quam innocentia cum superbia. Deinde cum uobis traditionis et schismatis grauia peccata non desint, insuper et superbos uos esse
55 gratulamini.

34 testificatur : testatur G ‖ quia : qui G ‖ 37 se : + ipsos G ‖ contemnunt : -tempnere RBV ‖ 38 ipsa res dictum esse B ‖ 40 inquit : inquid PV
‖ 41 adorare : *om.* P   orare G ‖ phariseus : fariseus R ‖ alter : unus G RBV
‖ 42 inflatus superbus G ‖ talis : -les P ‖ quales : -lis RB ‖ 43 inclinata : -
to P ‖ ceruice : corpore P ‖ 44 erecta : recta B ‖ tibi inquit GV ‖ inquit :
inquid PV ‖ 45 in me : *om.* RBV ‖ habeo : ab eo V ‖ 46 o [1 et 2] : hoc RBV
‖ 49 dicens : + deus G ‖ mihi *post* esto *transp.* PG ‖ 50 humilitas : *om.* P
RBV ‖ superbia : + infra se V ‖ 51 descendit : discendit G ‖ 52 meliora :
meiora P ‖ sunt peccata inuenta B ‖ peccata : + sunt V ‖ humilitate : -liate
G [ac] ‖ 53 schismatis : scismaticis V ‖ 54 peccata grauia G ‖ superbos : super
uos RBV

qui vous nourrit et dont parle le Christ dans l'Évangile ; sans vous citer nommément, il montre votre attitude par cette parabole ; en effet, il est écrit : « Jésus disait cette parabole à l'adresse de ceux qui se croient saints et qui méprisent tous les autres [p]. » 7. La réalité montre à l'évidence que ces paroles ont été prononcées à votre sujet puisque vous vous vantez d'être des saints et que vous nous méprisez manifestement et ouvertement : « Deux hommes, dit-il, montèrent prier au temple, l'un était pharisien et l'autre publicain [q]. » Le pharisien, gonflé d'orgueil, fier, rempli de vanité [1], tel que nous vous voyons, sans aucune humilité dans l'attitude, sans baisser la nuque, mais la tête haute et le cœur enflé d'orgueil, dit : « Je te rends grâce, mon Dieu, de ce que je n'ai pas péché [r]. » C'est comme s'il disait à Dieu : « Je n'ai rien à me faire pardonner de toi ! » 8. O folie insensée ! O orgueil punissable et condamnable ! Dieu est prêt à pardonner et le coupable s'empresse de repousser le pardon ! Quant au publicain, plein d'humilité, sachant qu'il est homme, il le pria ainsi : « Aie pitié, Seigneur, du pécheur que je suis [s]. » Ainsi, l'humilité lui valut d'être justifié ; ainsi le pharisien, votre maître, descendit du temple, condamné pour son orgueil. 9. Le péché dans l'humilité fut préféré à l'innocence dans l'orgueil. Pourtant, bien que les graves péchés de la *traditio* et du schisme ne vous manquent pas, vous êtes pleins de morgue et d'orgueil et vous vous en réjouissez [2] !

p. Lc 18, 9 q. Lc 18, 10 r. Lc 18, 11 s. Lc 18, 13

1. « Tumidus, superbus, inflatus » : L'asyndète est couramment utilisée par Opt. (cf. par ex., III, 1, 4 : « timuistis, fugistis, trepidastis » ; V, 8, 2 : « interrogatur [...] respondit [...] iubetur [...] redit [...] inuenit »).

2. Cf. Avg., *C. Parm.*, II, viii, 17 (*BA* 28, p. 307) : « A ce pharisien les donatistes ressemblent. »

21. 1. Nunc quoniam erubescenda gaudia uestra probauimus et furor uester tot locis ostensus est, restat de pro-
funda impietate uestra aliquid dicere. Nam omnia quae a
uobis aut fiunt aut facta sunt, quis poterit explicare ? Sic
5 cuncta malignitate quadam ordinasse uos constat ut in una
specie operis uestri species alias impleretis, ut dum presby-
ter aut episcopus deicitur, sic populus caperetur.
2. Quando posset turba hominum stare quae rectorem
suum a uobis elisum esse conspiceret ? Non aliter quam
10 quocumque casu pastore occiso lupi grassantur. Exorcizastis
fideles et lauistis sine causa parietes ut hoc nequitiae genere
subrueretis simplicissimorum hominum mentes. 3. Talibus
consiliis uestris nonnullorum animi iugulati sunt et sub
nube simplicitatis occaecato astutiae lumine ut miseros ster-
15 neretis, sagittas de pharetra pectoris uestri praemisistis ut de
uobis spiritus sanctus per Dauid prophetam in decimo
psalmo praedixerit : *Quoniam ecce peccatores intenderunt
arcum, parauerunt sagittas in pharetra sua ad sagittandos in
obscura luna rectos corde* [t]. 4. Quid a uobis minus factum
20 est uestris consiliis ? Sagittati sunt innocentes, exarmati
fideles, honore nominis sui spoliati sunt sacerdotes. O
impietas inaudita, quem iugulaueris inter paenitentiae tor-
menta seruare ! In comparatione operis uestri latronum

21, 1 erubescenda : *om.* G ‖ probauimus : -bamus B ‖ 4 aut [1] : *om.* PG
‖ 5 ut in una : uti una B ‖ una : -am G ‖ 6 specie : -iem G ‖ 8 posset : -sit
P ‖ 9 suum : *om.* G ‖ 10 casu [+ pas] lupi pastore occiso P ‖ grassantur :
crassantur RV cranssantur B pigrassantur P + ex V ‖ exorcizastis :
extorcizastis G [ac] exorcidiastis PV ‖ 11 fideles : *om.* P RBV ‖ lauistis :
leuistis G [ac] ‖ 12 subrueretis : subuertis B ‖ simplicissimorum : -plicorum
P ‖ 13 animi : -me G ‖ iugulati : -te G ‖ 14 simplicitatis : -tatibus RB ‖
astutiae : -tia B ‖ 15 pharetra : faretra PR ‖ pectoris : peccatoris P [ac] ‖ uestri : + seductionibus RBV z ‖ praemisistis : sumsistis P promisistis G ‖ 16
prophetam : -fetam P ‖ decimo : *om.* RBV ‖ 17 praedixerit : predixit RB ‖
intenderunt : tetenderunt P ‖ 18 pharetra : faretram P ‖ sua : *om.* PG ‖ in :
om. RBV ‖ 19 obscura : -ro G ‖ luna : *om.* G ‖ factum est minus G ‖ 20
sagittati : sauciati G ‖ exarmati : + sunt G ‖ 21 spoliati : expoliati G spo-

Des morts vivants   **21.** 1. Puisque j'ai révélé vos joies hon-
teuses, puisque, en de si nombreux endroits,
j'ai montré votre folie, il me reste à présent à
dire un mot de votre profonde impiété. Et qui pourra expo-
ser tous vos forfaits, présents ou passés ? Il est évident que
vous avez tout organisé avec une certaine malignité, afin
d'accomplir, sous l'apparence d'un seul acte, les autres
aspects de votre forfait, et, en déposant un prêtre ou un
évêque, de vous emparer aussi du peuple. 2. Comment la
foule des hommes pourrait-elle résister quand elle voit que
vous lui arrachez son guide ? Vous êtes comme des loups
qui attaquent quand le berger a succombé dans quelque
accident. Vous avez exorcisé les fidèles et vous avez lavé sans
raison des murs, pour ébranler l'esprit des hommes les plus
simples par ce genre d'artifice. 3. Par de telles décisions,
vous avez tué des âmes [1] et, après avoir caché l'éclat de la
ruse sous un nuage d'innocence, pour abattre des malheureux, vous avez tiré des flèches du carquois de votre cœur,
comme l'a dit de vous le Saint-Esprit par la bouche du prophète David, dans le Psaume 10 : « Car voici que les
pécheurs ont tendu leurs arcs, ils ont préparé des flèches
dans leur carquois pour percer par une nuit obscure les
cœurs droits [t]. » 4. Qu'avez-vous fait de moins par vos
décisions ? Vous avez percé de flèches des innocents,
désarmé des fidèles, dépouillé des prêtres de la dignité de
leur titre. Quelle impiété inouïe que de garder en vie, dans
les tourments de la pénitence, celui qu'on a terrassé !
Comparée à votre forfait, la cruauté des brigands paraît plus

---

liata P ‖ 22 quem iugulaueris : que in iugelaueris V ‖ paenitentiae : -tiam P
penitentia G   + et PG ‖ 23 seruare : seuire RB   secure V ‖ in : *om.* P

---

t. Ps. 10, 3

---

1. Cf. Avg., *C. Parm.*, I, VIII, 14 : les donatistes sont les « assassins des
âmes » (*animarum interfectores*).

leuior uidetur immanitas. Vos uiuum facitis homicidium !
25 Latro iugulatis dat de morte compendium. Paupertate sen-
sus sui circumuenti sunt quos decipere potuistis.
5. Perfecti enim fuerant illi opere scilicet Dei qui in eius
nomine fuerant ordinati. Et uos contra opus Dei hostiliter
militatis diuinum opus malitiae uectibus destruentes !
30 Apparet ergo de uobis dictum esse in decimo psalmo :
Quoniam quae tu perfecisti, ipsi destruxerunt ᵘ. Fecit uos
superbos impietas uestra, sed accusat uos prospiciens de
caelo iustitia. Et iniqua uos gerentes error hominum laudat
ut de uobis in nono psalmo dixerit spiritus sanctus :
35 *Quoniam laudatur peccator in desideriis animae suae et qui
iniqua gerit benedicitur* ᵛ. 6. Quid iniquius quam exorcizare spiritum sanctum, altaria frangere, eucharistiam anima-
libus proicere ? Et ut in errorem uos uester populus mittat,
laudando felices appellant et bene nominant et per uos
40 iurant et personas uestras iam pro Deo habere noscuntur.

22. 1. Solet Deus ad probandam fidem in iuratione ab
hominibus nominari. Sed cum per uos iuratur, iam apud
uestros de Deo et Christo silentium est. Si ad uos diuina
migrauit de caelo religio, quia per uos iuratur, nemo ues-
5 trum aut uestrorum langueat : nolite mori, imperate nubili-
bus, pluite, si potestis, ut per uos plenius iuretur et de Deo
sileatur. 2. Nam et prioribus saeculis ut templa fabrica-
rentur et idola fierent quid a uestro populo diabolus potuit

29 militatis : -tantes RBV ‖ malitiae : militiae P RBV ‖ 31 quoniam : +
ea P ‖ quae : quem RBV ‖ ipsi : *om.* PG ‖ 32 superbos : super uos G ‖ 34
sanctus : + dum superbium [superbit G] pius [impius G] incenditur pauper
conpraehenditur [comprehenduntur G] in consiliis quae cogitat [cogitant G]
PG ‖ 35 quoniam : a modo B ‖ desideriis : concupiscentiis G ‖ qui : *om.* G
‖ 36 gerit : egerit RBV z ‖ benedicitur : -dicetur G RBV z ‖ exorcizare :
exorcizare V exhorcidiare P ‖ 38 errorem : -re G ‖ 39 appellant : -lat PG

22, 1 Deus : *om.* G ‖ iuratione : -nem P RBV ‖ ab hominibus : abomi-
nibus G ‖ 3 silentium est : siletur G ‖ uos : humana G ‖ 5 langueat : -guat
RBV ‖ 6 Deo : domino G

douce. Vous, vous faites des morts vivants ! Le brigand, en donnant la mort, abrège les souffrances de ceux qu'il a terrassés. Ils ont été victimes de la pauvreté de leur intelligence, ceux que vous avez réussi à abuser. 5. En effet, ils avaient été rendus parfaits — et c'était, bien sûr, l'œuvre de Dieu —, ceux qui avaient été ordonnés en son nom. Et vous, vous luttez contre l'œuvre de Dieu, en ennemis, détruisant l'œuvre divine avec les lances de la méchanceté ! C'est donc bien de vous qu'il a été dit dans le Psaume 10 : « Puisque ce que tu as rendu parfait, ils l'ont détruit ᵘ. » Votre impiété vous a remplis d'orgueil, mais la justice qui du ciel vous regarde vous accuse. Vous commettez des injustices, et les hommes, dans leur folie, vous louent, comme l'a dit à votre sujet le Saint-Esprit dans le Psaume 9 : « Car le pécheur tire des louanges des désirs de son âme, et celui qui commet des injustices est béni ᵛ. » 6. Qu'y a-t-il de plus injuste que d'exorciser le Saint-Esprit, de briser les autels, de jeter l'Eucharistie aux animaux ? Pour vous égarer, votre peuple vous loue ; il vous appelle bienheureux, dit du bien de vous, jure par vous et, on le sait bien désormais, vous regarde comme des dieux !

22. 1. Les hommes ont coutume, pour prouver leur bonne foi, de prononcer le nom de Dieu dans leurs serments. Mais lorsqu'ils jurent par vous, les vôtres font silence sur Dieu et le Christ. Si la dévotion envers Dieu a quitté le ciel pour s'adresser à vous, puisque c'est par vous que l'on jure, aucun de vous ou des vôtres ne doit faiblir : ne mourez pas, commandez aux nuées, faites pleuvoir, si vous le pouvez, pour que l'on ne jure plus que par vous et qu'on fasse silence sur Dieu ! 2. Dans les siècles précédents, lorsqu'on construisait des temples, et qu'on fabriquait des idoles, le diable a-t-il pu faire plus que votre peuple ? Rien

u. Ps. 10, 4 v. Ps. 9, 24

amplius facere ? Nihil aliud nisi ut de Deo taceretur dum
10 per errorem homines de solo diabolo loquebantur.

23. 1. O sacrilegium impietati commixtum, dum homines per uos iurantes libenter auditis et uocem Dei auribus
non admittitis uestris qui in centesimo et quarto psalmo
sic ait : *Ne tetigeritis unctos meos neque in prophetas meos*
5 *manum miseritis* ᵂ. Vnctos autem esse et reges et sacerdotes
et libri Regnorum indicant et Dauid in psalmo centesimo
tricesimo secundo sic ait : *Sicut unguentum in capite quod*
descendit in barbam Aaron ˣ. **2.** Et tamen uos contra isdem
uiribus conati estis praecepta contemnere quibus qui Deum
10 timent mandata conantur implere. Docete ubi uobis mandatum est radere capita sacerdotum, cum e contrario sint tot
exempla proposita fieri non debere. Saul antequam peccaret
ungi meruit ; post unctionem non leuiter offendit. Hoc
Deus cum uideret, propter oleum non tangendum uolens
15 exempla proponere paenitentiam suam professus est. **3.** Sic
enim legitur dixisse dominum : *Paenitet me unxisse Saul in*
regem ʸ. Et utique potuit Deus oleum quod dederat auferre.
Sed cum uoluit docere non debere contingi oleum etiam in
peccatore, ipse qui dederat paenitentiam gessit. Igitur Deus
20 si ut te doceret quod dedit auferre non potuit, per quod
noluit, tu quis es ut auferas quod non dedisti ? **4.** Et qui
parare debebas aures ad audiendum parasti nouaculam ad
delinquendum. Et cum possetis esse filii Dei, filii hominum

9 facere : inuenire G ‖ 10 diabolo : dyabolo B   dyabulo V

23, 1 impietati : -tas R ᵃᶜ   -tatis V ‖ commixtum : -missum RBV ‖ dum :
cum G ‖ 2 Dei : domini G ‖ 4 neque : et G ‖ prophetas : -fetas P ‖ 5
manum : + ne G ‖ esse : *om.* B ‖ 6 psalmo : *om.* G ‖ centesimo tricesimo
secundo : CXXXV RBV ‖ 7 in capite : *om.* RBV ‖ 8 barbam : -a P ‖ Aaron :
Aharon P ‖ isdem : hisdem PG ‖ 9 qui : quid B ‖ Deum : inde B ‖ qui
timent Deum G ‖ 10 conantur : nituntur P ‖ 11 sacerdotum : + et G ‖ 12
peccaret : -rent P ᵃᶜ ‖ 13 ungi : -gui RBV ‖ 14 uideret : diceret RBV   + et
P ‖ oleum : deum B ‖ 14 uolens : *om.* G ‖ 15 exempla : -plum B ‖ 16 dominum : deum G ‖ paenitet : -tuit P ‖ Saul : *om.* G ‖ 17 quod : quot V ‖ 18

d'autre que de faire en sorte que le silence fût gardé sur
Dieu, tandis que les hommes, dans leur folie, ne parlaient
que du diable.

23. 1. O sacrilège mêlé d'impiété ! Vous entendez avec
plaisir des hommes jurer par vous et vous ne laissez pas parvenir à vos oreilles la voix de Dieu qui dit dans le Psaume
104 : « Ne touchez pas à mes oints et ne portez pas la main
sur mes prophètes [w] ! » Ceux qui ont reçu l'onction, ce sont
les rois et les prêtres, comme l'indiquent les Livres des Rois,
et David dit dans le Psaume 132 : « Telle une huile parfu-
mée sur la tête, qui descend sur la barbe d'Aaron [x]. » 2. Et
cependant vous vous êtes efforcés de mépriser ces préceptes
avec la même énergie que ceux qui craignent Dieu mettent
à exécuter ses commandements. Expliquez-nous où vous
avez reçu l'ordre de raser la tête des prêtres, alors qu'au
contraire tant d'exemples ont montré qu'on ne devait pas
accomplir cet acte. Avant de pécher, Saül mérita de recevoir
l'onction ; après l'onction, il commit une faute grave. Quand
Dieu vit cela, voulant montrer par un exemple qu'on ne
devait pas toucher à l'huile, il proclama son repentir. 3.
C'est ainsi qu'on peut lire les paroles du Seigneur : « Je me
repens d'avoir sacré Saül roi [y]. » Assurément Dieu aurait pu
reprendre l'huile qu'il avait donnée. Mais il a voulu ensei-
gner qu'il ne fallait pas toucher à l'huile, même sur un
pécheur, et, lui qui l'avait donnée, il se repentit. Donc, si
Dieu, afin de t'instruire, n'a pas pu reprendre ce qu'il a
donné, parce qu'il ne l'a pas voulu, toi, qui es-tu pour
reprendre ce que tu n'as pas donné ? 4. Toi qui aurais dû
préparer tes oreilles pour écouter, tu as ·préparé le rasoir
pour commettre une faute. Et alors que vous auriez pu être

---

debere : debese P [ac] ‖ in : *om.* RBV ‖ 19 peccatore : -rem RBV ‖ 20 quod [1]
[et 2] : quot : BV ‖ 21 quis : qui P BV ‖ ut : qui P ‖ 22 debebas : debeas RB
‖ nouaculam : -la G ‖ 23 possetis : posses B ‖ filii [1] : -lium B

---

w. Ps. 104, 15   x. Ps. 132, 2   y. I Sam. 15, 11

esse uoluistis et ad infigendum morsum honoribus alienis
25 dentes uestros in sagittas et arma uertistis, linguas acuistis in
gladios, implestis quod de uobis in psalmo quinquagesimo
sexto scriptum est : *Filii hominum dentes eorum arma et
sagittae et lingua eorum gladius acutus* [z].

24. 1. Ergo linguas uestras acuistis in gladios, quas
mouistis in mortes non corporum sed honorum, iugulastis
non membra sed nomina. Quid prodest quia uiuunt
homines et honores a uobis occisi sunt ? Valent quidem
5 membris sed ereptae portant funera dignitatis. Extendistis
enim manum et super omne caput mortifera uelamina prae-
tendistis, ut cum sint, sicut supra dixi, quattuor genera capitum in ecclesia : episcoporum, presbyterorum, diaconorum
et fidelium. **2.** Nec uni parcere uoluistis. Euertistis animas
10 hominum. Hos actus uestros dolet Deus in Ezechiele propheta cum dicit : *Vae facientibus uelamen* – hoc est impo-
nentibus manum – *super omne caput et super omnem aetatem ad euertendas animas* [a]. **3.** Inuenistis pueros, de
paenitentia sauciastis, ne aliqui ordinari potuissent : agnos-
15 cite uos animas euertisse ! Inuenistis fideles antiquos, fecistis paenitentes : agnoscite uos animos euertisse ! Inuenistis
diaconos, presbyteros, episcopos, fecistis laicos : agnoscite
uos animas euertisse !

24 infigendum : infingendum B ‖ 25 uertistis : -titis V ‖ 28 lingua : -guae
R   -gue B   gladius P

24, 1 quas : quasi G ‖ 2 mouistis : nouistis G ‖ 3 nomina : + et honores
G ‖ quia : quod PG ‖ 4 honores : -re RB   -rem V ‖ 5 ereptae : eseptae P [ac]
erepta G RBV ‖ 7 sicut : ut G ‖ supra dixi sicut R ‖ capitum : + sunt R [ac]V
‖ 8 diaconorum : dyaconorum B   diaconum P ‖ 9 uni : eum V ‖ 10 dolet :
odit RBV ‖ in : per G ‖ Ezechiele : -lo P -lum G   -lem RBV ‖ propheta :
-feta P   -phetam G RBV ‖ 11 cum dicit : dicens G ‖ 12 manum : *om.* G ‖
super omne caput et : *om.* RBV ‖ 13 inuenistis : -isti G ‖ 14 paenitentia :
+ et B ‖ sauciastis : saucietatis G ‖ 15 euertisse : + inuenistis fideles nouos

les fils de Dieu, vous avez voulu être les fils des hommes et pour imprimer une morsure dans la dignité d'autrui, vous avez fait de vos langues des glaives acérés, vous avez accompli ce que l'on dit de vous dans le Psaume 56 : « Les fils des hommes, leurs dents sont des lances et des flèches, leur langue est un glaive acéré [z]. »

24. 1. Ainsi, vous avez fait de vos langues des glaives acérés, vous les avez utilisées pour faire mourir non des individus mais des dignités. Vous n'avez pas supprimé des personnes mais des titres. A quoi sert de laisser en vie des hommes, quand vous avez tué leur dignité ? Certes leurs membres sont intacts, mais ils portent le deuil de leur charge perdue. Car vous avez étendu la main et vous avez tendu un voile de mort sur chaque tête. Il existe, comme je l'ai déjà dit plus haut, quatre sortes de têtes dans l'Église : les évêques, les prêtres, les diacres et les fidèles. 2. Et vous n'avez voulu en épargner aucune, vous avez perdu les âmes des hommes. Et Dieu se plaint de vos actes quand il dit par la bouche du prophète Ézéchiel : « Malheur à ceux qui fabriquent des voiles — c'est-à-dire qui imposent les mains — pour toutes les têtes et pour tous les âges afin de perdre les âmes [a]. » 3. Vous avez trouvé des serviteurs, vous les avez blessés par la pénitence pour empêcher certains d'être ordonnés : reconnaissez que vous avez perdu des âmes ! Vous avez trouvé des fidèles de longue date, vous en avez fait des pénitents : reconnaissez que vous avez perdu des âmes ! Vous avez trouvé des diacres, des prêtres, des évêques, vous en avez fait des laïcs : reconnaissez que vous avez perdu des âmes !

---

fecistis cathecuminos agnoscite uos animas euertisse PG ‖ 17 agnoscite : cognoscite G

---

z. Ps. 56, 5   a. Éz. 13, 18

25. 1. Socius et comes uester iamdudum fuerat cui nunc manus inferre conatus es : pariter currebatis. Fac illum peccasse cum peccatum non esse constet. Iacebat ut aestimas. Si apostolum legisti, tu uide cui stes et ille cui iaceat. Si seruus
5 es, dominum recognosce et intellege quia non tibi iacebat qui tecum paulo ante currebat. Quid in potestate aliena irruis ? **2.** Quid temerarius Dei tribunal ascendis ? Et cum ipse sis reus, in alterum audes ferre sententiam et legisti : *Qui stat domino suo stat et qui iacet domino suo iacet* [b].
10 Potens est autem dominus eius suscitare eum. Tu quis es qui de seruo alieno iudices ? Oleum sacerdoti a Deo collatum non debuisse uos tangere a puero Dei Dauid discere debuistis, qui sic per Samuelem ungitur, ut Sauli quod iamdudum datum fuerat minime tolleretur [c]. **3.** Denique uel cum Deo
15 iubente uel euentu procurante una eos spelunca concluderet, uenerat in potestatem pueri Dauid Saul, qui peccauerat [d]. Videtur non uidens ideo quod a maiori lumine ut fieri adsolet in caligine clausi aeris alterum iuxta se uidere non potuit. Innumerabiles antiquum regem sequebantur exerci-
20 tus, sed ipse rex in potestate uenerat aliena. **4.** Occasionem uictoriae Dauid habebat in manibus : incautum et securum aduersarium sine labore poterat iugulare et sine sanguine et conflictu multorum poterat bellum per compendium mittere. Caedem et pueri eius et occasio suadebat, ad uictoriam
25 opportunitas hortabatur. Stringere iam coeperat ferrum, ire

25, 5 recognosce : -scite G ‖ 6 potestate aliena *codd.* : potestatem alienam z ‖ 7 irruis aliena G ‖ irruis : inrues P ‖ temerarius : themerarius V temerarium G ‖ tribunal Dei G ‖ 8 legisti : + quia G ‖ 9 qui iacet domino suo iacet : *om.* P ‖ 10 quis : qui P BV ‖ qui : quid V ‖ 13 Samuelem : Samuhelem R ‖ ungitur : -guitur G RBV ‖ 14 uel : et P ‖ 15 concluderet : conduceret B + et P ‖ 16 potestatem : -tate PG ‖ Dauid pueri P ‖ 17 maiori : -re R ac ‖ 19 sequebantur : + et V ‖ 20 potestate *codd.* : -tatem z ‖ aliena *codd.* : -nam z ‖ occasionem : -ne G RBV ‖ 22 et [2] : + sine G ‖ 23 mittere *codd.* : remittere + in z ‖ 24 suadebat *codd.* : -bant z ‖ 25 et 26 coeperat : ceperat PG BV

b. Rom. 14, 4   c. Cf. I Sam. 16, 13   d. Cf. I Sam. 24, 1

L'exemple de Saül **25. 1.** Il avait été auparavant votre collègue et votre compagnon, celui sur qui tu as voulu alors porter la main : vous faisiez route ensemble. Suppose qu'il ait péché, bien qu'il soit évident qu'il n'a pas péché. Il était tombé, penses-tu. Si tu as lu l'Apôtre, vois qui est concerné par le fait que tu restes debout et qui est concerné par sa chute. Si tu es serviteur, reconnais ton maître et comprends qu'elle ne te concernait pas, la chute de celui qui auparavant faisait route avec toi. Pourquoi te précipites-tu sur un pouvoir qui appartient à un autre ? **2.** Pourquoi, dans ta témérité, montes-tu au tribunal de Dieu ? Et, alors que tu es toi-même coupable, tu oses porter une sentence contre un autre ! Et tu as lu : « S'il reste debout, cela concerne son maître, et s'il tombe, cela concerne son maître [b]. » Or, il est au pouvoir de son maître de le relever. Toi, qui es-tu pour juger le serviteur d'autrui ? Vous n'auriez pas dû toucher à l'huile que Dieu avait conférée à un prêtre. Vous auriez dû apprendre cela de David, le serviteur de Dieu, qui reçoit l'onction de Samuel sans que rien ne soit enlevé à Saül de ce qui lui avait été donné auparavant [c]. **3.** Ainsi, comme, par la volonté de Dieu ou par un hasard favorable, ils se trouvaient enfermés dans la même grotte, Saül, qui avait péché, était tombé au pouvoir du serviteur David [d]. On le voit, mais il ne voit pas, car, venant de la pleine lumière, comme cela arrive d'ordinaire, il ne put voir l'autre, qui se tenait à côté de lui, dans l'obscurité de ce lieu clos. Des troupes innombrables accompagnaient le vieux roi, mais le roi lui-même était tombé au pouvoir d'un autre. **4.** David avait entre les mains l'occasion de remporter la victoire : il pouvait terrasser sans peine son adversaire qui, se croyant en sécurité, ne se méfiait de rien et il pouvait, sans beaucoup d'effusions de sang et de combats, mettre fin à la guerre rapidement. Ses serviteurs et l'occasion l'engageaient au meurtre, l'opportunité le poussait à la victoire. Déjà il avait commencé à tirer l'épée, déjà sa main

iam coeperat armata manus hostiles in iugulos ; sed obsta-
bat plena diuinorum memoria mandatorum ; hortantibus se
pueris et occasionibus contradicit, tamquam et hoc diceret :
Sine causa me, uictoria, prouocas, frustra me, occasio, in
30 triumphos inuitas. Volebam hostem uincere, sed prius est
diuina praecepta seruare. *Non mittam*, inquit, *manus in unctum domini* ᵉ. 5. Repressit cum gladio manum. Et dum
timuit oleum, seruauit inimicum et ut compleret obseruan-
tiam, uindicauit occisum ᶠ. Vos nec Deum timetis nec fratres
35 agnoscitis ; in cote liuoris acuistis nouaculas linguae et
diuina praecepta calcantes miserorum properastis in capita,
ut in captiuitatem caecos et imperitos populos iugulatis
ducibus traheretis. Esuritis honores innocentium sacerdotum. Vnde furori uestro tanta fames innata est, ut guttura
40 uestra sepulcra patentia faceretis. 6. Vnicuique sepulcro
sufficit unum funus et clauditur, gutturi uestro honorum
funera minime suffecerunt et adhuc patent, dum aliquos
quaeritis deuorare, ut merito de uobis dictum sit : *Sepulcrum
patens est guttur eorum* ᵍ. Nam et de maledictione praesu-
45 mitis, cum scriptum sit : *Benedicite et nolite maledicere* ʰ.
7. Quisquis contra uestram uoluntatem aliquid fecerit,

27 diuinorum plena P ‖ 30 uolebam : -bat RBV z ‖ est : + domini RBV
z ‖ 31 non mittam inquit : non inquit [inquid R] mittam RB numquid mittam V ‖ inquit : inquid P ‖ manus : + meas G ‖ 33 timuit : timet G ‖ inimicum : ini/cum B ‖ ut : cum RBV ‖ 35 cote : cute G   corde RBV ‖ acuistis : acuitis RBV ‖ 37 ut : et G ‖ caecos : + ducitis G ‖ iugulatis : -lastis G
‖ 38 ducibus : dulcibus B   + que G ‖ traheretis : traheritis V   trahitis G
traderetis P ‖ esuritis : -ristis P ‖ 39 tanta : tante V ‖ innata : nata P ‖ 40
faceretis : -ritis V ‖ 41 gutturi : guttur V ‖ 42 funera : + a G ‖ suffecerunt :
-ficerunt P   -ficerent V ‖ 43 sit : + in psalmo tercio decimo G ‖ 46 uoluntatem uestram G ‖ aliquid : *om.* RBV

e. I Sam. 24, 7   f. Cf. II Sam. 1, 14-16   g. Ps. 5, 11 ; 13, 3   h. Rom. 12,
14

1. « Guttura uestra sepulcra patentia » : Les métaphores sont fréquentes
dans le traité d'Opt. (cf. I, 11, 1 : « coupés de leur racine par les faux de la

armée s'était approchée de la gorge de son ennemi ; mais sa
mémoire, pleine des commandements divins, s'y opposait ;
il résiste à ses serviteurs et à l'occasion qui le poussaient,
comme s'il leur eût dit : « C'est sans raison que tu me pro-
voques, victoire, c'est en vain que tu m'invites au triomphe,
occasion ! Je voulais vaincre mon ennemi, mais mon premier
devoir est d'observer les préceptes divins. Je ne porterai pas
la main, dit-il, sur l'oint du Seigneur^c. » 5. Il ramena sa
main qui tenait l'épée. Parce qu'il a craint de toucher à
l'huile, il a épargné la vie de son ennemi et, pour parfaire
l'observance de la Loi, il a vengé sa mort ^f. Mais vous, vous
ne craignez pas Dieu et vous ne reconnaissez pas vos frères,
vous avez affilé le rasoir de vos langues avec la pierre de la
haine et, foulant aux pieds les préceptes divins, vous vous
êtes précipités sur la tête des malheureux pour faire prison-
niers des peuples aveugles et ignorants après avoir terrassé
leurs chefs. Vous convoitez les dignités des prêtres innocents. Votre folie en a conçu une si grande faim, que vous
avez fait de vos gorges des sépulcres béants ^1. 6. A chaque
sépulcre suffit son cadavre, puis on le referme ; mais vos
gorges ne se sont pas contentées de la mort des dignités et
elles restent béantes, tandis que vous cherchez à dévorer tel
ou tel ! Et c'est avec raison qu'il est dit de vous : « Leur
gorge est un sépulcre béant ^g. » Et vous avez l'audace de
maudire alors qu'il est écrit : « Bénissez et ne maudissez
pas ^h ! » 7. Quiconque a agi contre votre volonté se voit

haine » ; I, 28, 2 : « le bouclier de la vérité » ; III, 4, 11 : « ces hommes dont
vous enflammez les noms avec le soufflet de la haine » ; VII, 1, 1 : « après
avoir coupé cette forêt de haine avec les haches de la vérité »). Le langage
figuré (comparaisons, métaphores, symboles) est caractéristique des auteurs
chrétiens. La profusion de ces images dans leurs œuvres s'explique par l'influence de la lecture des textes bibliques et de leur interprétation (typologie, exégèse allégorique).

intentatis terrores, maledicta praetenditis, et quia aliqui
homines plus mali mereri possunt quam boni, quicquid
iudicium Dei aut peccati meritum fecerit, amaris uestris
50 maledictionibus uindicatis, merito quia de uobis dictum est :
Os eorum maledictione et amaritudine plenum est [i].
Gloriamini quod uobis maledicentibus aliqui homines mori
potuerunt. Certe non licet occidere. An ideo uos putatis
innocentes, quia ferro usi non estis ? 8. Innocentem se et
55 uenenarius iudicet, si in solo ferro est homicidium ! Non
sibi uideatur reus qui alterum subducto cibo necauerit !
Innocentem se iudicet, qui spirandi prohibita facultate suf-
focauerit uiuere cupientem. Necis multa sunt genera, sed
unum nomen est mortis. Maledictionibus tuis cum fiducia
60 hominem mortuum protestaris, quid interest an gladio ferias
an lingua percutias ? Indubitanter homicida es si per te mortuus fuerit qui uiuebat. 9. Quisquis talis ex uobis est frustra se christianum aut sacerdotem Dei profitetur, qui lenita-
tem Dei non curat imitari, cum scriptum sit : *Deus mortem*
65 *non fecit nec laetatur in perditione uiuorum* [j]. Credo uos
obliuisci non posse quid per loca aliqua feceritis cum eos
qui legem Dei praedicabant, id est prophetas, uelletis occidere contra iussionem Dei dicentis : *Et in prophetas*
meos manum ne miseritis [k]. 10. Deuterium, Partenium,
70 Donatum et Getulicum, Dei episcopos, linguae gladio iugulastis, fundentes sanguinem non corporis sed honoris.

47 intentatis : intenditis G ‖ praetenditis : intenditis B [ac] ‖ 48 possunt
mereri PG ‖ 49 peccati : -tum B ‖ 50 quia : *om.* G ‖ est : + in psalmo tercio decimo G ‖ 55 uenenarius : uene/arius R   uenerius B ‖ 58 necis : nec
is RB   nec hiis V ‖ 60-61 mortuum — an : *om.* RBV ‖ 61 lingua : angua
RV   argua B ‖ homicida : -dia G ‖ 62 fuerit : est PG ‖ uobis : nobis RBV [pc]
‖ 63 se : + aut PG ‖ 64 non curat — Deus : *om.* RBV ‖ sit : + in Salomone
G ‖ 65 laetatur : lateatur V   laceratur B ‖ perditione : -nem B ‖ 66 cum :
ut G ‖ 66-67 cum eos — uelletis *om.* V ‖ 67 uelletis : uellitis P   uelitis G
‖ 68 prophetas : + manus V ‖ 69 manum : -nus GV ‖ Deuterium : -therium
PG ‖ Partenium : -thenium PG ‖ 70 Donatum : *om.* G

terrorisé par vous, couvert d'injures, et parce que certains hommes peuvent mériter plus de mal que de bien, tout acte qui a provoqué le jugement de Dieu ou le châtiment du péché, vous le punissez par vos malédictions amères. Car c'est avec raison qu'il est dit de vous : « Leur bouche est pleine de malédiction et d'amertume [i]. » Vous vous glorifiez de ce que des hommes aient pu mourir de vos malédictions. Pourtant, il n'est pas permis de tuer. Vous croyez-vous innocents parce que vous ne vous êtes pas servis du fer ? 8. Que l'empoisonneur, lui aussi, se tienne pour innocent si c'est seulement dans le fer que réside l'homicide ! Qu'il ne se considère pas comme coupable, celui qui a tué un autre homme en le privant de nourriture ! Qu'il se tienne pour innocent celui qui a étouffé un homme désireux de vivre en l'empêchant de respirer ! Il existe de nombreuses façons de tuer, mais la mort n'a qu'un nom. Lorsque, dans tes malédictions, tu proclames avec assurance la mort d'un homme, qu'importe si tu le frappes avec l'épée ou avec la langue ? Tu es sans nul doute un homicide si celui qui vivait est mort par ta faute. 9. Quiconque parmi vous agit ainsi proclame en vain qu'il est chrétien ou prêtre de Dieu, lui qui ne se soucie pas d'imiter la douceur de Dieu, alors qu'il est écrit : « Dieu n'a pas fait la mort et il ne se réjouit pas de la perte des vivants [j]. » Je crois que vous ne pouvez oublier les actes que vous avez accomplis en certains endroits, lorsque vous vouliez tuer ceux qui prêchaient la Loi de Dieu, c'est-à-dire les prophètes, agissant ainsi contre l'ordre de Dieu qui dit : « Ne portez pas la main sur mes prophètes [k]. » 10. Deuterius, Partenius, Donat et Getulicus, évêques de Dieu [1], vous les avez terrassés avec l'épée de votre langue et vous n'avez pas versé le sang de leur corps mais celui de leur

i. Ps. 13, 3   j. Sag. 1, 13   k. Ps. 104, 15

1. *Deuterius, Partenius, Donatus et Getulicus* : évêques catholiques connus par ce seul témoignage.

Vixerunt postea homines, sed a uobis occisi sunt in honoribus Dei sacerdotes. Multis notum est et probatum persecutionis tempore episcopos aliquos inertia a confessione nomi-
75 nis Dei delapsos turificasse, et tamen nullus eorum qui
euaserunt aut manum lapsis imposuit aut ut genua figerent
imperauit. 11. Et facitis uos hodie post unitatem quod a
nullo factum est post turificationem, quia scriptum est : *Ne
tetigeritis unctos meos neque in prophetas meos manum
80 miseritis* [1]. Oleum suum defendit Deus, quia si peccatum est
hominis, unctio est tamen diuinitatis. *Ne tetigeritis*, inquit,
unctos meos : 12. Ideo ne dum peccatum hominis percutitur et oleum quod Dei est feriatur. Iudicio suo Deus seruauit
rem suam et tamen uos passim irruistis in alienam corrum-
85 pentes omnium felicitatem. Nam quae maior infelicitas
quam Dei sacerdotes uiuere nec esse quod fuerant ?

26. 1. Matronae, pueri simul et uirgines a uobis coactae
nullo interueniente peccato salua innocentia et pudicitia
uobis docentibus paenitentiam gerere didicerunt. Numquid
minor est infelicitas ? Contriuistis sexus, uexastis aetates !
5   Vere de uobis dictum est in psalmo tertio decimo : *Contritio
et infelicitas in uiis eorum et uiam pacis non cognouerunt,
non est timor Dei ante oculos eorum* [m]. 2. Indixistis paeni-

72 honoribus : hominibus PG ‖ 73 Dei : *om.* PG ‖ est notum G ‖ 74 a
sup.l. R *om.* PB ‖ confessione : -fissione B ‖ 76 figerent : fierent RB ‖ 77
hodie : *om.* G ‖ 78 turificationem : purificationem G ‖ 80 Deus : *om.* PG
‖ 82 ne dum : *om.* B ‖ 83 quod : quot V ‖ seruauit : seruant B ‖ 84 alienam : -num G ‖ 85 nam quae : neque RBV ‖ maior : + est G ‖ 86 nec esse :
+ est V

26, 3 paenitentiam : peni tiam G ‖ 4 contriuistis : contritos RBV ‖
sexus : sexu RB sexui V ‖ uexastis : ixastis V ‖ 5 tertio decimo : *om.* P ‖
6 cognouerunt : agnouerunt G

l. Ps. 104, 15   m. Ps. 13, 3

dignité. Ces hommes ont vécu par la suite, mais vous avez tué, avec leur dignité, les prêtres de Dieu. Beaucoup savent et ont la preuve que, à l'époque de la persécution, certains évêques, qui avaient renoncé par lâcheté à confesser le nom de Dieu, ont sacrifié aux idoles, et pourtant aucun de ceux qui échappèrent à cela n'imposa les mains aux renégats ni ne leur ordonna de fléchir les genoux. 11. Et vous, vous faites aujourd'hui, après le rétablissement de l'unité, ce que personne n'a fait après l'accomplissement d'un sacrifice païen. Car il est écrit : « Ne touchez pas à mes oints et ne portez pas la main sur mes prophètes [l]. » Dieu protège l'huile qu'il a donnée, car si le péché est de l'homme, l'onction, elle, est de Dieu : « Ne touchez pas, dit-il, à mes oints. » 12. Ainsi, lorsqu'on châtie le péché de l'homme, il ne faut pas toucher aussi à l'huile, qui est de Dieu. C'est pour son propre jugement que Dieu a réservé son bien, et vous, cependant, vous vous êtes jetés, de toutes parts, sur le bien d'autrui, détruisant ainsi le bonheur de tous. Car quel plus grand malheur pour des prêtres de Dieu que d'être en vie et de ne plus être ce qu'ils avaient été ?

Une foule de pénitents   26. 1. Les femmes mariées, les enfants et aussi les vierges, à qui vous avez fait violence sans qu'il y eût péché de leur part et sans que leur chaste innocence perdît de sa pureté, ont appris par votre enseignement à faire pénitence. Est-ce un malheur moins grand ? Vous avez brisé hommes et femmes, vous avez persécuté des hommes de tout âge [l] ! Oui, vraiment, c'est de vous qu'il est dit dans le Psaume 13 : « Ruine et malheur sont sur leur route, et ils ne connaissent pas le chemin de la paix, nulle crainte de Dieu devant les yeux [m]. »

---

1. Cf. CYPR., *Ep.*, VI, III, 1 : « Pour que tout sexe et tout âge soit à l'honneur avec vous » (« ut omnis uobiscum et sexus et aetas esset in honore ») ; TERT., *De patientia*, XV, 3 : « Quel que soit le sexe, quel que soit l'âge » (« in omni sexu, in omni aetate » ; cf. comm., *SC* 310, p. 264-265.

tentiam plebibus. Nec enim acta est ab aliquo, sed a uobis
exacta. Nec aequalibus temporum spatiis, sed egistis omnia
10 pro personis, alter anno toto, alter mense, alter uix tota die
imperantibus uobis paenitentiam gessit. Si unitati consen-
tire, ut uultis, peccatum est, si est similis culpa, quare non
est aequalis pro eodem reatu paenitentia ? 3. Dubium non
est populum credentium *Israhel* esse uocatum, plebes sin-
15 gulas *filias Israhel*, id est, qui mente Deum uiderint et Deo
crediderint. Et tamen has plebes coegistis flectere et inclinare
ceruices et serie capitum iuncta massam paenitentium facere.
Has plebes dolet Deus per Ezechielem prophetam dicens :
Vae filiabus Israhel, quae sarciunt ceruicalia, id est membra
20 ceruicis, *ut supponant sub cubito et sub manu* [n]. 4. Vtique
sub cubitis et sub manibus uestris et cum super eorum uel
earum capita uelamina paenitentiae tenditis. Quae impietas
uestra et furor ostensus est et superbia demonstrata. Etiam
stultitia fuerat reuelanda, sed hanc in sexto libro demons-
25 trabo.

8 plebibus : pedibus B ‖ nec enim : neque G ‖ 9 aequalibus : plenis G ‖
egistis : legistis B ‖ 10 alter³ : alte B ‖ tota : toto PG ‖ 11 imperantibus :
sub PG ‖ 12 ut : *om.* PG ‖ quare : quere G ᵃᶜ ‖ 13 est : *om.* G ‖ eodem :
eadem RB ‖ dubium : dubio RBV ‖ 14-15 esse — Israhel : *om.* RBV ‖ 15
uiderint : -rit RBV ‖ et Deo crediderint : *om.* RBV ‖ 16 has : + qui G ᵃᶜ ‖
17 serie : seri RBV ‖ iuncta : iniinctam R   in iunctam BV ‖ massam : -sem
B   -sa G ‖ paenitentium : penitentiam RBV ‖ 18 Ezechielem : -lum PG ‖
prophetam : *om.* P RBV ‖ 19 quae : qui RBV ‖ 20 cubito : -tis PG ‖ et sub
manu utique sub cubitis : *om.* G ‖ 21 cubitis : -tibus RBV ‖ et² : *om.* P ‖
22 uelamina : -amen G ‖ tenditis : + uerum G ‖ quae : quia et PG ‖ 23
etiam : + et P ‖ 24 stultitia : stultia V ‖ reuelanda : releuanda RBV ‖

2. Vous avez réclamé des foules la pénitence. Ce n'est pas quelqu'un qui l'a faite, mais vous qui l'avez exigée. Et vous n'avez pas prononcé des peines de durée égale, mais vous les avez toutes fixées selon les individus : sur votre ordre, l'un a fait pénitence une année entière, un autre un mois, un autre à peine un jour entier. Si, comme vous le pensez, désirer l'unité est un péché, si la faute est semblable, pourquoi n'y a-t-il pas, pour une même culpabilité, une égale pénitence ? 3. Il n'est pas douteux que c'est la foule des croyants qui a été appelée « Israël » et chaque peuple « fille d'Israël », c'est-à-dire ceux qui ont vu Dieu avec les yeux de l'esprit et qui ont cru en Dieu. Et cependant vous avez forcé ces peuples à fléchir et à baisser la tête, et à former, en longues files, une foule de pénitents. Dieu plaint ces peuples par la bouche du prophète Ézéchiel qui dit : « Malheur aux filles d'Israël qui fabriquent des oreillers, c'est-à-dire des coussins pour la tête, pour les mettre sous les coudes et sous les mains [n]. » 4. Assurément, ils sont sous vos coudes et sous vos mains lorsque vous étendez sur la tête de ces hommes ou de ces femmes le voile de la pénitence. Voilà votre impiété et votre folie démontrées, votre orgueil étalé au grand jour. Il aurait fallu aussi montrer votre sottise, mais je le ferai dans le sixième livre.

demonstrabo : -trabimus G   monstrabimus P   + amen V ‖ Explicit liber Sancti Optati Secundus G   Explicit liber secundus PV   EXPLICIT LIBER SECUNDUS R Explicit liber scds B

n. Éz. 13, 18

APPENDICES

I. Le dossier des origines du donatisme d'après le livre I d'OPTAT

N.B. – Ne figurent que les documents cités par Optat ou pour lesquels il renvoie le lecteur à la fin de son ouvrage. Le manuscrit de Cormery se trouve dans l'édition de Ziwsa, CSEL 26, p. 183-216. Les Capitula gestorum (= Capit.) se trouvent dans les Actes de la conférence de Carthage en 411, t. 2, éd. S. Lancel, SC 195, Paris 1972, p. 423-556. Les autres références et abréviations se trouvent dans la 1re partie de la Bibliographie, p. 146 s.

	OPT.	AUGUSTIN	Ms de Cormery (CSEL 26)	Autres sources
Protocole de Cirta (305 ? 307 ?)	I, 13-14	C. Cresc., III, 27, 30 ; C. Petil., I, 21, 23 ; Breu. coll., III, 15, 27 ; III, 17, 31 ; Ad don. post coll., 14, 18 ; C. Gaud., I, 37, 47 ; Epist., 43, 3.	Figurait, d'après Optat, dans les Scripta Nundinarii (cf. III. « Gesta apud Zenophilum ») ; doc. perdu.	Capit., III, 350-353 ; 387-400 ; 408-452.
Actes du concile de Carthage (élection de Majorinus) (308 ? 312 ?)	I, 19	Breu. coll., III, 14, 26 ; 16, 28 ; Ad donatistas post coll., 22, 38 ; C. Cresc., III, 28, 32 ; IV, 7, 9 ; Epist., 43, 2, 3 ; 43, 3, 8 ; 43, 7, 19 ; 141, 6.		Capit., III, 346 ; 372-401.
Lettre synodale du concile de Carthage	I, 20	Epist. ad cath., 25, 73.		
Requête des dissidents à Constantin (avril 313)	I, 22	Breu. coll., III, 61, 67 ; Epist., 43, 2, 4 ; 53, 2, 5 ; 76, 2 ; 88, 2 ; 93, 4, 13 ; 105, 2, 8 ; 141, 8.		Cf. « Rapport d'Anullinus, proconsul d'Afrique, à Constantin », Gesta, III, 215-220.
Réponse de Constantin	I, 23		Cf. V. « Lettre de Constantin aux évêques catholiques », p. 209.	

Actes du concile de Rome (313)	I, 23-25	*Breu. coll.*, III, 12, 24 ; 17, 31 ; *Ad donatistas post coll.*, 15, 19 ; 33, 56 ; *Contra epist. Parm.*, I, 5, 10 ; *Un. bapt.*, 16, 28 ; *Epist.*, 43, 2, 4-5 ; 43, 5, 14-16 ; 53, 2, 5 ; 88, 3 ; 105, 2, 8 ; 185, 10, 47.	Cf. III. « Lettre de Constantin à Aelafius », p. 204-205.	Cf. « Lettre de Constantin au pape Miltiade », EUSÈBE, *H.E*, X, 5, 18-20 ; *Capit.*, III, 317-325 ; 402-404.
Appel des dissidents (313 ?)	I, 25	*Epist.*, 43, 7, 20 ; 53, 2, 5 ; 76, 2 ; 88, 3 ; 105, 2, 8 ; *Un. bapt.*, 16, 28 ; *C. Cresc.*, III, 61, 67.	Cf. III. « Lettre de Constantin à Aelafius », p. 205 ; V. « Lettre de Constantin aux évêques catholiques », p. 209.	EUSÈBE, *H.E*, X, 21-24
Réponse de Constantin	I, 25		Cf. V. « Lettre de Constantin aux évêques catholiques », p. 209.	
Procès-verbal de l'enquête d'Eunomius et d'Olympius à Carthage (avant 10 nov. 316)	I, 26			
Dossier de l'enquête sur la conduite de Félix, évêque d'Abthugni (314)	I, 27	*Epist.*, 43, 2, 5 ; 88, 3-5 ; 105, 2, 8 ; 129, 4 ; 141, 10-11 ; C. *Cresc.*, III, 61, 67 ; 70, 80 ; IV, 7, 9 ; *Un. bapt.*, 16, 28 ; *Bren. coll.*, III, 24, 42 ; *Ad donatistas post coll.*, 33, 56.	I. « Acta purgationis Felicis episcopi Autumnitani », p. 197-205.	*Capit.*, III, 554-577.

II. Liste des évêques de Rome d'après OPTAT, II, 3

N.B. – Les listes des évêques de Rome, y compris celle d'Optat, sont reproduites et analysés dans L. DUCHESNE, *Le Liber Pontificalis*, texte, introduction et commentaire, t. 1, 2ᵉ éd., Paris 1955, p. I-XXXII. Les Additions et corrections correspondantes de L. Duchesne, publiées par C. Vogel, sont dans le t. 3, 2ᵉ éd., Paris 1981, p. 45-50. Dans nos trois listes, les différences sont signalées par les caractères gras, et les étoiles indiquent les omissions d'Optat.

Table chronologique (Duchesne)	Catalogue d'Optat	Catalogue libérien
Petrus	Petrus	Petrus
Linus	Linus	Linus
Anencletus (Cletus)	**Clemens**	**Clemens**
	Anacletus	**Cletus**
Clemens		**Anacletus**
Evarestus	Evaristus	Evaristus
Alexander	* * *	Alexander
Xystus	Xystus	Xystus
Telesphorus	Telesphorus	Telesphorus
Hyginus	Hyginus	Hyginus
Pius	**Anicetus**	**Anicetus**
Anicetus	**Pius**	**Pius**
Soter	Soter	Soter
Eleutherus	**Alexander**	Eleutherus
Victor	Victor	Victor
Zephyrinus	Zephyrinus	Zephyrinus
Callistus	Callistus	Callistus
Urbanus	Urbanus	Urbanus
Pontianus (230-235)	Pontianus	Pontianus
Anteros (235-236)	Antheros	Antheros
Fabianus (236-250)	Fabianus	Fabianus
Cornelius (251-253)	Cornelius	Cornelius
Lucius (253-254)	Lucius	Lucius
Stephanus (254-257)	Stephanus	Stephanus
Xystus II (257-258)	Xystus	Xystus
Dionysius (259-268)	Dionysius	Dionysius
Felix (269-274)	Felix	Felix

Eutychianus (275-283)	* * *	Eutychianus
Gaius (283-296)	* * *	Gaius
Marcellinus (296-304)	Marcellinus	Marcellinus
Marcellus (308-309)	* * *	Marcellus
Eusebius (309-310)	Eusebius	Eusebius
Miltiades (311-314)	Miltiades	Miltiades
Silvester (314-335)	Silvester	Silvester
Marcus (336)	Marcus	Marcus
Iulius (337-352)	Iulius	Iulius
Liberius (352-366)	Liberius	Liberius
Damasus (366-384)	Damasus	
Siricius (384-399)	Siricius	

Optat omet Marcellus (mais il peut s'agir d'une faute de copiste), Eutychianus et Gaius. Le dédoublement Clet, Anaclet n'apparaît pas et Alexandre, curieusement déplacé du 6ᵉ au 13ᵉ rang, s'est substitué à Éleuthère. A l'exception de ces quelques différences, Optat suit la même tradition que le catalogue libérien (Clément placé immédiatement après Lin, Pie et Anicet intervertis).

La liste des évêques de Rome reproduite par AUGUSTIN (*Epist.*, LIII, 2-3) présente les mêmes particularités.

TABLE DES MATIÈRES

SOURCES CHRÉTIENNES

Fondateurs : † H. de Lubac, s.j.
† J. Daniélou, s.j.
† C. Mondésert, s.j.
Directeur : D. Bertrand, s.j.
Directeur de la Collection : J.-N. Guinot

Dans la liste qui suit, dite « liste alphabétique », tous les ouvrages sont rangés par nom d'auteur ancien, les numéros précisant pour chacun l'ordre de parution depuis le début de la collection. Pour une information plus complète, on peut se procurer deux autres listes au secrétariat de « Sources Chrétiennes » – 29, rue du Plat, 69002 Lyon (France) – Tél. : 78.37.27.08 :

1. la « liste numérique », qui présente les volumes et leurs auteurs actuels d'après les dates de publication ; elle indique les réimpressions et les ouvrages momentanément épuisés ou dont la réédition est préparée.

2. la « liste thématique », qui présente les volumes d'après les centres d'intérêt et les genres littéraires : exégèse, dogme, histoire, correspondance, apologétique, etc.

LISTE ALPHABÉTIQUE (1-412)

SOUS PRESSE

APPONIUS, **Commentaire sur le Cantique.** Tome I. L. Neyrand, B. de Vregille.

BERNARD DE CLAIRVAUX, **Sermons sur le Cantique.** Tome I. R. Fassetta, P. Verdeyen.

GRÉGOIRE DE NYSSE, **Homélies sur l'Ecclésiaste.** F. Vinel.

MARC LE MOINE, **Traités.** Tome I. G.-M. de Durand.

OPTAT DE MILÈVE, **Traité contre les donatistes.** Tome II. M. Labrousse.

Passion de Perpétue. J. Amat.

PROCHAINES PUBLICATIONS

Les Apophtegmes des Pères. Tome II. J.-C. Guy (†).

EUDOCIE, **Centons homériques.** A.-L. Rey.

ISIDORE DE PÉLUSE, **Lettres.** Tome I. P. Évieux.

Livre d'heures ancien du Sinaï. M. Ajjoub.

TERTULLIEN, **Le Voile des vierges.** P. Mattei, E. Schulz-Flügel.

Également aux Éditions du Cerf

LES ŒUVRES DE PHILON D'ALEXANDRIE
publiées sous la direction de
R. ARNALDEZ, C. MONDÉSERT, J. POUILLOUX.
Texte original et traduction française.

BT 137Ø .O672 1995 v.1

Optatus, 4th cent.

Trait e contre les
donatistes

GENERAL THEOLOGICAL SEMINARY
NEW YORK

ACHEVÉ D'IMPRIMER
SUR LES PRESSES DE
L'IMPRIMERIE CHIRAT
42540 ST-JUST-LA-PENDUE
EN NOVEMBRE 1995
N° D'ÉDITEUR : 10175
DÉPÔT LÉGAL 1995 N° 9983

IMPRIMÉ EN FRANCE